D1196424

Oetinger

Die Stadt der Haie ist der dritte Band
der spannenden Animox-Reihe.

Bisher erschienen:

Animox – Das Heulen der Wölfe
Animox – Das Auge der Schlange
Animox – Die Stadt der Haie

Fortsetzung folgt.
Weitere Informationen unter www.animox-buch.de.

Aimée Carter machte ihren Abschluss an der Universität von Michigan und schreibt leidenschaftlich gern Bücher für Kinder und Jugendliche. *Animox* ist ihre erste Reihe für Kinder.

AIMÉE CARTER

ANIMOX

DIE STADT DER HAIE

Aus dem Englischen
von Maren Illinger

Verlag Friedrich Oetinger · Hamburg

Dieses Werk wurde vermittelt durch die Literarische Agentur
Thomas Schlück GmbH, 30827 Garbsen
Die amerikanische Originalausgabe erschien bei Bloomsbury US
unter dem Titel »Simon Thorn and the Shark's Cave«.
Aus dem Englischen von Maren Illinger
Umschlaggestaltung und Vignetten von Frauke Schneider
Satz: Dörlemann Satz, Lemförde
Druck und Bindung: CPI books GmbH,
Birkstraße 10, 25917 Leck, Deutschland
Printed 2017
ISBN 978-3-7891-4625-1

www.oetinger.de

ERSTES KAPITEL

Sturzflug

Eigentlich war Simon Thorn kein Angeber.
Er mochte es nicht, wenn andere Leute sich aufspielten. Und er selbst hatte normalerweise sowieso nicht viel, womit er angeben konnte. Simon war ein durchschnittlicher Zwölfjähriger mit durchschnittlichen Noten und durchschnittlichem Aussehen, abgesehen von seiner unterdurchschnittlichen Größe. Er stach aus keiner Menge heraus. Obwohl die überdurchschnittlich vielen Raufbolde, mit denen er es bereits zu tun gehabt hatte, ja einen Grund gehabt haben mussten, um gerade auf ihm herumzuhacken. Nur welchen? Er wusste es nicht.

Aber als er dreihundert Meter über dem Central Park durch die Luft flog, seine Goldadlerflügel links und rechts neben dem gefiederten Körper ausgestreckt, hatte er plötzlich doch etwas, womit er angeben konnte.

Ein Rotschwanzbussard reckte etwa hundert Meter hinter ihm die Klauen in die Luft und mühte sich ab, seine Flughöhe zu halten. Er scheiterte kläglich, und jeder zufällige Beobachter hätte geglaubt, dass es sein erster Flug war. Dabei war er schon mindestens dreimal geflogen – aber er hatte den Dreh noch immer nicht raus. Simon hatte sich bei seinem ersten Flug geschickter angestellt, und in Anbetracht der Tatsache, dass der Bussard ihn aus seinem warmen Bett gezerrt hatte, um die über Nacht gefallene Schneedecke von oben zu bewundern, spürte er ein deutliches Gefühl der Genugtuung.

»Simon, flieg langsamer! Du bist zu schnell!«, rief der Bussard.

»Und du strengst dich zu sehr an«, rief Simon zurück und stieß zu ihm herab. »Du musst nicht ständig mit den Flügeln schlagen. Lass dich einfach vom Wind tragen und vertrau deinem Instinkt.«

»Du hast gut reden. Du fliegst ja schon seit Monaten«, grummelte der taumelnde Bussard. Er verlor ganz plötzlich an Höhe, und Simon hörte ihn panisch nach Luft japsen. Es wäre beinahe komisch gewesen, wenn Simon nicht ernstlich gefürchtet hätte, der Bussard könnte auf den gefrorenen Boden stürzen.

»Lass uns eine Pause machen«, schlug Simon vor. »Siehst du den Baum dahinten? Den großen?«

»Da sind jede Menge Bäume!«

»Flieg mir einfach nach.« Simon flog langsamer, damit der Bussard ihm folgen konnte, steuerte auf einen Ast zu, breitete die Flügel zum Bremsen aus und ergriff mit den Klauen das kalte Holz.

Der Bussard war weniger erfolgreich. Er streifte den Ast noch nicht einmal. Stattdessen landete er, wie Simon hilflos mit ansehen musste, kopfüber in einer Schneewehe.

»Nolan!« Simon flog sofort zu dem Loch, das der Vogel im Schnee hinterlassen hatte. Sein Puls raste, während ihm entsetzliche Bilder durch den Kopf schossen. »Nolan, geht es dir …«

Ein Junge, der die gleichen blauen Augen hatte wie Simon, streckte den Kopf aus dem Schnee und rief fröhlich: »Das war fantastisch!«

Simon stieß einen Fluch aus, der seinen Onkel Malcolm veranlasst hätte, ihm einen Klaps zu geben, und verwandelte sich in menschliche Gestalt. Er plumpste rückwärts auf den kalten Boden, die Arme zu beiden Seiten ausgestreckt, als wären sie noch immer die Flügel des Goldadlers. »Ich dachte, du wärst tot!«

»Quatsch, so schnell geh ich nicht drauf.« Sein Zwillingsbruder strich sich den Schnee aus den hellbraunen Haaren, die erst letzte Woche geschnitten worden waren. Die Frisur war der einzige Unterschied zwischen den beiden Jungen: Simons Haare, ebenfalls hellbraun, waren lang und zottelig, nachdem er monatelang keine Schere in ihre Nähe gelassen hatte. Malcolm hatte mehrmals versucht, ihn zu einem Haarschnitt zu bewegen, doch Simon hatte sich immer wieder geweigert, und schließlich hatte sein Onkel aufgehört, ihn zu drängen.

Simon seufzte. Der rötliche Himmel färbte sich golden, während die Sonne hinter der Skyline von Manhattan emporkletterte. »Wir müssen zurück, bevor das Rudel uns erwischt.«

»Ach was, wir haben noch jede Menge Zeit«, widersprach Nolan, erhob sich und dehnte seine Schultern mit kreisenden Bewegungen. »Ich will noch ein bisschen fliegen.«

»Du meinst, du willst noch ein bisschen abstürzen«, entgegnete Simon. »Erst mal musst du lernen, wie man landet. Es wird nicht immer ein weicher Schneehaufen auf dich warten … He, Nolan!«

Doch sein Bruder animagierte bereits. Sein schmaler Körper schrumpfte, braune Federn sprossen aus seiner Haut und seiner Kleidung, während seine Arme zu Flügeln wurden und seine Füße sich zu gelben Krallen krümmten. Innerhalb eines Herzschlags hatte sich sein Bruder in einen Goldadler verwandelt, die gleiche Gestalt, die Simon zuvor angenommen hatte.

»Fang mich!«, krächzte der Adler, und bevor Simon widersprechen konnte, erhob er sich ungelenk aus dem

Schnee, schwankend und heftig mit seinen großen Flügeln schlagend.

Simon blickte sich besorgt um und hoffte, dass niemand gesehen hatte, was passiert war. Zwei Jungen, die aus dem Nichts heraus in einer Schneewehe auftauchen – das ließ sich noch irgendwie erklären. Aber bei einem Jungen, der sich in einen Vogel verwandelte, sah das schon anders aus.

Die meisten Leute in New York City waren ganz normal, doch Simon und sein Bruder waren Animox – sie gehörten zu einer geheimen Gruppe von Menschen mit der Fähigkeit, sich in ein Tier zu verwandeln. Hier in New York befand sich die berühmteste Animox-Akademie des Landes: die Leitende Animox-Gesellschaft für Exzellenz und Relevanz, kurz L. A. G. E. R., in einem versteckten Gebäude unter dem Central Park Zoo. Raubtiere aus allen fünf Königreichen gingen dort zur Schule und lernten nicht nur Geschichte, Zoologie und das Kämpfen in ihrer jeweiligen Animox-Gestalt, sondern auch die Gesetze ihrer Welt. Das wichtigste Gesetz war, dafür zu sorgen, dass kein Mensch je von ihnen erfuhr. Wenn also irgendjemand Nolan gerade beim Animagieren gesehen hätte, hätten sie beide jetzt ein echtes Problem.

Doch von den wenigen Leuten, die um diese Uhrzeit im Park unterwegs waren, schien niemand in ihrer Nähe zu sein, und Simon dankte seinem Glücksstern. Er verwandelte sich wieder in einen Adler, ließ sich von einem Luftstrom tragen und schraubte sich in den Himmel, bis er seinen Bruder eingeholt hatte.

»Wo willst du hin?«, rief Simon. Sie steuerten geradewegs auf den Central Park Zoo zu, wo er mehrere graue Wölfe über die verlassenen Pfade streichen sah.

»Was glaubst du?« Nolan lachte schallend und flog schwankend noch höher. Simon stockte der Atem, als sein Bruder den Zoo und damit auch mögliche weiche Landeplätze hinter sich ließ. Stattdessen düste er auf einen Wolkenkratzer einige Blocks weiter zu. Das gläserne Kuppeldach reflektierte die Strahlen der frühen Morgensonne, und Simons Herz setzte kurz aus.

Der Sky Tower.

»Nolan, nein!«, schrie er, doch seine Stimme verlor sich im Wind. Sein Bruder streckte die Klauen aus, und es gelang ihm auf wundersame Weise, die Dachkante zu erreichen, wo er einen schrecklichen Augenblick lang nach hinten zu kippen schien, bevor er das Gleichgewicht wiedererlangte.

»Siehst du? Ich werde immer besser«, sagte Nolan stolz und trippelte auf die Kuppel zu. Simon landete neben ihm und schlitterte über das vereiste Glas.

»Wir sollten nicht hier sein«, keuchte er und drehte seinen Adlerkopf zur Seite, während sich ein Knoten aus Angst in seinem Hals formte. »Orion …«

»Orion ist nicht hier.« Nolan plusterte das Gefieder auf, aber immerhin hatte er genug Verstand, um sich nicht zurück in menschliche Gestalt zu verwandeln. Nicht vierzig Stockwerke über dem Erdboden. »Und wenn er hier wäre, würde ich ihn umbringen.«

Simon verlagerte nervös das Gewicht. Orion war der Herr des Vogelreichs und leider auch ihr Großvater, der Vater ihrer Mutter. Trotz der familiären Verbindung hatte er vor wenigen Monaten versucht, Simon vom Dach des Sky Towers zu stoßen. Zu seinem großen Glück hatte Simon im freien Fall zum ersten Mal animagiert und war dem sicheren Tod entkommen. Doch es war nicht das einzig Schreckliche, was er auf diesem Dach erlebt hatte.

Den Großteil seines Lebens hatte Simon an der Upper West Side von Manhattan gelebt, gleich gegenüber vom Central Park, bei seinem Onkel Darryl. Darryl war ebenfalls ein Animox gewesen – ein riesiger grauer Wolf, was Simon jedoch erst erfahren hatte, als seine Mutter von der Rattenarmee entführt worden war und sein Onkel ihn vor den bissigen Nagern gerettet hatte.

Seine Suche hatte ihn schließlich hierher geführt: auf das Dach des Sky Towers, wo Orion Darryl vor Simons Augen getötet hatte. Als er nun dort im eisigen Wind kauerte, konnte er die Stelle sehen, an der sein Onkel gestorben war. Im Laufe der Zeit hatten Regen und

Schnee die letzten Blutspuren abgewaschen, doch Simon sah noch immer den leblosen Körper seines Onkels vor sich.

»Wir müssen gehen«, sagte er und schluckte, als er sich wegdrehte. Nolan wollte protestieren, doch nach einem Blick auf seinen Bruder besann er sich eines Besseren.

»Oh … das hatte ich ganz vergessen. Dein Onkel.«

»Er war auch dein Onkel«, sagte Simon rau, obwohl Nolan Darryl nie richtig kennengelernt hatte. Kurz nachdem Orion Simons Vater getötet hatte, hatte seine Mutter die neugeborenen Zwillinge getrennt, um sie vor Orion zu schützen. Simon wurde von Darryl großgezogen, Nolan von der Alpha des Säugerreichs, Celeste, die Darryls und Malcolms Mutter war und Simons Vater adoptiert hatte. Die Entscheidung seiner Mutter hatte sie geschützt, aber sie hatte auch zur Folge gehabt, dass Simon und Nolan einander nicht nur nie begegnet waren, sondern nicht einmal voneinander gewusst hatten, bis sie sich mit zwölf Jahren zum ersten Mal gegenübergestanden hatten.

Ein schriller Schrei ertönte über ihnen, und Simon blickte auf. Zwei Wanderfalken kreisten hoch oben in der Luft und kamen mit jedem Flügelschlag näher.

»Simon und Nolan Thorn«, rief der erste mit einer Stimme, die zu menschlich klang, um einem normalen

Tier zu gehören. »Der Herr der Vögel befiehlt euch, zu ihm zu kommen.«

Simon überlief ein Schauder. »Ich hab's doch gesagt«, zischte er seinem Bruder zu. »Los, komm, wir müssen zum Zoo, bevor ...«

»Ich nehme keine Befehle von Orion entgegen«, rief Nolan und breitete die Flügel aus. »Wenn ihr mich haben wollt, müsst ihr mich schon fangen!«

Die Falken kreischten – vielleicht war es auch ein Lachen –, und Simon stöhnte. »Du bist so ein Idiot«, sagte er, während sie umkehrten und Richtung Zoo flogen. »Wanderfalken sind die schnellsten Vögel überhaupt.«

»Und du bist ein ...« Was auch immer Nolan sagte, wurde weggeweht. Vielleicht konzentrierte er sich auch so sehr aufs Fliegen, dass er den Satz gar nicht beendet hatte.

Die Falken schossen durch die frische Morgenluft und holten rasch auf. »Halt, im Namen des Herrn der Vögel!«, rief der eine. Simon beschwor Nolan im Stillen, schneller zu fliegen, doch auch wenn Nolan sich alles zuzutrauen schien – in den letzten dreißig Sekunden hatte er keine Fortschritte gemacht.

Als sie sich dem Central Park näherten, schwankte der Goldadler vor Simon im Wind, außerstande, die Geschwindigkeit zu halten und dabei den Wolkenkratzern auszuweichen. Vor ihnen befand sich ein altes Gebäude. Es wurde Arsenal genannt und war der Eingang zum L. A. G. E. R. Wenn Nolan es bis dahin schaffte …

Aber die Falken kamen immer näher, und gleichzeitig wurde Simons Bruder immer langsamer. Anscheinend hatte er zu viel mit den Flügeln geschlagen, oder er hatte seinen Luftstrom verloren. Simons Muskeln spannten sich an – er wusste, was er zu tun hatte.

»He, ihr Spatzenhirne!«, schrie er, löste sich aus Nolans Windschatten, machte eine Kehrtwende und flog direkt auf die Falken zu. »Kümmert euch um eure eigenen Angelegenheiten!«

Für den Bruchteil einer Sekunde wirkten die Falken verdutzt, doch der Effekt hielt nicht lange an. Der Größere der beiden änderte die Stellung seiner Federn und steuerte geradewegs auf Simon zu. Kurz bevor sie zusammenstießen, wich der Falke aus und schlug die Schwanzfeder gegen Simons Flügel.

Brennender Schmerz durchzuckte Simons Schulter, und er schrie empört auf, während sein Körper zu trudeln begann und auf ein Fenster zuraste. Entfernt hörte er den Falken lachen, und nur durch reinen Instinkt gelang es ihm, sich zu fangen, bevor seine zerbrechlichen Adlerknochen am Glas zersplitterten.

»Der Herr will sie lebendig, du Trottel!«, rief der kleinere Falke, der Nolan fast eingeholt hatte. Der größere änderte die Richtung und flog wieder auf Simon zu, aber diesmal war Simon vorbereitet.

Er schwang den Flügel in die Flugbahn des Falken und brachte seinen Gegner, der dem Zusammenstoß ausweichen wollte, aus dem Gleichgewicht. Simon griff den Falken an den Schwanzfedern, nutzte seinen Kräftevorteil und schleuderte ihn, so fest er konnte, auf das nächste Dach zu.

Das Letzte, was er von ihm hörte, war ein schweineähnliches Quieken, und wäre die Lage nicht so ernst gewesen, hätte Simon vielleicht gelacht. Aber Nolan war noch immer in Gefahr, und sobald Simon sich davon überzeugt hatte, dass der Falke so fest aufgekommen war, dass er eine Pause brauchte, flog er wieder Richtung Zoo.

Der Goldadler war mittlerweile kurz vorm Arsenal, doch zu Simons Entsetzen war der zweite Falke nur noch eine Federlänge von ihm entfernt. Simon stieß einen zornigen Schrei aus und flog, so schnell er konnte. Sein Körper streckte sich und wurde lang, während er seinen Schwung nutzte, um zu den beiden hinabzustürzen. Falls der Falke Nolans Schwanzfedern packte, würde der die Balance verlieren. Wenn er aus dieser Höhe auf den Boden stürzte, waren seine Überlebenschancen gering.

Als Nolan über die Mauer des Central Park Zoos flog,

schnappte der Falke tatsächlich nach seinen Schwanzfedern. Simon überkam Panik, seine Lunge brannte. »Du bringst ihn um!«, schrie er.

Der Falke zögerte kurz, und das war alles, was Simon brauchte. Er holte ihn ein, packte ihn am Flügel, zog ihn mit aller Kraft nach oben und schleuderte ihn in den Himmel, weit weg von dem trudelnden Goldadler. Einen entsetzlichen Augenblick lang fürchtete Simon, der Falke hätte seinen Bruder mit sich gerissen. Doch als wäre nichts geschehen, setzte Nolan seinen Sturzflug auf das Seehundbecken in der Mitte des Zoos fort.

»Pass auf!«, schrie Simon, doch es war schon zu spät. Sein Bruder stürzte ins kalte Wasser, wobei er mit dem Flügel gegen einen der großen Felsen prallte. Bevor Simon irgendetwas tun konnte, verschwand er unter der Wasseroberfläche und hinterließ nichts als einen Kreis aus Wellen.

ZWEITES KAPITEL

Ins kalte Wasser

In kalten Angstschweiß gebadet landete Simon auf der Metallbrüstung, die das Seehundgehege umgab, und verwandelte sich in menschliche Gestalt. So früh waren noch keine Besucher im Zoo unterwegs, und selbst wenn ihn jemand sehen sollte, war ihm das im Augenblick egal.

»Nolan!« Er suchte das eisige Becken ab. Er hatte die scharfe Sicht des Adlers eingebüßt und konnte im dunklen Wasser kaum etwas erkennen. »Nolan, wo …«

Sein Bruder tauchte neben dem Felsen auf. Die Haare klebten ihm am Gesicht, und seine Augen waren vor Schmerz geschlossen. Trotzdem lachte er, nachdem er einen Schwall Wasser ausgespuckt hatte.

»Das war der coolste Absturz aller Zeiten!«

Augenblicklich wich Simons Angst blindem Zorn.

Normalerweise war er nicht besonders vorsichtig. In den Abenteuern, die er in den letzten Monaten mit seinen Freunden erlebt hatte, war fast immer er derjenige gewesen, der die tollkühnen Vorschläge gemacht hatte. Aber sein Wagemut hatte immer einem bestimmten Ziel gedient. »Bist du verrückt? Die hätten dich umbringen können. Die hätten *uns* umbringen können!«

Nolan watete zu ihm herüber. Simon hielt sich am Geländer fest und streckte ihm die Hand entgegen, doch als er seinen Bruder nach oben ziehen wollte, zuckte Nolan zusammen. »Aua! Nicht den Arm«, rief er. »Es tut mir leid ...«

Simon ließ ihn los. »Es tut dir nicht leid«, fauchte er, während er vorsichtig den anderen Ellbogen seines Bruders ergriff und ihm half, über die Brüstung zu steigen. »Dir tut nie etwas leid. Warum wolltest du überhaupt zum Sky Tower? Hast du irgendeine Ahnung, was die Falken mit dir hätten machen können?«

»Ich wusste doch, dass du es mit ihnen aufnehmen kannst«, entgegnete Nolan mit klappernden Zähnen. »Und wenn nicht, hätte ich ...«

»Hättest du was? Dich in ein anderes Tier verwandelt?«, knurrte eine tiefe Stimme. Hinter Simon, am Rand des Geheges, stand Malcolm mit verschränkten Armen. Sogar unter seinem Wintermantel waren deutlich seine kräftigen Muskeln zu erkennen.

Er war groß und breitschultrig und hatte eine Ausstrahlung, die sämtliche Störenfriede auf Abstand hielt. Darüber hinaus verrieten die Narben, die seinen Körper überzogen, dass er zu kämpfen und zu siegen verstand. Das erste Mal, als Simon ihn gesehen hatte, hatte er eine Riesenangst vor ihm gehabt. Jetzt, beinahe vier Monate später, wusste er, dass Malcolm seine Stärke genauso wenig gegen die Jungen einsetzen würde, wie er sich in einen Papagei verwandeln und zu krächzen anfangen würde. Was angesichts der Tatsache, dass sein Onkel sich nur in einen Wolf verwandeln konnte, sehr unwahrscheinlich war.

»Ich …« Nolan lehnte sich zitternd gegen das Geländer und legte die Hand schützend um den verletzten Ellbogen. »Wenn es nötig gewesen wäre.«

»Unter freiem Himmel, wo jeder dich sehen kann?« Trotz seiner wütenden Miene half Malcolm Nolan auf den Boden. »Weißt du eigentlich, was passiert, wenn du vor Publikum animagierst?«

»Hat er doch gar nicht.« Simon kletterte über die Brüstung und landete auf dem Pflaster. Nolan war triefnass, und seine Lippen, von denen das selbstgefällige Grinsen endlich verschwunden war, liefen blau an.

»Und außerdem haben sie ihn nicht bekommen. Das hätte ich nie zugelassen«, fügte Simon grimmig hinzu.

Die allermeisten Animox konnten sich nur in ein bestimmtes Tier verwandeln und gehörten einem der fünf Königreiche an: dem der Säuger, der Vögel, der Reptilien, der Insekten oder der Unterwassergeschöpfe. Aber Nolan war etwas Besonderes. Er hatte die – vermeintlich einzigartige – Fähigkeit, sich in jedes beliebige Tier zu verwandeln. Eine Gabe, die er von seinem Vater geerbt hatte, einem Nachfahren des Bestienkönigs. Dieser tyrannische Anführer hatte vor Hunderten von Jahren über ihre Welt geherrscht und sich die Kräfte zahlloser Animox gewaltsam angeeignet. Die fünf Reiche hatten sich schließlich verbündet, um ihn zu besiegen, aber sie hatten nichts davon gewusst, dass er seine Kräfte bereits weitergegeben hatte. Und so hatte für unzählige Generationen Nachfahre um Nachfahre die Gabe geheim gehalten. Denn hätten die fünf Reiche erfahren, dass es noch immer jemanden gab, der die Kräfte des Bestienkönigs besaß, hätten sie ihn zweifellos eingesperrt oder sogar getötet, um zu verhindern, dass er sie nutzen würde, um die Welt der Animox zu unterwerfen.

Malcolm seufzte, zog seinen Mantel aus und legte ihn um Nolans Schultern. »Keine Fliegerei mehr bis Weihnachten«, sagte er schließlich. »Und auch nicht während der Ferien.«

»Aber …«, begann Nolan zu protestieren, doch Malcolm unterbrach ihn und beugte sich vor, bis sie auf Augenhöhe waren.

»Wenn du dich nicht an die Regeln hältst, werde ich deine Lehrer bitten, dir jeden Tag eine Extra-Hausaufgabe aufzugeben. Willst du das?«

Nolans riss den Mund auf. »Das ist nicht fair!«

»Es ist auch nicht fair, mir einen Mordsschrecken einzujagen und deinen Bruder zu zwingen, sein Leben für dich aufs Spiel zu setzen.« Malcolm sah auf die Uhr. »In ein paar Minuten gibt es Frühstück. Wir müssen ...«

»Kann ich noch kurz draußen bleiben?«, unterbrach Simon ihn und rieb sich die Kratzer auf seiner Schulter. »Ich ... ich möchte Darryl besuchen.«

Malcolms Gesicht wurde weich, und obwohl er die Augenbrauen hochzog, nickte er. »Fünfzehn Minuten. Keine Sekunde länger, ist das klar?«

Simon nickte und sah Malcolm und Nolan hinterher, die in Richtung des Arsenals gingen, gefolgt von zwei großen Wölfen. Das Rudel war während der Schließzeiten immer im Zoo unterwegs und bewachte den Eingang zur Schule. Normalerweise empfand Simon ihre Anwesenheit als störend, aber heute, als er zum heller werdenden Himmel aufblickte, war er dankbar, dass sie da waren.

Er machte sich auf den Weg in den Teil des Zoos, wo sein Onkel unter der Statue eines heulenden Wolfs begraben lag. Daneben stand eine zweite Wolfsstatue, die das Grab seines Vaters markierte, aber dort blieb Simon heute nicht stehen. Stattdessen streichelte er die Schnauze des ersten Wolfs und starrte die Narbe an, die über dessen Gesicht verlief. Manchmal sprach er mit seinem Onkel, manchmal nicht. Heute sagte sein Schweigen alles, und er seufzte in die kalte Morgenluft.

Instinktiv oder aus Gewohnheit oder vielleicht sogar ein bisschen aus Hoffnung ließ er den Blick zum Sockel der Statue sinken, wo sich ein loser Stein befand. Zweimal hatte er dort Postkarten von seiner Mutter gefunden, doch diesmal war nichts da, und sein Herz wurde schwer. Als er bei Darryl gelebt hatte, hatte sie ihm jeden Monat eine Karte geschickt, während sie durchs Land reiste – angeblich um Tiere zu erforschen –, und die regelmäßige Post von ihr war ein weiterer Teil seines früheren Lebens, der ihm fehlte. Jetzt, da er wusste, warum sie immer unterwegs war, konnte er ihr keine Vorwürfe mehr machen: Sie suchte die Teile des Greifstabs, der mörderischen Waffe des Bestienkönigs, die ihm die Macht gegeben hatte, anderen Animox ihre Kräfte zu rauben. Die Herrscher der fünf Reiche hatten die Waffe zerbrochen und je eins der fünf Kristallteile versteckt, und nun, Jahrhunderte später, versuchten sowohl Celeste, die ehemalige Alpha des Säugerreichs, als auch Orion, der Herr der Vögel, den Greifstab wieder zusammenzusetzen. Das musste verhindert werden! Als es Celeste fast gelungen war, hatte Simon sie aufhalten können – aber er hatte

Orion nicht daran hindern können, seine Mutter zu entführen, die als Einzige wusste, wo die Teile versteckt waren.

Nach Darryls Tod und dem Verschwinden seiner Mutter waren die letzten vier Monate die schlimmsten in Simons Leben gewesen. Er wusste, dass seine Mutter am Leben war – dank ihrer letzten Karte wusste er sogar, dass sie sich in Los Angeles aufhielt, wo der General des Unterwasserreichs lebte. Aber Simon saß am anderen Ende des Landes fest, aufmerksam bewacht durch seinen Onkel und ein Rudel Animox-Wölfe, das mittlerweile die meisten seiner Tricks kannte.

»He, Simon!«, rief ein Mitglied des Rudels, eine Wölfin, die normalerweise eine Frau mit lockigen Haaren namens Vanessa war. »Deine fünfzehn Minuten sind gleich um. Ist dir nicht kalt?«

»Doch, ein bisschen«, gab er zu. Trotz seiner dicken Daunenjacke war er halb erfroren, aber er war fest entschlossen gewesen, Darryl zu besuchen. Jeden Tag, an dem er nicht bei seinem Onkel vorbeischaute, hatte er ein schlechtes Gewissen, auch wenn er wusste, dass Darryl nicht mehr da war. Aber wenn Darryl es doch irgendwie mitbekam, sollte er nicht denken, dass Simon ihn vergessen hatte. Er hatte zwar keine Erinnerungen an seinen Vater, aber er hatte aus seiner ganzen Lebenszeit Erinnerungen an seinen Onkel, und an manchen Tagen –

an den meisten, wenn Simon ehrlich zu sich war – konnte er nicht akzeptieren, dass keine weiteren mehr hinzukommen sollten.

Simon strich der Wolfsstatue ein letztes Mal über die Schnauze, bevor er der Wölfin zurück ins warme Arsenal folgte. Die Treppe, die unter das Gebäude führte, war steil, und er stützte sich an der Wand ab, um nicht das Gleichgewicht zu verlieren. Hinter der Geheimtür am unteren Treppenabsatz lag ein riesiges unterirdisches Gewölbe, dessen Grundfläche so groß war wie der ganze Zoo und in dem sich das fünfeckige Backsteingebäude des L. A. G. E. R. befand. Doch um dorthin zu gelangen, musste man erst einen Graben voller Piranhas, Quallen und – von Simon am wenigsten geschätzt – Haien überqueren.

Glücklicherweise schien der Graben im Augenblick leer zu sein, bis auf einzelne Fischschwärme, die ihr Morgentraining absolvierten, und Simon eilte mit knurrendem Magen über die Brücke. Seine Freunde waren sicher schon beim Frühstück, und vielleicht würde es den Knoten in seiner Brust lösen, wenn er ihnen von dem Ausflug zum Sky Tower erzählte. Nolans Leichtsinn ärgerte ihn immer noch, und er war das Einzige, was ihn davon abhielt, sich selbst Vorwürfe zu machen. Es war knapp gewesen – zu knapp. Simon wusste besser als jeder andere, dass Orion nur deshalb versuchte, die Teile des Greifstabs zusammenzusetzen, weil er Nolan töten wollte, um die Kräfte des Bestienkönigs an sich zu reißen.

Orion wusste jedoch nicht, dass Nolan nicht der Einzige war, der diese Kräfte geerbt hatte. Auch Simon hatte sie – ein Geheimnis, das niemand außer seiner Mutter und seinen besten Freunden kannte, nicht einmal sein Onkel und sein Bruder. Im Augenblick blieb ihm nichts anderes übrig, als seine Kräfte dafür zu nutzen, die Teile des Greifstabs zu finden und seinen Bruder zu schützen. Aber sollten die fünf Reiche jemals erfahren, dass es *zwei* lebende Erben des Bestienkönigs gab, würden sie die gesamte Welt der Animox auf den Kopf stellen, bis sie Simon und Nolan getötet hätten.

Zu Simons Erleichterung entdeckte er, gleich als er in den vollen Speisesaal kam, einen wohlbekannten blonden Haarschopf. Jam hielt den Kopf gesenkt und hatte die Nase in einem Buch vergraben. Simon holte sich etwas vom Frühstücksbuffet und lief zu ihm hinüber.

»Du wirst nicht glauben, welchen Mist Nolan heute Morgen wieder gebaut hat«, sagte er, während er sein Tablett mit so viel Wucht absetzte, dass dabei beinahe sein Saft überschwappte. »Wir sind eine Runde geflogen und …«

»Sprich doch noch ein bisschen lauter, ich glaube, die Säuger dahinten haben dich nicht gehört.« Ariana knallte ihr Tablett auf den Tisch. Sie warf ihre frisch gefärbten

Haare – knallblau! – über die Schulter und ließ sich auf den freien Stuhl neben Jam fallen, der immer noch nicht von seinem Buch aufblickte.

Erschrocken legte Simon die Hand vor den Mund. Sie hatte recht – sie kannten Nolans Geheimnis, aber die anderen Schüler hatten keinen Schimmer, nicht einmal Nolans engste Freunde aus dem Säugerreich. Und Simon musste dafür sorgen, dass das auch so blieb. Nur weil er wütend war, durfte er nicht unvorsichtig werden. Er senkte die Stimme, sodass nur seine Freunde ihn hören konnten. »Also, wir sind geflogen und …«

»Hast du mich eben auf dem Gang nicht gesehen, Simon?« Ein Mädchen mit langen dunklen Haaren setzte sich neben ihn. Winter hatte sich nur ein Glas Saft geholt, und ohne zu fragen, schnappte sie sich einen Pfannkuchen von Simons Teller und tunkte ihn in das Schälchen mit Ahornsirup. »Du bist direkt an mir vorbeigegangen.«

»Oh … tut mir leid«, sagte Simon verlegen. Zu seiner Verteidigung musste man sagen, dass Winter sehr klein war. »Es war ein total chaotischer Morgen. Ihr werdet mir nicht glauben, was Nolan …«

Ariana stieß Jam mit dem Ellbogen an. »Wir sind da!«

»Was?« Jam hob ruckartig den Kopf, sichtlich überrascht, sie zu sehen. »Ich … oh! Hallo.«

Simon atmete langsam aus. »Hallo, Jam. Gutes Buch?«

»Fantastisch«, erwiderte er, aber ohne richtige Begeisterung. Er klappte das Buch zu und fügte hinzu: »Haben sie die Liste schon ausgehängt?«

»Vor fünf Minuten«, antwortete Ariana. »Du bist in der fünften Runde. Winter in der vierten. Ich in der ersten, und Simon kommt natürlich direkt ins Finale …«

»Was?« Er gab den Versuch auf, seinen Freunden die Ereignisse des Morgens zu schildern, und setzte sich. »Welches Finale?«

Alle drei starrten ihn entgeistert an; und wenn Simon nicht längst daran gewöhnt gewesen wäre, nicht die geringste Ahnung zu haben, was los war, wäre er verlegen gewesen.

»Hast du die letzten Wochen verschlafen?«, fragte Winter. Sie schnappte sich noch einen Pfannkuchen, und Simon machte sich nicht die Mühe, sie daran zu hindern. »Das Abschlussturnier. Heute wurde der Turnierplan ausgehängt.«

Jetzt war es an Simon, sie entgeistert anzustarren. Winter verdrehte die Augen. »Du weißt aber schon, was ein Turnier ist, oder?«

»Wir kämpfen alle nacheinander gegen andere Mitglieder unseres Reichs«, unterbrach Ariana, die bereits die Hälfte ihres mit Obst und Toast beladenen Tellers geleert hatte. »Wer die letzte Runde in seinem Reich gewinnt, kommt in die Finalrunde, wo so lange gekämpft wird, bis der endgültige Sieger feststeht. Es ist ein Riesending, vor allem wenn dein eigenes Reich gewinnt.«

Simon blinzelte. Das Training in der Grube war so etwas wie der Sportunterricht hier im L. A. G. E. R. – die Schüler kämpften in ihrer Animox-Gestalt, nicht nur, um ihre eigenen Fähigkeiten zu entwickeln, sondern auch, um die Schwächen der anderen Königreiche kennenzulernen. Er hasste es. Er war nicht besonders stark in seiner Adlergestalt, jedenfalls nicht gegen die Raubtiere aus den anderen Königreichen, und er hatte immer Angst, sich versehentlich in etwas anderes als einen Adler zu verwandeln und sein Geheimnis preiszugeben. »Was soll das heißen, ich komme direkt ins Finale?«

»Du bist das einzige Mitglied des Vogelreichs im L. A. G. E. R.«, sagte Winter.

»Aber ... ich will nicht«, protestierte er.

»Verlier einfach im ersten Finalkampf, dann musst du nicht weitermachen«, sagte Ariana ungerührt. Bevor Simon etwas erwidern konnte, richtete sie ihre Aufmerksamkeit auf Jam. »Mach dir keine Sorgen. Sie lassen euch bestimmt im Wasser kämpfen.«

Jam zuckte die Schultern. Er war ein Delfin und Mitglied des Unterwasserreichs, was in der Sandgrube nicht gerade von Vorteil war. »Von uns hat noch nie jemand die Meisterschaft gewonnen. Darüber mache ich mir keine Sorgen.«

»Was ist es dann?«, fragte sie. »Gab es dein Lieblings-Sushi heute nicht?«

Jam verzog das Gesicht und zog einen gefalteten Brief zwischen den Seiten seines Buchs hervor. »Der General hat mir geschrieben.«

»Dein Dad?«, fragte Winter. »Was ist daran so schlimm?«

»Er hat sich nicht mehr gemeldet, seit wir aus Paradise Valley zurück sind«, sagte Simon und begriff augenblicklich die Sorge in Jams Gesicht. Simon hatte den General des Unterwasserreichs zwar noch nie persönlich getroffen, aber von Jam schon allerlei über ihn gehört. Er war streng – strenger als alle Eltern, denen Simon je begegnet war –, und sein Schweigen in den letzten sechs Wochen war für Jam sehr bedrückend gewesen. »Hast du den Brief schon geöffnet?«

Jam schüttelte den Kopf. »Ich kann nicht. Was, wenn er mich von der Schule nimmt? Was, wenn er mich auf eine Akademie im Unterwasserreich steckt? Was, wenn …«

Ariana schnappte sich den Umschlag, riss ihn auf und begann zu lesen.

»He!«, rief Simon und versuchte, ihr den Brief wegzunehmen. Jam starrte nur auf den Tisch.

Ariana sprang auf, um sich Simon zu entziehen, überflog den Brief und machte große Augen. »Es ist eine offizielle Vorladung.«

Jam stöhnte und vergrub das Gesicht in den Händen. »Ich hab's ja gewusst.«

Winter stand auf und schaute Ariana über die Schulter. »Hör auf zu jammern. Er will nur, dass du in den Ferien nach Hause kommst.«

»Er wird einen Vorwand finden, um mich dortzubehalten, und ihr werdet mich nie wiedersehen«, sagte Jam kläglich. »Lebt wohl, meine Freunde. Leb wohl, freie Zeit. Leb wohl, alles, was ich liebe …«

»Du bist ja noch dramatischer als ich«, sagte Winter und setzte sich wieder.

Jam schüttelte den Kopf. »Ihr wisst nicht, wie es bei uns ist. Alles ist bis ins letzte Detail durchgeplant. Exakt fünf Minuten zum Anziehen. Drei Minuten zum Zähneputzen. Fünf Minuten, um aufs Klo zu gehen …«

»Schon gut, wir haben's kapiert«, unterbrach ihn Ariana. Sie setzte sich ebenfalls wieder und reichte Simon den Brief. »Aber die Winterferien sind nur zwei Wochen lang. Du wirst es überleben.«

»Ohne euch? Spätestens nach einer Stunde hat er Haifischfutter aus mir gemacht«, murmelte Jam.

Simon überflog den Brief. Er war getippt und trug den offiziellen Briefkopf des Generals des Unterwasserreichs von Nordamerika. Er hatte ein längeres Schreiben erwartet, aber es waren nur zwei Zeilen.

Offizielle Vorladung für Benjamin Fluke nach Avalon.
Vorstellung bei General Fluke am 21. Dezember, 17:00 Uhr.
Aufenthalt bis zum 4. Januar, 11:00 Uhr.

Der Brief war nicht einmal unterschrieben. Simon legte ihn auf Jams offenes Buch. »Wo ist Avalon?«

»In der Nähe von Los Angeles«, sagte Jam und musterte den Brief so argwöhnisch, als könnte er beißen. »Auf Santa Catalina, einer Insel vor der Küste.«

In Simons Kopf nahm eine Idee Gestalt an. Es hätte sich nicht besser fügen können, wenn er es geplant hätte. Er blickte zwischen seinen Freunden hin und her und beugte sich vor. »Denkt ihr, was ich denke?«

Jam blinzelte hinter seinen dicken Brillengläsern, als es ihm dämmerte. »Simon ... nein!«

»Irgendwann müssen wir dahin«, erklärte Simon. »Das ist genau der Vorwand, auf den wir gewartet haben.«

»Der General ist schon wütend genug. Er wird garantiert nicht erlauben, dass ich meine Freunde mitbringe.«

»Er hat recht, Simon«, sagte Ariana grimmig und trommelte mit den Fingern auf den Tisch. »Das Unterwasserreich ist dafür bekannt, Mitgliedern anderer Reiche gegenüber äußerst verschlossen zu sein. Selbst meine Mom braucht eine offizielle Vorladung.«

Während Jams Vater der Anführer des Unterwasserreichs war, war Arianas Mutter, die Schwarze Witwenkönigin, die Herrscherin über das Insekten- und Spinnenreich. Sogar Celeste, die bis vor wenigen Wochen die Alpha des Säugerreichs gewesen war, hatte Angst vor ihr. Und soweit Simon wusste, wagte es nie jemand, sich ihren Wünschen zu widersetzen.

»Ganz besonders hassen sie Reptilien und Vögel«, warf Winter ein, die sich noch immer nicht damit abfinden konnte, dass sie die Fähigkeit geerbt hatte, sich in eine Schlange, eine Wassermokassinotter, zu verwandeln anstatt in einen Vogel. »Selbst wenn der General Jam erlauben würde, seine Freunde mitzubringen, würde man dich und mich nicht reinlassen.«

»Dann ... verstecke ich mich eben«, sagte Simon verzweifelt. »Wir müssen dahin. Orion ist schon über einen Monat dort. Früher oder später wird er herausfinden, wo der General den Kristall des Unterwasserreichs versteckt hat, und dann ...«

Er brach abrupt ab. Was ihm auf den ersten Blick wie eine brillante Idee vorgekommen war, erschien ihm jetzt doch nicht mehr so toll – aber er musste nach Los Angeles! Seine Mutter hatte ihm die Aufgabe übertragen, die versteckten Teile zu finden, bevor jemand anders sie in die Hände bekam, und der Herr der Vögel war nahe dran – zu nah. Orion war hinterlistig. Wenn er die richtigen Verbündeten gefunden hatte, waren sie vielleicht schon zu spät.

»Tut mir leid, Simon«, sagte Jam, und es klang auch wirklich so. »Ich kann nichts tun.«

»Bitte frag ihn trotzdem«, bat Simon. »Wenn er Nein sagt, in Ordnung. Aber es könnte unsere einzige Chance sein. Du weißt, wie wichtig das ist, Jam. Ihr alle wisst es. Es geht nicht mehr nur um meine Mom. Es geht um die gesamte Welt der Animox.«

»Ich weiß«, murmelte Jam und starrte auf seinen unberührten Frühstücksteller. Endlich, mit einem schweren Seufzer, sagte er: »Also gut, ich frage ihn. Aber wenn er Nein sagt …«

»Noch wütender kannst du ihn doch gar nicht machen«, bemerkte Winter und mopste Simon seinen letzten Pfannkuchen. Der war so erleichtert über Jams Zugeständnis, dass er nicht protestierte.

»Danke, Jam«, sagte er. »Ich schulde dir einen Riesengefallen.«

»Du schuldest mir gar nichts«, entgegnete Jam. »Wir sind Freunde. Aber ich erwarte von dir, dass du mir regelmäßig schreibst, wenn der General mir Hausarrest gibt, bis ich achtzehn bin.«

»Jeden Tag«, versprach Simon. Sosehr Jam seinen Vater fürchtete – sie wussten beide, dass sie andere Sorgen hatten. Was auch immer nötig war, sie mussten das Teil des Greifstabs finden, das im Unterwasserreich versteckt war. Die Waffe des Bestienkönigs konnte nur vernichtet werden, wenn alle fünf Kristalle zusammengesetzt waren, und aus diesem Grund durften sie nicht zulassen, dass ein Teil in Orions Hände kam. Selbst wenn es bedeutete, den Groll eines mürrischen Generals und der gesamten Unterwasserarmee auf sich zu ziehen, musste Simon die Gelegenheit nutzen. Sie alle mussten es.

DRITTES KAPITEL

Angebissen

Später an diesem Morgen tauchte Nolan im Geschichtsunterricht wieder auf. Er trug den Arm in einer Schlinge und brachte die Ausrede vor, er sei die Treppe hinuntergefallen, als Simon und er ein Wettrennen gemacht hatten. Erst wollte Simon protestieren, besonders als er sah, dass Nolans Freunde ihm drohende Blicke zuwarfen, doch dann sagte er sich, dass es ein Schritt in die richtige Richtung war. Noch vor wenigen Monaten hätte Nolan behauptet, Simon habe ihn geschubst.

Als der kurzatmige Mr Barnes schließlich seinen Vortrag über die Fehden der verschiedenen Gruppen des Insektenreichs im 17. Jahrhundert beendet hatte – zu dem, wie Ariana gerne betonte, auch Arachniden gehörten –, folgte Simon Jam zur Abteilung des Unterwasserreichs.

Der Tunnel dort war der coolste Teil der Schule, fand Simon. Der gläserne Gang war von Wasser umgeben; und alles, von bunten Fischschwärmen bis zu den Haien, die den Graben bewachten, schwamm dort vorbei. Alle absolvierten das tägliche Trainingsprogramm, das die Mitglieder des Unterwasserreichs über sich ergehen lassen mussten. Es war kein Geheimnis, wie sehr Jam das streng reglementierte Leben seines Reichs verabscheute, aber Simon hielt die herrliche Aussicht für einen angemessenen Ausgleich.

Sie stiegen durch die Luke, durch die man unter den Tunnel zu den Schlafsälen der Schüler gelangte. Jam ging allerdings nicht in seinen Schlafsaal, sondern führte Simon zu einem Büro, in dem es nach Salz und Sardinen roch. Ein riesiger Mann mit sorgfältig gestutztem weißem Schnurrbart saß hinter einem Tisch, der aufgrund der Größe des Mannes so wirkte, als wäre er ein Kinderschreibtisch.

»Sir«, sagte Jam, der auf der Schwelle stehen geblieben war, und hob die Hand zum militärischen Gruß. Der Mann war ein Hammerhai und Simon nur als Captain bekannt. »Bitte um Verzeihung für die Störung, Sir. Brauche die Erlaubnis für ein Telefongespräch, Sir.«

Der Captain blickte nicht einmal auf. »Handelt es sich um einen Notfall, Soldat?«

»Ich ...« Jam sah Simon an und schluckte. »Ich habe

eine offizielle Vorladung vom General erhalten und ... Ja, Sir. Es ist ein Notfall, Sir.«

Der Captain atmete aus und grummelte: »Also gut, Soldat, Erlaubnis erteilt.«

Jam salutierte noch einmal und schob sich rückwärts aus der Tür. »Komm«, sagte er leise zu Simon. »Die Telefonkabine ist dahinten.«

Jam zeigte ihm eine enge Kabine mit einem Edelstahltelefon, das an der Wand hing. Es war kaum genug Platz für eine einzelne Person, und als Jam wählte, blieb Simon draußen, um sicherzugehen, dass niemand mithörte. Er wünschte sich so sehr, nach Los Angeles zu reisen, dass ihm die Vorstellung, der General könnte Nein sagen, beinahe den Atem nahm. Nun ja, im schlimmsten Fall konnte er sich wohl in den Weihnachtsferien davonschleichen und auf eigene Faust hinfliegen. Er hatte zwar keine große Lust darauf, zu essen, was auch immer Goldadler so aßen – vermutlich Ratten und kleine Tiere; wenn er in Zoologie besser aufgepasst hätte, würde er es wissen –, aber wenn es sein musste, konnte er es tun.

»Hier spricht Soldat Benjamin Fluke«, sagte Jam in den Hörer. Er klang anders als der stille, aber selbstbewusste Bücherwurm, der er in der Schule war. Seine Stimme zitterte, und Simon sah, dass er blass wurde. »Ich möchte General Fluke sprechen. Ja, ich bleibe dran.«

Simon fing seinen Blick auf und zeigte ihm den erhobenen Daumen. Er wusste, dass es völlig nutzlos war, aber er hatte keine Ahnung, was er sonst machen sollte. Es war schließlich seine Schuld, dass Jam überhaupt in diese missliche Lage gekommen war, und jetzt machte er alles noch schlimmer.

»Sir!« Jams Stimme wurde eine Oktave höher, sodass er wie eine quiekende Maus klang. »Ja, Sir, ich habe Ihr … Ja, Sir, werde ich … Ja, Sir, 17 Uhr … Ja, Sir, ich weiß, was ich getan habe …«

Jam schnitt eine Grimasse und hielt den Hörer einige Zentimeter von seinem Ohr weg. Simon konnte eine dröhnende Stimme hören, die eine anscheinend gut einstudierte Moralpredigt hielt, auch wenn nicht zu verstehen war, was der General sagte. Es war aber auch nicht nötig. Er schimpfte zweifellos über die Reise nach Arizona, die Simon, Jam, Winter und Ariana unternommen hatten, um das Teil des Greifstabs zu finden, das die Reptilien bewachten – was ihnen tatsächlich gelungen war. Der kostbare Kristall befand sich mittlerweile unter dem doppelten Boden, den Simon in seiner Sockenschublade eingerichtet hatte. Während Arianas Mutter nicht mit der Wimper gezuckt hatte, als sie von der Unternehmung erfahren hatte, war Jams Vater außer sich gewesen.

Schließlich sagte Jam kleinlaut: »Ja, Sir. Ich werde es nicht wieder tun, Sir. Darf ich …« Er schluckte mühsam und sah Simon an. »Darf ich eine Bitte äußern, Sir? Darf ich über die Feiertage ein paar Freunde mit nach Hause bringen, Sir?«

Einige Sekunden vergingen. Jam presste die Lippen zusammen und atmete langsam aus. »Simon Thorn, Sir. Der Neffe des Alpha. Und Ariana Webster, Sir, die Tochter der Schwarzen Witwenkönigin. Und Winter Rivera, die …« Er zuckte zusammen und hielt den Hörer wieder von seinem Ohr weg. »Ja, Sir. Der Herr der Vögel hat sie adoptiert … Das ist richtig, Sir. Aber … aber sie hat keinen Kontakt mehr zu ihm und …«

Ein weiterer Augenblick verstrich, und Simon rückte näher an die Öffnung der Kabine. Er wusste, dass er sich keine Hoffnungen machen sollte, aber was konnte er sonst tun? Der General musste einfach Ja sagen. Wenn nicht …

»Ich dachte, es wäre eine gute Idee. Die zukünftigen Anführer der fünf Königreiche, Sir. Je mehr Zeit wir miteinander verbringen …«

Jam verzog das Gesicht, und es folgte ein längeres Schweigen. »Ja, Sir. Ich verstehe, Sir. Keine Fremden in der Stadt, Sir. Ich bitte um Verzeihung, dass ich Sie gebeten habe, gegen die Regeln zu verstoßen.«

Simon ließ die Schultern hängen. Die Antwort lautete Nein. Er versuchte, ein möglichst neutrales Gesicht zu machen. Er hatte Jam schon in diese schwierige Lage gebracht, er sollte sich jetzt nicht noch schlechter fühlen, weil Simon enttäuscht war. Aber es half nichts, Jam vermied es, ihn anzusehen.

»Ja, Sir. Ich werde pünktlich sein, Sir. 17 Uhr, Sir.« Damit legte Jam auf, den Blick noch immer auf seine Schuhe gerichtet. »Es tut mir leid, Simon.«

»Schon in Ordnung«, sagte Simon, auch wenn das nicht stimmte. Aber Jam hatte sein Bestes getan, er konnte ihm keine Vorwürfe machen. »Wir werden einen anderen Weg finden. Vielleicht kann ich als blinder Passagier in deinem Koffer mitkommen. Oder …«

»Du verstehst das nicht. Die Sicherheitsvorkehrungen sind wahnsinnig streng. Dem General unterstehen ganze Armeen, darunter mindestens sieben verschiedene Hai-Einheiten. Du kannst dich nicht reinschmuggeln, Simon. Es ist unmöglich. Glaub mir, ich habe selbst mein ganzes Leben lang versucht, da rauszukommen. Es wird nicht funktionieren.«

Jam klang so niedergeschlagen, dass Simon sich zurückhielt. Jam kannte Avalon am besten. Wenn er sagte, dass es unmöglich war, dann war es unmöglich.

Er strengte sich an, Jam aufzumuntern, doch abgesehen davon verbrachte Simon den Rest des Tages wie im Nebel. Er musste irgendetwas tun, um zu verhindern, dass Orion die Teile bekam. Selbst wenn es gefährlich war, selbst wenn Jam es für unmöglich hielt, mussten sie es versuchen. Irgendwann im Unterricht für Fährtenlesen und Überlebenstraining stellte er fest, dass er stinksauer auf die ganze Welt war, dass sie ihn in diese Situation gebracht hatte. Normalerweise beschwerte er sich nicht, wirklich nicht, aber langsam wurde ihm alles zu viel. Wie sollte er diese ganzen Geheimnisse bewahren, die Welt retten und nebenbei noch seine Hausaufgaben machen?

Nach der letzten Stunde trottete Simon zum Alpha-Bereich, doch bevor er dort ankam, stürmte ein atemloser Junge auf ihn zu. »Der Alpha will dich sofort sprechen«, keuchte er und zog sein schwarzes Armband nach unten, das ihm bis zum Ellbogen hochgerutscht war. Auf dem Armband befand sich die Zeichnung eines Grizzlybären.

»Was ist, Thomas?«, fragte Simon und spürte Panik in sich aufsteigen. »Ist alles in Ordnung?«

Thomas nickte. »Er ist in der Grube.«

Simon rannte den Gang entlang. In seinem Kopf überschlugen sich die Gedanken. Hatte der General angerufen und Malcolm berichtet, was Jam vorgeschlagen hatte? War Nolan oder seiner Mutter etwas zugestoßen?

Als er die Sandgrube erreichte, war er so nervös, dass seine Muskeln vor Anspannung schmerzten. Er platzte mitten in den Unterricht einer Gruppe Säuger hinein, die paarweise miteinander kämpften. Alle drehten sich um und starrten ihn an, und für einen Augenblick wurde Simons Gesicht ganz heiß.

»Aufpassen!«, rief Vanessa, die anscheinend das

Training leitete, woraufhin die meisten mit ihren Übungen weitermachten. Simon entdeckte Malcolm auf der Treppe, die zur oberen Etage führte. Sein Onkel lehnte an der Brüstung und beobachtete ihn mit einem sonderbaren Gesichtsausdruck. Aber er sah nicht ängstlich oder besorgt aus, wie Simon erwartet hatte. Die Faust, die seinen Magen zusammenpresste, lockerte ihren Griff, während er die Tribüne hinaufkletterte.

»He, Spatzenhirn!«, rief Garrett, der ein Jahr älter und sehr viel größer war als Simon. Er war einer von Nolans besten Freunden und konnte es Simon nicht vergeben, dass er ihn bereits mehrmals lächerlich gemacht hatte. Er hatte immer eine Beleidigung für Simon parat. »Willst du uns vor der Meisterschaft ausspionieren? Weißt du nicht, dass das verboten ist?«

»Ich spioniere nicht«, entgegnete Simon lustlos. »Ich weiß, was du kannst, aber an deiner Stelle würde ich nicht damit angeben.«

Die anderen Schüler kicherten, und Simon drehte sich lieber nicht um. Er wollte Garretts hasserfüllten Gesichtsausdruck nicht sehen. Widerstrebend stieg er die Stufen hinauf, wobei er sich bemühte, die höhnischen Rufe von unten zu ignorieren.

»Ich soll doch jetzt nicht kämpfen, oder?«, fragte er Malcolm verzagt. »Die fressen mich bei lebendigem Leibe.«

»Du musst lernen, einen Kampf mit Mitgliedern anderer Reiche zu überstehen, Simon«, sagte sein Onkel, ohne ihn anzusehen.

»Das kann ich schon«, sagte er. »Ich fliege weg.«

Malcolm lachte, obwohl Simon es nicht als Scherz gemeint hatte. »Deine Mutter wäre stolz darauf, dich in der Grube zu sehen. Sie war eine erstklassige Kämpferin.«

»Ist«, korrigierte Simon. »Sie *ist* eine erstklassige Kämpferin.«

Das Lächeln seines Onkels verschwand. »Ich wollte damit sagen, dass sie eine erstklassige Kämpferin war, als wir alle im L. A. G. E. R. ausgebildet wurden. Aber du hast natürlich recht. Sie ist zweifellos noch besser geworden.«

Ein unangenehmes Schweigen machte sich zwischen ihnen breit. Simon liebte seinen Onkel, aber sie kannten sich noch nicht lange, und seine Mutter war ein heikles Thema zwischen ihnen. »Thomas hat gesagt, du wolltest mich sprechen«, sagte er vorsichtig. Endlich sah sein Onkel ihn an und runzelte die Stirn.

»Ich habe heute Nachmittag einen interessanten Anruf bekommen.«

»Ach ja?«, sagte Simon mit kieksender Stimme. »Davon bekommst du bestimmt viele.«

»Nicht so interessante wie diesen«, erwiderte sein Onkel. »General Fluke hat mich informiert, dass sein

Sohn dich und deine Freunde über die Feiertage einladen wollte.«

Simons Gedanken rasten. »Äh, ja. Jam hat echt Angst, nach Hause zu kommen, nach dem Trip nach Arizona und … Wir dachten, es wäre gut, wenn wir bei ihm sind. Moralische Unterstützung und so.«

»Hm. Verstehe. Moralische Unterstützung.« Malcolm zog eine Augenbraue hoch. »Es hat doch nichts damit zu tun, dass Orion in der Nähe gesichtet wurde, oder?«

Simon atmete scharf aus. »Wurde er? Wie nah ist er? Ist er noch da?« Kaum hatte er es gesagt, tat es ihm leid, aber er konnte die Worte nicht mehr zurücknehmen. Er beobachtete seinen Onkel, ohne sich die Mühe zu machen, seine Hoffnung zu verbergen. Jeden Tag befürchtete er, Orion könnte das Teil gefunden haben und weitergereist sein, aber wenn der General selbst sagte, dass er noch da war …

Sein Onkel schüttelte leicht den Kopf. »Ich weiß, dass du deine Mutter finden willst, Simon. Das will ich ja auch. Aber du wirst sie nicht nach Hause zurückbringen, indem du planlos durchs Land reist.«

»Vielleicht doch«, entgegnete Simon. »Einen Versuch ist es wert, oder nicht?« Doch schon während er es sagte, wurden die Worte schwer in seinem Mund. Das Rudel auf Orion zu hetzen, hieße auch, seinen Onkel auf Orion zu hetzen, und nachdem Darryl gestorben war, hatte Simon sich geschworen, nie wieder ein Mitglied seiner Familie in Gefahr zu bringen. Außerdem wollte seine Mutter ja gar nicht befreit werden. Als er es in Arizona versucht hatte, war sie zu Orion zurückgeflogen und hatte behauptet, es sei besser so, weil sie Orion so überwachen und auf falsche Fährten führen könne. Damit hatte sie Simon mehr verletzt, als er zugeben wollte. Er musste noch immer daran denken, wie sie ihn zurückgelassen hatte, um bei Orion zu bleiben. Doch auch wenn es ihm nicht gefiel, sie hatte recht. Ihre Ablenkungsmanöver waren die einzige Möglichkeit, um Simon die Zeit zu verschaffen, die er brauchte, um alle fünf Teile zu finden.

Malcolm knurrte. »Du weißt, dass es zu gefährlich ist …«

»Ich weiß«, murmelte er. »Ich will ja selbst nicht, dass irgendjemand verletzt wird. Ich … ich will sie nur sehen, das ist alles. Ich will einfach sicher sein, dass es ihr gut geht.«

»Ohne mich kannst du nirgendwohin, das ist zu riskant«, sagte Malcolm. »Das habt ihr beide erst heute früh wieder gesehen. Nolan wird in nächster Zeit nicht mehr fliegen. Zumindest nicht mit seinen Flügeln.« Er zog eine Grimasse, und die Falten in seinem Gesicht wurden tiefer. »Der General hat ein Krisentreffen einberufen, bei dem die Anführer der verbleibenden Reiche überlegen sollen, wie man gegen die Bedrohung durch Orion vorgehen kann. Anscheinend hat dein Freund etwas gesagt, was ihn nachdenklich gestimmt hat.«

Ein winziger Hoffnungsfunke glomm in Simon auf. Er blickte zu seinem Onkel und wagte kaum, es zu glauben. »Ein Krisentreffen? Heißt das …«

»Es heißt, dass du, ich und Nolan über die Feiertage die großzügige Gastfreundschaft der Familie Fluke genießen dürfen.«

Malcolms Gesichtsausdruck war säuerlich, doch Simon musste sich zusammenreißen, um nicht laut zu jubeln. Es hatte funktioniert. Sie reisten wirklich nach Avalon!

Nur dass …

Simons Begeisterung verpuffte. »Nolan kommt auch mit?«, fragte er.

»Natürlich. Wir lassen ihn doch nicht allein.«

Das war ein Problem, auch wenn Simon noch nicht sagen konnte, wie groß das Problem sein würde. Vielleicht hatte Nolan keine Lust, Weihnachten in Kalifornien zu verbringen, und würde die ganze Zeit schmollen. Vielleicht würde er auch darauf bestehen, Simon überallhin zu folgen. Schwer zu sagen.

»Deine Freunde sind auch eingeladen«, fügte sein Onkel hinzu. »Der General möchte, dass Jam bei dem Krisentreffen anwesend ist, und anscheinend hat die Schwarze Witwenkönigin für Ariana das Gleiche gefordert.«

»Was ist mit Winter?«, fragte Simon. »Sie hat niemanden, bei dem sie die Feiertage verbringen kann.«

»Ich weiß. Ich habe General Fluke die Lage erklärt. Er war nicht begeistert, aber er hat eingewilligt, dass sie mitkommt.« Er richtete sich wieder zur vollen Körpergröße auf. »Der General möchte das Krisentreffen so schnell wie möglich beginnen, deshalb reisen wir schon morgen.«

Morgen. Das bedeutete, dass sie das Abschlussturnier verpassen würden. »Gut«, sagte Simon zufrieden. Malcolm lachte und ging die ersten Stufen der Treppe hinunter.

»Ich verschiebe das Turnier auf Ende Januar. Tut mir leid, Simon«, fügte er hinzu. »Ums Kämpfen kommst du nicht herum.«

Während Simon zusah, wie sein Onkel zu den Säugern ging, legte sich ein schweres Gewicht auf ihn. Malcolm hatte keine Vorstellung, wie wahr seine Aussage war. Simon wusste nicht, was Avalon und das Unterwasserreich mit sich bringen würden und wo in den Weiten des Pazifiks der General den Kristall versteckt haben mochte – aber kampflos würde er das Teil ganz sicher nicht bekommen.

VIERTES KAPITEL

Auf zu neuen Ufern

Was soll das heißen, ich darf nicht mit?«, quiekte Felix abends nach dem Essen. Die kleine braune Maus hockte auf der Bettkante, während Simon einige Kleidungsstücke in einen Koffer warf, den er sich von Nolan geliehen hatte.

»Es ist zu gefährlich«, erklärte Simon. »Jam hat gesagt, wenn du erwischt wirst …«

»Das ist mir egal. Ich will mit.«

»Warum?«, fragte Simon. »Letztes Mal fandst du den Flug schrecklich, schon vergessen? Meine Socken waren voller Mäusekotze. Also warum willst du noch einmal freiwillig fliegen?«

»Weil«, Felix schniefte und zupfte überheblich an seinem Schwanz, »ihr nach Los Angeles reist. Weißt du denn nicht, wie viele Fernsehserien da gedreht werden?«

Simon seufzte. Felix war eine ganz normale Maus – vielleicht etwas gewitzter und etwas frecher, als es Simon manchmal lieb war –, doch er hatte eine Vorliebe fürs Fernsehen, einen Luxus, den das L. A. G. E. R. nicht zu bieten hatte. Simon hatte keine Ahnung, wie Felix seine Tage verbrachte, während Simon beim Training und im Unterricht war, aber er wusste, dass Felix es keinen Abend versäumte, ihn darauf hinzuweisen, wie sehr er sich langweilte. Und wie viele Folgen seiner Lieblingsserie er schon verpasst hatte.

»Wir reisen nach Avalon, nicht nach L. A.«, entgegnete Simon. »Das ist nicht dasselbe.«

»Aber nahe dran.« Felix setzte sich auf die Hinterbeine. »Ich komme mit, ob es dir gefällt oder nicht. Wie ist der Plan?«

Es brachte nichts, mit ihm zu streiten, wenn er in dieser Stimmung war. Das letzte Mal, als Simon ihm verboten hatte mitzukommen, war er heimlich in seinen Rucksack gekrochen. Simon überlief noch immer ein Schaudern, wenn er daran dachte, wie leicht er ihn hätte zerdrücken können, weil er nicht gewusst hatte, dass er da war. Diesmal hatte er wenigstens Zeit, sich eine Ausrede zu überlegen, falls jemand aus dem Unterwasserreich Felix erwischte. »Ich werde nach dem Teil des Greifstabs Ausschau halten, während die Erwachsenen mit dem Krisentreffen beschäftigt sind. Malcolm rechnet nur damit, dass ich versuche, Orion zu finden, aber nicht, dass ich mich im Meer umsehe. Und wenn er fragt, sage ich einfach, ich wollte schwimmen gehen.«

»Aber was, wenn Orion genau darauf wartet?«, fragte Felix. »Dass du ihn zu dem Kristall führst?«

Simon zögerte. Daran hatte er nicht gedacht. »Orion weiß nicht, dass ich mich in jedes beliebige Tier verwandeln kann. Er wird nach einem Goldadler Ausschau halten, nicht nach einem Hai.«

»Es sei denn, er kommt darauf, dass du der Hai bist. Dann ist dein Geheimnis gelüftet, und alles wird eine Million Mal schlimmer, als es schon ist.«

Felix hatte recht, so ungern Simon das zugab. Er runzelte die Stirn. »Vielleicht hält er mich für Nolan.«

»Jeder Idiot kann euch unterscheiden«, widersprach Felix. »Du hast einen perfekten eineiigen Zwilling, und dir fällt nichts Besseres ein, als deine Haare länger zu tragen als er. Wie soll irgendjemand euch verwechseln, wenn ihr so unterschiedlich ausseht?«

Simon berührte die Spitzen seiner Zottelmähne. »Meinst du, ich sollte mir von Malcolm die Haare schneiden lassen?«

»Wenn du darauf baust, dass irgendjemand dich für Nolan hält, wirst du das wohl oder übel müssen.« Felix stellte sich auf die Hinterbeine und schnupperte. »Ich rieche Futter. Gib schon her.«

Simon zog eine Serviette aus der Tasche, öffnete sie und holte ein paar krümelige Kräcker hervor. »Wenn du weiter so viel futterst, wirst du nie erfahren, wie deine Serie zu Ende geht.«

Felix zuckte mit den Schultern, den Mund schon zu voll, um zu antworten. Simon öffnete seine Sockenschublade, und nachdem er seine Socken aufs Bett gelegt und mehrere Paare in seinen Koffer gesteckt hatte, zog er vorsichtig an einer nahezu unsichtbaren Lasche und hob den doppelten Boden an. Unter der dünnen Holzplatte lag das Notizbuch seiner Mutter versteckt, in dem sie Notizen über den Bestienkönig gemacht hatte, Forschungen, die sie gemeinsam mit seinem Vater angestellt hatte, soweit Simon wusste. Dort war auch die Taschenuhr mit dem Wappen des Bestienkönigs versteckt, die sie ihm in der Nacht ihrer Entführung gegeben hatte. In Arizona hatte er bemerkt, dass sie warm wurde, wenn sie sich einem Teil des Greifstabs näherte.

Deshalb hatte Simon das Teil des Reptilienreichs in eine alte Socke gewickelt und auf der anderen Seite der Schublade verstaut, doch das schien kaum einen Unterschied zu machen. Die Uhr und der Kristall waren glühend heiß. Zögernd ließ Simon die Uhr in seine Jeanstasche gleiten. Das Teil ließ er, wo es war. Es war nicht gerade das genialste Versteck aller Zeiten, aber er konnte auch nicht riskieren, es mit nach Avalon zu nehmen. Der doppelte Schubladenboden musste reichen.

Als Simon mit dem Packen fertig war, machte er sich auf die Suche nach Malcolm. Trotz der späten Stunde saß er in seinem Büro im Obergeschoss der Schule und winkte Simon herein. Er telefonierte gerade, und zwischen seinen Augenbrauen ragte eine steile Falte empor.

»... noch so jung. Wie ...« Er hielt inne und warf einen Blick auf Simon. »Wir besprechen das, wenn ich da bin. Aber diese Diskussion ist noch nicht beendet. Es wäre für jeden eine Bürde, ganz zu schweigen von ...« Er verstummte wieder und seufzte. »Also gut. Wir sehen uns morgen, Admiral. Richten Sie dem General meine besten Grüße aus.«

Kaum hatte er aufgelegt, fragte Simon: »Was ist los?«

»Nichts, worüber du dir Sorgen machen müsstest«, antwortete Malcolm, obwohl er selbst so besorgt aussah, dass es für sie beide gereicht hätte. »Was kann ich für dich tun, Kleiner?«

Simon zögerte. Jetzt, wo er hier war, spürte er plötzlich Widerwillen, aber er wusste, dass es notwendig war, vor allem da Nolan mitkam. »Ich habe mich gefragt ...« Simon stockte und berührte seinen Kopf. Seinen letzten Haarschnitt hatte er von Darryl bekommen. Er hatte ein schlechtes Gewissen, obwohl er wusste, dass seine Haare nichts mit dem Gedenken an seinen Onkel zu tun hatten.

Er konnte sie so lange wachsen lassen, wie er wollte, Darryl würde trotzdem nicht zurückkommen. »Hast du Zeit, mir die Haare zu schneiden, bevor wir abreisen?«

Malcolms Gesicht wurde weich. »Aber sicher«, sagte er und schob seinen Stuhl zurück. »Ich hole nur eine Schere.«

Simon nickte, saß ganz still und versuchte, sich nicht schuldig zu fühlen. Es war nur ein Haarschnitt. Und wenn er zur Folge hatte, dass Orion Nolan und ihn nicht auseinanderhalten konnte, war es das wert.

Am nächsten Morgen setzte Simon Felix in eine Schachtel in einer Ecke seines Koffers und vergewisserte sich, dass die Maus genug Futter für die Reise hatte, bevor er den Deckel schloss. Mit dem Koffer in der Hand und dem Rucksack über der Schulter lief er die Wendeltreppe hinunter in die große Halle des Alpha-Bereichs, die mit einem echten Grasteppich ausgelegt und voller hoch aufragender Bäume war. Eigentlich war dieser Gebäudeteil für die Angehörigen des Vogelreichs bestimmt gewesen. Doch nachdem Orion das vorherige L. A. G. E. R. angegriffen und zerstört hatte, war die Akademie in das Ersatzgebäude unter dem Central Park verlegt worden, das von Schülern und Lehrern liebevoll »der Bau« genannt wurde. Das Säugerreich hatte die Leitung übernommen, und alle Vögel waren ausgeschlossen worden. Simon war die einzige Ausnahme, aber er war ja auch kein richtiges Mitglied des Vogelreichs. Er war, wie Nolan, ein Mitglied jedes Reichs und gleichzeitig keines einzigen.

Die Tür zur Halle öffnete sich, und Winter kam herein. Sie zog einen schicken Rollkoffer hinter sich her. Die Räder blieben im Gras stecken, sie machte ein verärgertes Geräusch und ließ den Koffer stehen. »Ist Simon schon unten?«, fragte sie kurz und sah ihm in die Augen.

»Was?«, fragte Simon verwirrt. »Ich bin doch hier!«

Sie musterte ihn genauer. »Oh. *Oh!* Du hast dir endlich die Haare geschnitten.« Sie beugte sich vor und kniff die Augen zusammen. »Diese Ähnlichkeit ist ja unheimlich.«

»Wir sind ja auch eineiige Zwillinge«, erwiderte Simon. »Wo sind Jam und Ariana?«

»Jam hat gesagt, dass er eine Extra-Trainingseinheit absolvieren muss, bevor wir abreisen, weil er ein paar Stunden verpassen wird, und Ariana hängt wahrscheinlich an irgendeiner Gardine und belauscht Gespräche, die sie nichts angehen. Sie sind bestimmt gleich da. Du weißt schon, dass das eine schreckliche Idee war, oder?«

»Was war eine schreckliche Idee?«, fragte Simon und fuhr sich mit der Hand über seine kurzen Haare. Sein Nacken war kalt, und seine Ohren fühlten sich seltsam nackt an.

»Nach Avalon zu reisen. Ich weiß ja, warum du da

hinwillst«, fügte sie schnell hinzu, als Simon den Mund öffnete, um zu protestieren. »Aber das wird viel gefährlicher als unser Besuch beim Reptilienrat. Das Unterwasserreich ist ein Militärstaat. Die Fische nehmen Verstöße gegen ihre Gesetze sehr, sehr ernst. Es ist ihnen egal, ob man erwachsen ist oder nicht. Wenn du alt genug bist, um zu animagieren, bist du alt genug, um für deine Taten geradezustehen. Und wenn man bedenkt, wie viele Gesetze die haben, nehme ich an, dass wir mindestens ein Dutzend davon brechen werden.«

»Ich werde niemand anderen da hineinziehen«, sagte Simon. »Versprochen.«

Winter schüttelte den Kopf. »Solche Versprechen kannst du nicht halten, Simon. Wir werden dir auf jede uns mögliche Weise helfen. Das weißt du, das wissen wir, und wir müssen nicht so tun, als würden wir nichts dabei riskieren. Du riskierst schon eine Menge, indem du einfach nur dahin reist. Der General hasst Orion.«

»Dann sind wir schon zu zweit. Das ist doch nicht schlecht«, erwiderte Simon.

»Das spielt keine Rolle. Alle halten dich für einen Vogel«, erinnerte sie ihn mit gesenkter Stimme. »Nolan halten sie für einen Säuger, sie werden ihn also anständig behandeln. Aber Vögel sind in Avalon etwa so willkommen wie die Pest. Reptilien übrigens auch«, fügte sie hinzu. »Das Reptilien- und das Unterwasserreich sind wegen der Amphibien im Dauerstreit, seit die Reiche existieren.«

Simon starrte sie an. »Amphibien?«

»Du weißt schon: Frösche, Kröten, Salamander und andere glitschige Wesen, die wie Reptilien aussehen, aber die Hälfte der Zeit im Wasser verbringen …«

»Ich weiß, was Amphibien sind. Aber warum streiten sie ihretwegen?«

Winter zuckte die Schultern. »Es ist bescheuert, aber beide Reiche wollen sie auf ihrer Seite haben, sie haben schon zahllose Kriege deswegen ausgetragen. Sei … einfach darauf vorbereitet, dass sie uns beide nicht gerade mit offenen Armen empfangen werden, okay?«

Simon nickte, noch immer verblüfft. »Dann wird es wohl nicht so viel anders sein als in der Schule, was?«

Winter schnaubte. »Wenn es so weitergeht, nicht.«

Wenige Minuten später kamen Jam und Ariana an. Beide schienen zu sehr mit anderen Dingen beschäftigt zu sein, um Simons neue Frisur zu kommentieren. Jam war blass, und Ariana hatte dunkle Ringe unter den Augen. Was Jam Sorgen machte, wusste Simon, was dagegen Ariana eine schlaflose Nacht bereitet hatte, war ihm schleierhaft.

»Geht es dir gut?«, fragte er.

»Alles in Ordnung. Ich bin nur müde«, murmelte sie und wich seinem Blick aus. Simon sah Jam und Winter fragend an, doch keiner der beiden schien es zu bemerken.

»Komm, ich nehme deine Tasche«, sagte er und streckte die Hand aus, doch Ariana umklammerte den Griff fester.

»Ich bin müde, aber nicht schwach«, fauchte sie. Verlegen ließ Simon die Hand wieder sinken.

»He, ich wollte nur helfen!«

Ihr Gesichtsausdruck wurde milder. »Entschuldige«, murmelte sie und strich sich eine blaue Strähne hinters Ohr. »Ich habe gestern Abend noch lange mit meiner Mom telefoniert. Wegen der Reise, meine ich. Sie scheint das Treffen für eine gute Idee zu halten, aber …«

Ariana verstummte und zog die Augenbrauen zusammen. Simon brauchte einen Moment, um zu verstehen, warum ihr der Besuch des Unterwasserreichs Sorgen bereitete, doch als es ihm endlich aufging, fühlte er sich wie ein Idiot.

»So schlimm wird es schon nicht werden«, bemühte er sich, sie aufzumuntern. »Du musst nicht in die Nähe des Meeres, wenn du nicht willst.«

Ariana sah ihn sonderbar an. »Weißt du nicht mehr, was Jam gesagt hat?«

»Was meinst du?«, fragte Simon verwirrt.

Bevor Ariana etwas erwidern konnte, kam Nolan die Treppe heruntergehüpft, mit Malcolm im Schlepptau, der ziemlich mitgenommen aussah. Ariana war offensichtlich nicht die Einzige, die zu wenig Schlaf bekommen hatte.

»Ich kann nicht glauben, dass wir Weihnachten in Kalifornien verbringen!«, rief Nolan, der vor Aufregung förmlich sprühte. Sein Arm steckte noch immer in der Schlinge, und Malcolm trug seinen Koffer. »Das wird das beste Weihnachtsfest aller Zeiten!«

Wenigstens gab es einen, der sich freute. Simon lächelte ihm schwach zu. »Und das erste, das wir zusammen verbringen.«

Nolans Grinsen verblasste, und er musterte Simon von oben bis unten. »Du siehst anders aus.«

»Ich sehe aus wie du«, sagte er. »Neuer Haarschnitt.«

»Und zwar ein ziemlich guter, wenn ihr mich fragt«, sagte Malcolm stolz und klopfte Simon auf den Rücken. »Alle bereit?«

»So bereit wie möglich«, murmelte Jam. »Na los, bringen wir es hinter uns.«

Im morgendlichen Verkehr brauchten sie ewig bis zum Flughafen, und als sie endlich ihr Gate erreichten, hatte das Boarding bereits begonnen. Der Flug nach Los Angeles dauerte sechs Stunden. Während dieser Zeit sprach keiner von ihnen viel. Sogar Nolan schien die allgemeine Anspannung zu spüren und verbrachte den Großteil des Flugs mit der Nase in einem dicken Comic-Heft.

Simon dagegen schwankte zwischen dem Versuch, sein Buch zu lesen, dem Impuls, seine Freunde zu beobachten, und seinen Bemühungen, sich nicht den Kopf zu zerbrechen, wie sie an das Teil des Greifstabs kommen sollten, das vom Unterwasserreich bewacht wurde. Er wurde das Gefühl nicht los, dass sie in Arizona unglaubliches Glück gehabt hatten. Diesmal konnte der Kristall irgendwo in den Weiten des Pazifischen Ozeans sein – wenn er überhaupt in der Nähe von Avalon war.

In Kalifornien war es sehr viel wärmer als in New York, und Simon schälte sich aus seiner Jacke, kaum dass sie in dem großen Geländewagen saßen, den der General geschickt hatte. Sie fuhren an Reihen von Palmen vorbei, an rosafarbenen und gelben Gebäuden, die Simon an Arizona erinnerten, und schließlich an endlosen weißen Sandstränden, über denen die Sonne so hell schien, dass Simon blinzeln musste.

»Hier bist du aufgewachsen?«, fragte er Jam, der die Augen geschlossen hatte, als würde er sich an einen anderen Ort wünschen.

»Beinahe«, erwiderte der. »Wir sind gleich beim Hafen.«

»Wie kommt es, dass du so blass bist?«, fragte Winter. »Wenn ich hier leben würde, wäre ich jeden Tag in der Sonne.«

»Und du behauptest, du wärst kein typisches Reptil«, sagte Ariana grinsend. Winter kniff die Augen zusammen und drehte sich zu ihr um.

»Du weißt doch sicher, dass Avalon auf einer Insel liegt, oder?«, fragte sie gehässig. »Dann weißt du auch, was das bedeutet. Wir müssen auf ein *Schiff.*«

Oh. *Oh*. Das hatte Ariana gemeint, ging es Simon auf – Jam hatte gesagt, dass Avalon vor der Küste Kaliforniens lag. Kein Wunder, dass sie so nervös war.

Nolan, der auf der anderen Seite neben Jam saß, lachte. »Ach, stimmt ja. Du bist wasserscheu, oder?«

Jetzt wurde Ariana blass, und sie verschränkte die Arme. »Ich werd's überleben«, murmelte sie, obwohl sie nicht so klang.

»Na klar! Was glaubst du, wie oft sie kotzen wird?«, fragte Nolan Simon. »Ich wette, mindestens zweimal …«

»Lass es gut sein, okay?«, sagte Simon leise. »Oder soll ich erzählen, was passiert ist, als du ins Eisbärbecken gesprungen bist?«

Nolan warf ihm einen erbosten Blick zu, aber immerhin hielt er die Klappe, und sie verbrachten den Rest der Fahrt weitgehend schweigend. Als sie den Hafen erreichten, sah Ariana aus, als sollte Nolan recht behalten, und diesmal widersprach sie nicht, als Simon ihren Koffer zu dem Motorboot trug, das auf sie wartete.

Ein Mann, der mit seinen strähnigen schwarzen Haaren und seiner ledernen Haut große Ähnlichkeit mit einem Piraten hatte, stand am Heck und half ihnen ins Boot. »Benjamin«, sagte er mit einem knappen Nicken, als Jam an Bord sprang.

»Dampier«, erwiderte Jam den Gruß ausdruckslos. »Das sind meine Freunde. Simon, Nolan, Winter und Ariana. Das ist der Alpha des Säugerreichs, Malcolm Thorn.«

Anstatt sie zu begrüßen, zog Dampier nur die Nase hoch und holte den Anker ein. »Wir sollten machen, dass wir loskommen. Der General hat heute nicht die beste Laune.«

»Wie lange brauchen wir bis Avalon?«, fragte Malcolm und folgte Dampier ans Steuer.

»Bei der Wetterlage etwa vierzig Minuten«, sagte der Mann mit einem Blick auf die Wellen. »Alle gut festhalten!«

»Vierzig Minuten?«, wiederholte Ariana entsetzt, und ihr Gesicht nahm eine grünliche Färbung an. Dampier musterte sie und schob ihr einen leeren Eimer hin.

»Wenn du mein Deck vollspuckst, machst du es auch wieder sauber, Fräulein!«

Ariana umklammerte den Eimer und sagte während der ganzen Fahrt kein Wort mehr. Sie spuckte zweimal in den Eimer und einmal ins Wasser, und sie tat Simon so leid, dass er ihr jedes Mal die Haare aus dem Gesicht hielt. Schließlich war es seine Schuld, dass sie hier war, auch wenn sie alle gewusst hatten, dass sie sich irgendwann im Unterwasserreich auf die Suche würden machen müssen.

Es waren die längsten vierzig Minuten in Simons Leben – und in Arianas vermutlich auch. Als die Umrisse der Insel in Sichtweite kamen, war er überzeugt, dass sie kurz vor der Ohnmacht war. Trotzdem staunte er, als das Boot sich dem kreisförmig angelegten Hafenbecken der kleinen Stadt Avalon näherte.

Es sah aus wie ein Motiv auf einer der Postkarten seiner Mutter. Dutzende Boote schaukelten auf dem glitzernden blauen Wasser, und hinter der Stadt ragten grüne Berge auf wie ein Schutzwall. Avalon selbst war winzig im Vergleich zu den Städten, die Simon kannte, und er fragte sich, wo der Rest der Stadt abgeblieben war.

»Hier wohnt der General des Unterwasserreichs?«, fragte er skeptisch. So atemberaubend schön es war, vor allem im hellen kalifornischen Sonnenschein, der seinen Nacken hatte heiß werden lassen, sah es nicht anders aus als andere Küstenstädte, die Simon im Fernsehen gesehen hatte. Er konnte sich nicht so recht vorstellen, dass dieser kleine Ort das Zentrum eines der fünf Animox-Reiche war.

»Der General?« Dampier schnaubte verächtlich, während er das Boot zu einer Anlegestelle am Rand des Hafens steuerte. »Der kommt nur her, wenn es sein muss. Du weißt nicht gerade viel über uns, was?«

»Nicht wirklich«, gab Simon zu. Aber dafür, dass er erst vor vier Monaten von der Welt der Animox erfahren hatte, schlug er sich eigentlich gar nicht so schlecht, fand er.

Ariana war die Erste, die das Boot verließ, sie flog geradezu auf den Pier. Simon folgte ihr und beobachtete einen Schwarm Möwen, der über ihren Köpfen kreiste. Vielleicht war das normales Möwenverhalten, aber da Orion in der Nähe war, hatte Simon seine Zweifel. Ein Schauder überlief ihn. Wie lange würde es dauern, bis der Herr der Vögel erfuhr, dass sie in Avalon waren?

»Den Eimer solltest du besser noch behalten, Fräulein«, sagte Dampier, während er Malcolm mit dem Gepäck half. »Das war der leichte Teil.«

»Wovon spricht er?«, fragte Ariana Jam, der die Lippen zusammenpresste und ihrem Blick auswich.

»Tut mir leid«, erwiderte er. »Es ist gegen das Gesetz, Außenstehenden den genauen Ort mitzuteilen. So halten wir Eindringlinge fern.«

»Fern wovon?«, fragte sie. Jam scharrte unbehaglich mit den Füßen. »Fern wovon, Jam?«

In diesem Augenblick hob sich wenige Meter vor der Anlegestelle etwas aus dem Wasser. Erst hatte Simon keine Ahnung, was es war, aber während sie es anstarrten, lief das Wasser ab und gab die Sicht auf ein U-Boot frei.

»Meine Familie lebt nicht in Avalon«, sagte Jam. »Wir leben in Atlantis.«

»Atlantis?«, wiederholte Ariana mit zitternder Stimme. »Wie ... wie die versunkene Stadt?«

Jam nickte, und bevor jemand etwas sagen konnte, fiel Ariana in Ohnmacht.

FÜNFTES KAPITEL

Atlantis

Ariana war nicht lange bewusstlos, doch als sie wieder zu sich kam, brauchte Malcolm ganze zwanzig Minuten, um sie zu überreden, in das U-Boot zu steigen. Als sie endlich zittrig und mit tränenüberströmten Wangen an Bord kam, murrte Dampier etwas über ihren Zeitplan, und Simon hätte ihm am liebsten gegen das Schienbein getreten.

»So schlimm ist es gar nicht«, versicherte Jam, als das U-Boot abwärtstauchte. Ariana klammerte sich an Malcolm und vergrub das Gesicht an seiner Brust, während sie so heftig schluchzte, dass ihre Schultern bebten.

»Es ist alles wasserdicht. Du kannst ganz normal atmen und dich bewegen«, fügte Jam hinzu.

»Nur dass überall um uns herum Wasser ist«, warf Winter ein, die trotz ihrer Sticheleien im Auto jetzt voller

Mitgefühl war. »Sie hätte doch auch in Avalon bleiben können.«

»Es tut mir leid«, sagte Simon, der sich so schuldig fühlte, wie Jam aussah. »Das habe ich nicht gewusst. Sonst hätte ich ...«

Er verstummte abrupt. Vor Malcolm und Nolan sagte er besser nicht, dass er sie sonst nicht zu dieser Reise überredet hätte. Außerdem kannte er Ariana. Sie wäre trotz ihrer Phobie mitgekommen. Wahrscheinlich setzte ihr besonders die Überraschung zu – dass sie keine Zeit gehabt hatte, sich auf die Auseinandersetzung mit ihrer größten Angst vorzubereiten.

Aber es spielte sowieso keine Rolle, was er sagte. Seine Worte würden ihr im Augenblick nicht helfen. Simon blieb neben ihr sitzen, während sie auf der gesamten Fahrt unter Wasser nicht von Malcolms Seite wich. Als er durch ein Bullauge schaute und sein Herz beim Anblick des dunklen Wassers um sie herum aufgeregt flatterte, fühlte er sich noch schlechter. Es kam ihm unpassend vor, diese Fahrt zu genießen, wenn sie Ariana solchen Schrecken bereitete.

Die Spannung wurde ganz plötzlich gebrochen, als Nolan von einem Bullauge am anderen Ende des U-Boots zu ihnen herüberrief: »Leute, schaut mal!«

Winter war die Einzige, die zu ihm lief, und sie riss den Mund auf. »Simon, das musst du sehen!«

Zögernd erhob sich Simon von der Bank und ging zu ihnen. »Was muss ich …«, begann er, doch als er einen Blick durch die Luke geworfen hatte, verstummte er.

Obwohl sie so tief unter der Wasseroberfläche waren, dass nur wenig Sonnenlicht herunterdrang, steuerte das U-Boot auf eine Kuppel zu, die silbrig schimmerte.

Darunter befand sich eine ganze Stadt. Atlantis.

Silberne Gebäude erhoben sich vom Meeresgrund, und über das riesige Gelände verliefen mehrere wassergefüllte Röhren, durch die Fische in allen Farben und Formen schwammen. Die Gebäude waren einfarbig gehalten und schienen in Reihen angeordnet zu sein. Außerhalb der Stadt, im glänzenden Wasser, schwammen unzählige Wassergeschöpfe in gleichförmigen Formationen, darunter Quallen, Delfine, Stachelrochen, Schwertfische und – Simon schluckte – Weiße Haie. Hier herumzuschnüffeln würde tatsächlich kein Kinderspiel werden.

Das U-Boot steuerte auf einen Tunnel am Fuß der Kuppel zu und dockte an einer Glaswand an. Ein lautes, schmatzendes Geräusch dröhnte durch den Metallkörper. Die Luke in der Decke öffnete sich, und einer nach dem anderen kletterte in die Luftschleuse an der Anlegestelle, wo sie bereits von einem Trupp Soldaten erwartet wurden.

Ganz vorn stand eine junge Frau. Sie trug eine blaue Militäruniform, hatte die braunen Haare zu einem Knoten aufgesteckt, und Simon entdeckte eine langgezogene Narbe auf ihrer Wange. Als sie auf sie zugingen, lächelte sie nicht. »Alpha«, sagte sie zu Malcolm. »Willkommen in Atlantis. Ich bin Admiral Rhode. Wir haben gestern telefoniert.«

»Admiral«, erwiderte Malcolm mit einem kurzen Nicken. »Ich erinnere mich. Ich nehme an, der General erwartet uns.«

»In der Tat. Sie sind leider spät dran, deshalb folgen Sie mir bitte unverzüglich.« Sie wandte sich um. »Soldat«, fügte sie grüßend hinzu, ohne Jam richtig anzusehen.

»Admiral«, erwiderte der verlegen. Simon fragte sich, was sein Verhalten zu bedeuten hatte, aber er konnte nicht mit Jam sprechen, da sie bereits in schnellem Schritt in die Stadt eilten. Alles, was Simon vom Rand der Kuppel aus sehen konnte, waren die Spitzen zahlreicher grauer Gebäude hinter einer Wand, die diesen Bereich von der Stadt trennte, sowie ein breiter Durchgang voller Wasser, der etwa zwanzig Meter über ihren Köpfen nach draußen führte. Alles war seltsam farblos und ganz anders, als er sich eine Unterwasserstadt vorgestellt hätte – wenn er sich denn im Vorfeld überhaupt irgendeine Vorstellung gemacht hätte.

Während sie Admiral Rhode folgten, wurden sie von Soldaten flankiert. Ein ungutes Gefühl breitete sich in Simons Magen aus, und er beugte sich zu Jam. »Ist das normal?«, flüsterte er. Jam zuckte die Schultern. »Nicht wirklich, aber es ist auch nicht normal, dass Fremde in die Stadt gelassen werden.« Er runzelte die Stirn. »Mach einfach mit, okay? Ärger sie lieber nicht.«

Logisch. Lieber nicht die Soldaten mit den Gewehren am Gürtel ärgern. Simons Besorgnis wuchs, als sie an der Wand vorbeigingen und in das eigentliche Stadtgebiet hineinkamen. Ein graues Gebäude nach dem anderen, nirgends Bilder oder Pflanzen oder Kunst oder Reklame. Die einzige Farbe ging von den blauen Straßenschildern aus, und Simon stellte fest, dass sie auf dem Pazifikweg waren.

Schließlich betraten sie ein großes silbernes Gebäude mit verspiegelten Wänden. Es wirkte noch größer als die anderen und ragte vor ihnen auf wie eine düstere Vorahnung. Als Simon die riesige Eingangshalle betrat, hatte er das Gefühl, dass es um mehrere Grade kälter wurde. Die allgegenwärtigen Spiegel erweckten den Eindruck, dass der Raum endlos war und sich in ewige Dunkelheit erstreckte. Um alles noch bedrohlicher zu machen, stand in dem ansonsten leeren Foyer eine weitere Gruppe Soldaten, von denen einer unangenehmer aussah als der andere.

»Sie müssen durch die Sicherheitskontrolle, bevor Sie Ihre Zutrittsmarke bekommen«, erklärte Rhode. Malcolm zog eine Augenbraue hoch, und sie fügte hinzu: »Das ist die übliche Vorgehensweise.«

Paarweise stellten sie sich vor den Wachleuten auf, die ihr Gepäck durchsuchten und sie mit einem Metalldetektor abtasteten. Malcom und Nolan gingen als Erste. Obwohl Malcolm kein Geringerer als der Alpha des Säugerreichs war, war er am Ende der Kontrolle seinen Gürtel, seine Stiefel und den Inhalt seiner Hosentaschen los. Sein Seesack wurde gründlich durchsucht und ihm von dem Soldaten nur mürrisch wieder ausgehändigt. Nolan entging der gründlichen Durchsuchung ebenfalls nicht, auch wenn sich zeigte, dass er nichts bei sich hatte, was die Sicherheitsleute als gefährlich werteten.

Wenn die wüssten, dachte Simon.

Jam kam ohne Schwierigkeiten durch, doch Arianas Taschen entnahmen die Sicherheitskräfte mehrere kleine Klingen, Werkzeuge zum Aufbrechen von Schlössern und andere Metallgegenstände. Simon fragte sich, wie sie es bewerkstelligt hatte, sie durch die Sicherheitskontrolle am Flughafen zu schmuggeln. Sie musste sogar ihre Halskette abnehmen, deren Anhänger, wie sich herausstellte, ein winziges verstecktes Taschenmesser war.

»Ich weiß ganz genau, was ich dabeihabe«, warnte Ariana. Ihr Gesicht war noch immer geschwollen und fleckig, doch ansonsten schien sie sich mittlerweile gefasst zu haben.

»Deine Besitztümer werden dir am Ende deines Besuchs wieder ausgehändigt«, erklärte Rhode mit nüchterner Stimme, doch auch sie begutachtete Arianas Schmuggelware misstrauisch.

Simon und Winter kamen als Letzte dran. Während die anderen an der Tür auf sie warteten, klopften die Soldaten jeden Zentimeter von Simons Körper ab. Als er zögernd seine Taschenuhr zur Inspektion übergab, war er mehr als erleichtert, dass er das Teil der Reptilien nicht dabei hatte. Selbst wenn die Sicherheitskräfte nicht wussten, was es war, hätte Malcolm es sofort erkannt.

»Admiral«, sagte der Soldat, der Simons Koffer durchwühlte. »Wir haben einen blinden Passagier.«

»Wie bitte?«, fragte Simon und versuchte, an dem Soldaten vorbeizuschauen. »Sie meinen …«

»Lassen Sie mich sofort los!«, schrie eine schrille Stimme. Simon wurde eiskalt.

»Warten Sie – das ist Felix! Er ist mein Freund, und er ist harmlos, ich schwöre …«

»Er ist unautorisiert«, entgegnete Rhode kalt. »Nehmen Sie ihn in Gewahrsam.«

Ein Soldat holte scheinbar aus dem Nichts einen Metallkäfig hervor und verstaute den zappelnden Felix darin.

»Das können Sie nicht machen!«, rief Simon entsetzt. »Er tut niemandem etwas.«

»Er ist unautorisiert«, wiederholte Rhode, als wäre damit alles gesagt. »Wenn mir jetzt bitte alle folgen würden, wir können den General nicht länger warten lassen.«

Simon versuchte, nicht nachzugeben und bei Felix zu bleiben, doch die anderen Soldaten kreisten ihn ein und drängten ihn durch die Tür. »Felix!«, rief er. »Tu, was sie sagen!«

»Ruhe!«, befahl einer der Wachmänner mit tiefer Stimme. Simon blickte Malcolm bittend an, doch der schüttelte stumm den Kopf. Simon wusste selbst, dass sein Onkel unter Wasser nicht viel ausrichten konnte, aber trotzdem. Er hätte es wenigstens versuchen können.

»Was machen Sie mit ihm?«, fragte Simon und versuchte, mit Rhode Schritt zu halten. »Er ist nur eine Maus. Er wird niemandem etwas tun.«

»Man wird ihn verhören und entweder verhaften oder dir zurückgeben«, erklärte Rhode, ohne ihn anzusehen. »Das ist die übliche Vorgehensweise.«

Simon biss die Zähne zusammen und starrte sie finster an, doch falls sie es überhaupt wahrnahm, ließ sie es sich nicht anmerken. Simon hatte das Gefühl, dass sie, selbst wenn die Kuppel über Atlantis einstürzen würde, nichts unternehmen würde, was nicht der *üblichen Vorgehensweise* entsprach.

»Wir befinden uns jetzt im Bereich des Generals«, erklärte Rhode, während sie durch ein Labyrinth verspiegelter Gänge liefen, die anscheinend zu dem Zweck angelegt worden waren, mögliche Eindringlinge zu irritieren. Es gab keine Bilder oder sonstigen Hinweise auf ihren Standort, sodass es unmöglich war, einen Gang vom anderen zu unterscheiden. Nach der dritten Biegung war Simon total verloren, aber er war zu besorgt um Felix, um sich darum zu kümmern.

»Sie werden jederzeit von einem Repräsentanten unseres Königreichs begleitet. Sie werden zu keiner Zeit die Erlaubnis haben, sich allein durch die Räumlichkeiten zu bewegen. Die Zeitpläne für den Tag werden Ihnen jeden Morgen um Punkt 6 Uhr ausgehändigt, und Sie werden sie auf die Minute genau befolgen. Jede Abweichung wird der genauesten Prüfung unterzogen, und wenn daraus eine Gewohnheit werden sollte, werden Sie aus Atlantis entfernt. Ist das klar?«

»Haben Sie vor, die Mitglieder meiner Familie während unseres gesamten Aufenthalts wie Gefangene zu behandeln?«, fragte Malcolm. »Oder versteht man das im Unterwasserreich unter Gastfreundschaft?«

»Ich bitte um Verzeihung, wenn Sie sich gekränkt fühlen, Alpha, aber so handhaben wir die Dinge nun einmal hier unten«, erwiderte Rhode und blieb vor einer verspiegelten Doppeltür stehen, die von zwei weiteren Soldaten bewacht wurde. »Der General ist ein viel beschäftigter Mann, daher wird die Begrüßung kurz ausfallen.«

Die Soldaten öffneten die Tür, hinter der ein Konferenzraum mit dunkelrot gestrichenen Wänden und einem langen Mahagonitisch zum Vorschein kam, der wesentlich einladender wirkte als der Rest des Gebäudes. Ein Mann mit sorgfältig geschnittenen grauen Haaren stand mit dem Rücken zu ihnen und studierte eine Karte an der Wand – eine Seekarte der Küste Kaliforniens, soweit Simon sehen konnte.

Jam und Rhode salutierten zackig mit steifen Rücken, zusammengeschlagenen Hacken und an den Körper gepressten Armen. »General«, sagte Rhode. »Die Besucher sind hier, um Sie zu begrüßen.«

»Sie sind zu spät«, sagte der General mit einer dröhnenden Stimme, die den ganzen Raum füllte. Er drehte sich um, und Simon verstand augenblicklich, warum Jam solche Angst vor ihm hatte. In seinem Gesicht lag keine Wärme, nicht einmal für seinen Sohn, und er trug seine Militäruniform wie einen Panzer. Simon wusste, dass er wie Jam ein Delfin war, aber so, wie er aussah, hätte er etwas wesentlich Unsympathischeres sein können – ein Barrakuda oder ein Anglerfisch. Und der hatte wenigstens ein Licht, um seine Beute anzulocken. Der General hatte überhaupt nichts Anziehendes an sich.

Malcolm schnaubte empört und straffte die Schultern, als würde er sich zum Kampf bereit machen. »General, ich …«

»Das ist meine Schuld«, sagte Ariana und trat vor. Wenn sie Angst hatte, so zeigte sie es nicht. »Ich wusste nicht, dass wir nach Atlantis kommen würden. Ich dachte, wir würden uns an der Küste aufhalten. Ich fühle mich im Meer ziemlich unwohl. Sie hätten uns vorbereiten sollen«, fügte sie hinzu. »Es war sehr unhöflich, uns nicht zu informieren. Ich bin sicher, dass die Schwarze Witwenkönigin nicht erfreut sein wird, wenn sie das hört.«

Anstatt Ariana aus dem Raum zu werfen, wie Simon fast befürchtete, musterte der General sie gelassen. »Sie müssen Prinzessin Ariana sein«, sagte er erstaunlich ruhig. »Lord Anthony hat mich heute informiert, dass er Sie beraten wird, während Sie das Insekten- und Arachnidenreich beim Krisentreffen repräsentieren. Es ist wirklich schade, dass Ihre Mutter nicht persönlich kommen kann.«

Simon warf Jam einen fassungslosen Blick zu. Ariana würde anstelle ihrer Mutter am Treffen teilnehmen? Jam schaute seinen Vater an und sah so aus, als würde er gleich umkippen.

»Sie können froh sein, dass sie nicht da ist, wenn Sie alle Botschafter und Würdenträger so empfangen«, entgegnete Ariana kurz. »Leben Sie schon so lange hier unten, dass Sie die Grundlagen des Anstands vergessen haben? Oder haben Sie beschlossen, uns wie Geiseln statt wie Ehrengäste zu behandeln?«

»Niemand hier ist eine Geisel, Hoheit«, sagte der General bedächtig. »Alle werden mit dem gebührenden Respekt behandelt.«

»Warum ist dann einer unserer Freunde in Gewahrsam genommen worden?«, fragte sie.

Der General richtete seinen Blick auf Rhode. »Admiral?«

»Er hatte keine Einreise-Erlaubnis. Ein Mitglied des Säugerreichs«, erklärte Rhode. »Eine Maus, die in einem Koffer der Zwillinge gefunden wurde. Ein blinder Passagier, Sir.«

»Er ist mein Freund«, erwiderte Simon mit verschwitzten Handflächen. »Er ist kein blinder Passagier. Er reist immer in meinem Gepäck. Sein Name ist Felix …«

»Und er ist ein nicht zugelassenes Mitglied des Säugerreichs«, unterbrach ihn der General. »Welcher von ihnen ist es?«

»Ich …« Rhode blickte zwischen Simon und Nolan hin und her. »Ich bin mir nicht sicher, Sir.«

»Wenn Sie erlauben«, sagte Malcolm in einem Ton, der deutlich machte, dass es ihm ziemlich egal war, ob der General es erlaubte oder nicht. »Meinem Neffen war nicht bewusst, dass er gegen die Regeln handelte. Die Maus lebt seit September bei uns im Bau. Ich habe mich selbst bereits mehrmals mit ihr unterhalten, und abgesehen von einer gewissen Geschwätzigkeit ist sie harmlos.

Da sie ein Mitglied meines Reichs ist, muss ich darauf bestehen, dass Sie sie in die Obhut meines Neffen übergeben. Andernfalls sehe ich mich gezwungen, vor Beginn des Krisentreffens wieder abzureisen. Prinzessin Ariana werde ich selbstverständlich mitnehmen.«

Der General antwortete nicht. Er ging langsam mit hinter dem Rücken verschränkten Händen auf sie zu. Seine Augen richteten sich auf Simon, und obwohl er eigentlich wegsehen wollte, hielt er seinem Blick stand.

»Wir sind uns noch gar nicht richtig vorgestellt worden«, sagte der General und blieb vor Simon stehen. »Ich bin Isaiah Fluke, General der sieben Meere und des Unterwasserreichs. Und du bist?«

Simon überlegte kurz, ob er sich für Nolan ausgeben sollte, aber was würde das bringen? Dann würde Nolan zur Zielscheibe werden. »Simon Thorn«, sagte er und verkniff sich das »Sir«.

»Ah. Der Enkel und Erbe des Vogelherrn.« Der General beugte sich vor, sodass sie auf Augenhöhe waren. »Sage mir, wann hast du deinen Großvater das letzte Mal gesehen?«

»Ich habe ihn erst vor wenigen Monaten kennengelernt«, erwiderte Simon hitzig. »Er hat meinen Onkel getötet …«

»Meinen Bruder Darryl«, warf Malcolm leise ein. »Ich weiß nicht, ob Sie davon gehört haben, General.«

»Habe ich«, antwortete er langsam, den Blick noch immer auf Simon gerichtet. »Umso neugieriger bin ich, zu erfahren, warum Sie seinem Erben erlaubt haben, die Akademie zu besuchen, auch wenn er Ihr Neffe ist.«

»Weil ich andere nicht danach beurteile, mit wem sie verwandt sind oder in welches Tier sie sich verwandeln«, sagte Malcolm herausfordernd. »Simon hat seine Loyalität unserer Familie gegenüber viele Male unter Beweis gestellt. Außerdem halte ich nichts davon, jemanden auszugrenzen, nur weil er anders ist.« Vielleicht war es Einbildung, aber Simon hätte schwören können, dass Malcolm kurz zu Jam hinübersah. »Simon mag sich in einen Goldadler verwandeln, aber er gehört zu meiner Familie.«

»Zu meiner aber nicht«, entgegnete der General. »Und ich habe nicht die Absicht, ein Mitglied des Vogelreichs in Atlantis zu beherbergen. Er wird mit dem nächsten U-Boot nach Avalon zurückfahren. Da kann er mit den restlichen Vögeln warten, die den Strand von Santa Catalina belagern.«

Simons Herz setzte einen Schlag lang aus. Orion gehörte zweifellos dazu, und wenn Orion da war, hieß das, dass auch seine Mutter dort war.

Malcolm verschränkte die Arme vor seiner breiten Brust, was ihn noch imposanter wirken ließ, als er ohnehin schon war. »Wenn Sie darauf bestehen. Kommt, Kinder. Soll General Fluke seinen Kampf gegen das Vogelreich allein durchziehen.«

Er steuerte auf die Tür zu, und General Fluke grummelte etwas, was wie ein Fluch klang. »Halt«, murmelte er dann. »Wenn Sie für ihn bürgen, kann er bleiben – unter der Bedingung, dass er zu keinem Zeitpunkt allein ist.«

Malcolm drehte sich langsam um. »Und die Maus?«

Der General schnaubte verächtlich, doch als Malcolm sich wieder zur Tür wandte, seufzte er. »Das Haustier ist nicht zugelassen ...«

»Er ist kein Haustier«, sagte Simon feindselig. »Er ist mein Freund.«

»Ich hätte es nie für möglich gehalten, dass sich ein Mitglied des Vogelreichs, noch dazu Orions Erbe, mit einem Säuger anfreunden könnte«, sagte der General. »Bist du sicher, dass du ihn nicht bei dir hast, um bei Gelegenheit einen Imbiss aus ihm zu machen?«

Simons Magen zog sich zusammen, doch bevor er etwas sagen konnte, schaltete sich Malcolm ein. »Es reicht, Fluke. Sie haben mir versichert, jedem Mitglied meiner Reisegruppe Zugang zur Stadt zu gewähren. Haben Sie gelogen?«

»Ich habe nicht gelogen«, erwiderte der General, dessen Gesicht langsam rot wurde. »Beleidigen Sie mich nicht in meinem eigenen Revier, Alpha!«

»Das war eine Frage, General, keine Beleidigung. Und wenn Sie nicht gelogen haben, lassen Sie ihn dann frei, oder sollen wir abreisen?«

Die Mundwinkel des Generals zuckten, und einen Augenblick lang dachte Simon, er würde sich auf Malcolm stürzen. »Admiral«, sagte der General wutschäumend, und Rhode stand erneut stramm. »Benachrichtigen Sie den Sicherheitsdienst, dass diese Maus, sofern sie kein unmittelbares Sicherheitsrisiko darstellt, in Mr Thorns Obhut übergeben wird.«

»In die Obhut Seiner Hoheit«, korrigierte Malcolm kalt. Simon wand sich verlegen.

»Wir erkennen das Vogelreich hier nicht an«, entgegnete der General ebenso kalt.

»Aber mein Reich erkennen Sie an«, gab Malcolm zurück. »Und wie Sie selbst festgestellt haben, ist er mein Neffe.«

Der General biss die Zähne zusammen, und Simon konnte seinen Zorn beinahe körperlich spüren. Er öffnete den Mund, um zu erklären, dass er einfach Simon genannt werden und nicht der Prinz von irgendwas sein wollte, doch Ariana kam ihm zuvor.

»Soll so das ganze Treffen ablaufen? Sie beide hacken aufeinander rum, und wir kommen zu keinem Ergebnis?«

Trotz ihrer zierlichen Statur war ihr Auftreten so bestimmt, dass die beiden ausgewachsenen Männer augenblicklich beschämt dreinsahen. Schließlich murmelte der General: »Ihr Säugerfreund wird freigegeben, und Ihr Neffe darf bleiben. Die beiden werden sich an die Gesetze unseres Reichs halten und für ihre Handlungen zur Rechenschaft gezogen werden. Das Gleiche gilt für Ihre Reptilienfreundin.«

Winter, die neben Simon stand, schob das Kinn vor. »Mein Name ist Winter Rivera, General«, sagte sie mit einer Stimme, die Diamant hätte schneiden können. »Wir hatten bereits zweimal das Vergnügen.«

»Und wenn ich mich recht erinnere, warst du zu der Zeit ein Mitglied von Orions Gefolgschaft«, erwiderte er. »Ich fürchte, deine Bekanntheit bringt dir nichts. Ein Mitglied meiner Familie wird es übernehmen, euch zu begleiten, und jeder Gesetzesverstoß wird geahndet werden. Ist das akzeptabel, Alpha?«

Malcolm warf Simon einen langen Blick zu. »Es ist akzeptabel«, sagte er rau. »Wenn Sie uns jetzt entschuldigen würden, General, wir hatten eine lange Reise.«

Der General nickte kurz. »Admiral Rhode, bringen Sie unsere Gäste auf ihre Zimmer.« Dann sprach er Jan zum ersten Mal direkt an: »Soldat! Zwischen uns beiden ist eine Diskussion fällig.«

Jam schluckte, und Simon warf ihm einen entschuldigenden Blick zu, bevor Rhode sie zurück durch das verspiegelte Labyrinth führte. Kein Zweifel, dass »Diskussion« eigentlich »Standpauke, bis dir die Ohren abfallen« bedeutete. Simon schluckte seine Schuldgefühle hinunter und konzentrierte sich auf den Weg, den Admiral Rhode vorgab. Er versuchte, sich die einzelnen Biegungen einzuprägen, doch als sie schließlich vor einem Aufzug stehen blieben, war er völlig orientierungslos.

Rhode brachte sie zu mehreren Gästezimmern einige Etagen höher. »Um 19 Uhr wird jemand kommen, um Sie zum Essen abzuholen«, erklärte sie, bevor sie sich umdrehte und verschwand. Einen Augenblick lang fragte sich Simon, warum sie es wagte, sie unbeaufsichtigt zurückzulassen, doch dann wurde ihm klar, dass sie in den verspiegelten Gängen sowieso nirgendwohin gelangen würden.

Als Admiral Rhode weg war, schob Malcolm sie alle in das Zimmer, das für Simon und Nolan bestimmt war. Die Wände waren in einem angenehmen tiefen Blauton gestrichen, doch es war nur spärlich möbliert. Es gab gerade das Nötigste: zwei Betten, eine kleine Kommode und eine flackernde Lampe. Simon hatte selbst in Gefängnisfilmen gemütlichere Zellen gesehen.

»Warum hast du mir nicht gesagt, dass du Felix mitgenommen hast?«, fragte sein Onkel, eher genervt als enttäuscht. »Du hättest mit deiner Maus beinahe eine internationale Krise ausgelöst, Simon.«

»Es tut mir leid«, sagte Simon und starrte auf den

cremefarbenen Teppich. Wenigstens der war weich. »Ich habe einfach nicht nachgedacht …«

»Offensichtlich nicht.« Malcolm seufzte. »Simon, Winter – der General wird euch bei der ersten Gelegenheit festnehmen lassen, die ihr ihm bietet. Ihr müsst mir versprechen, ihm diese Chance nicht zu geben. Hier unten kann ich nichts für euch tun. Ihr müsst selbst auf euch aufpassen.«

Winter murmelte ihre Einwilligung, während Simon wie betäubt nickte. Er war schon größere Risiken eingegangen, als festgenommen zu werden, aber dieser Ort hatte etwas an sich, was eine Zeit im Gefängnis schlimmer als die Todesstrafe wirken ließ. Das ganze Gelände war alles andere als einladend – es wirkte eher so, als wäre es gestaltet worden, um alle und jeden fernzuhalten. Und selbst ohne die Sicherheitsmaßnahmen hätten die mürrischen Gesichter der Soldaten und die dröhnende Stimme des Generals gereicht, um jeden normalen Menschen abzuschrecken. Kein Wunder, dass es Jam hier unten so schlecht ging. Simon wusste nicht, wie er die Weihnachtsferien überstehen sollte – wie konnte man hier ein ganzes Leben verbringen?

Malcolm klopfte ihm auf die Schulter. »Gut so. Ich zähle auf euch. Wir haben vor dem Essen noch etwas Zeit. Also packt eure Sachen aus und macht keinen Ärger, in Ordnung?«

Dann gingen die anderen weiter – Winter und Ariana teilten sich das Zimmer gegenüber, während Malcolm den Raum nebenan hatte. Sobald sie weg waren, ließ Simon sich auf seine harte Matratze fallen. »So viel zum Strandurlaub.«

»Wirklich toll, dass du Malcolm überredet hast, herzukommen«, murmelte Nolan, der sich damit abmühte, mit seinem unverletzten Arm den Koffer aufs Bett zu hieven. »Das beste Weihnachtsfest aller Zeiten, was?«

»He, das ist nicht meine Schuld«, sagte Simon, und das war nicht einmal gelogen. Es war schließlich nie sein Plan gewesen, dass Nolan mitkam. »Soll ich dir …«

»Schon in Ordnung«, knurrte Nolan. »Lass mich in Ruhe.«

Simon schloss die Augen, und die Hoffnungslosigkeit der Lage legte sich über ihn wie eine erstickende Decke. Wenn die Vogelarmee auf der Insel stationiert war, war Orion bereits sehr nah – zu nah. Allerdings konnte Simon sich nicht vorstellen, dass der General das Teil des Greifstabs in Atlantis versteckt hatte, wenn ihm das gesamte Unterwasserreich zur Verfügung stand. Egal wie entschlossen er war, und egal wie sehr ihm seine Freunde helfen wollten – er hatte keine Ahnung, wie er den ganzen Ozean nach einem Kristall absuchen sollte, der kaum größer war als seine Handfläche.

SECHSTES KAPITEL

Die Flukes

Ein Klopfen an der Tür riss Simon aus seinem unbeabsichtigten Nickerchen. Er schlug die Augen auf und sah als Erstes die blauen Wände. Einen Moment lang wusste er nicht, wo er war, bis er Nolan im Bett gegenüber stöhnen hörte.

»Simon?«, fragte Jam durch die Tür. »Ich bin's.«

»Und ich«, quiekte eine aufgebrachte Stimme.

Simon sprang aus dem Bett und machte die Tür auf. »Felix! Da bist du ja«, rief er und hob die Maus von Jams Schulter. »Sie haben dir doch nicht wehgetan, oder?«

Felix umklammerte seine Schwanzspitze. »Sie haben mich ewig lange verhört, aber keine Sorge. Ich habe nichts ausgeplaudert.«

»Was ausgeplaudert?«, fragte Nolan, der plötzlich hinter ihnen stand.

»Ich dachte, du sprichst nicht mit mir«, sagte Simon. Nolan zuckte die Schultern, schien dann zu merken, dass sein Zwillingsbruder recht hatte, und stapfte wortlos an ihnen vorbei. Als er im Zimmer ihres Onkels verschwunden war, ließ Simon erleichtert die Schultern sinken.

»Danke«, sagte er zu Jam. »Alles in Ordnung bei dir?«

»Alles okay. So ist es hier immer«, erwiderte der kläglich. »Der General hat mir befohlen, euch zum Essen zu holen, aber er hat gesagt, die ... die Ratte ist nicht eingeladen.«

»Ich bin keine *Ratte*!«, quiekte Felix, doch Simon ignorierte ihn.

»Danke«, sagte er. »Ich komme gleich.«

Jam nickte und ging aus dem Zimmer, um die anderen zu holen. Simon fand seinen traurigen Blick schrecklich, doch es gab nicht viel, was er tun konnte. Er ging noch einmal zurück in sein Zimmer und setzte Felix in den Koffer.

»Du bleibst hier«, warnte er ihn. »Ich meine es ernst. Sonst verhaften sie dich, und ein zweites Mal werden sie dich nicht freilassen.«

Felix glättete sich die Barthaare und kuschelte sich an ein Paar Socken. »Barbaren«, murmelte er. »Halten sich für was Besseres, weil sie schwimmen können. Stinken allesamt nach Fisch. Schmecken bestimmt auch so.«

Da dies vermutlich die eindeutigste Zustimmung war,

die er im Augenblick aus Felix herausholen würde, ging Simon in den Gang zu den anderen. Alle waren da bis auf eine.

»Wo ist Ariana?«, fragte er und versuchte, einen Blick ins Zimmer der Mädchen zu werfen.

»Sie wollte eigentlich schlafen, aber dann ist der Berater ihrer Mutter aufgetaucht und hat sie mitgenommen«, erwiderte Winter säuerlich.

»Sie ist als Repräsentantin des Insekten- und Arachnidenreichs hier«, erklärte Malcolm. »Sie wird nicht so viel Zeit mit euch verbringen können wie sonst.«

»Aber schlafen wird sie ja wohl noch dürfen«, protestierte Simon.

»Dafür werde ich sorgen«, versprach sein Onkel. »Na los, wir wollen nicht zu spät zum Essen kommen.«

Ariana gesellte sich vor dem Speisesaal zu ihnen, in Begleitung eines schlanken älteren Herrn, der wohl der Berater ihrer Mutter war. Die Schatten unter ihren Augen waren noch dunkler als zuvor, und sie sah die anderen kaum an, als sie hinter Malcolm in den Saal schlurfte.

Simon hatte einen weiteren zweckmäßig eingerichteten Raum erwartet, doch sie kamen in einen warmen, fröhlichen Saal mit goldenen Wänden und vielen Bildern. Um den breiten Eichentisch, der mit einer Vielzahl an Speisen beladen war, saßen bereits neun Personen, darunter auch der General und Rhode.

»Alpha, Prinzessin Ariana, Lord Anthony«, sagte der General, ohne sich die Mühe zu machen, aufzustehen. Die anderen folgten seinem Beispiel und erhoben sich ebenfalls nicht. »Setzen Sie sich. Wir haben viel zu besprechen.«

Ariana starrte zu Boden, als sie Malcolm und dem Berater zum Kopfende des Tischs folgte, wo der General drei Plätze frei gehalten hatte. Simon ging mit Jam zur gegenüberliegenden Seite des Raums und hoffte, dass es Ariana nichts ausmachte, ganz allein zwischen dem General und Rhode zu sitzen. Neben Malcolms Platz saß eine Frau, die mit Sicherheit Jams Mutter war.

Die übrigen Plätze waren von Mädchen unterschiedlichen Alters besetzt – das mussten Jams Schwestern sein. Sie flüsterten miteinander, als Simon und Jam an ihnen vorbeigingen, und zwei von ihnen wirkten nicht sehr erfreut, sie zu sehen.

»Die Rückkehr des verlorenen Sohns«, sagte eine der älteren Schwestern gehässig. Sie wäre eins der hübschesten Mädchen gewesen, die Simon je gesehen hatte, wenn sie das Gesicht nicht zu einer abfälligen Grimasse verzogen hätte. »Gerade noch rechtzeitig, um das Reich zu retten.«

»Ich weiß nicht, was wir ohne die Ausdauer und Führungsstärke unseres kleinen Bruders machen würden«, sagte das Mädchen neben ihr spöttisch lachend.

Jam wurde rot. »Hallo, Undine. Schön, dich zu sehen, Halie«, murmelte er, bevor er zu seinem Platz eilte. Simon wollte etwas erwidern, aber die Art, wie Jam sich auf seinen Stuhl verkroch, hielt ihn zurück. Er würde alles nur noch schlimmer machen, wenn er versuchte, seinen Freund zu verteidigen. Also ging er schweigend weiter und setzte sich neben ihn.

»Wie viele Schwestern hast du eigentlich?«, fragte Winter.

»Sieben«, erwiderte Jam in dem düsteren Tonfall, den er angeschlagen hatte, seit sie in Kalifornien angekommen waren. »Rhode ist die älteste …«

»Rhode? Admiral Rhode?«, fragte Simon verblüfft. »Sie ist deine Schwester?« So kühl, wie sie Jam begrüßt hatte, hätte er das niemals erwartet.

»Unglücklicherweise«, murmelte Jam so leise, dass Simon nicht sicher war, ob er richtig gehört hatte. »Sie ist der Liebling des Generals und eine seiner wichtigsten Beraterinnen.«

»Wenn sie sein Liebling wäre, würde er nicht darauf bestehen, dass du sein Erbe antrittst«, sagte die hübsche Schwester, Undine. Jam verstummte und starrte auf seinen Teller.

»Wer ist das?«, fragte Nolan und deutete mit einem Nicken auf die jüngste Schwester, die neben Winter saß. Sie fing Nolans Blick auf und sah schnell weg.

»Das ist Pearl, die nur so tut, als wäre sie schüchtern«, sagte Jam. »Sie ist ein Jahr älter als ich. Und dann sind da noch Lorelei, Nixie, Halie, Undine und Coralia.«

»Die sind aber nicht im L. A. G. E. R., oder?«, fragte Simon und musterte ihre Gesichter. Sie starrten zurück, und er senkte den Blick. Er konnte sich nicht daran erinnern, sie schon einmal gesehen zu haben.

Jam schüttelte den Kopf. »Rhode war im L. A. G. E. R., damals befand es sich noch auf der Insel des Bestienkönigs, aber die anderen nicht. Sie war da, als die Vögel angegriffen haben, in einem der Bereiche, die zerstört wurden.«

»Hat sie dabei die Narbe auf der Wange bekommen?«, fragte Winter, direkt wie immer. Jam nickte. »Sie wäre beinahe gestorben. Danach hat Mom sich geweigert, noch irgendjemanden ins L. A. G. E. R. gehen zu lassen. Bei mir hat sich der General aber durchgesetzt«, fügte er hinzu. »Er meinte, ich müsste dorthin, wenn ich eines Tages regieren soll.«

»Unglücklicherweise«, bemerkte eine der anderen Schwestern, während sie eine Krabbe mit der Gabel aufspießte. Lorelei, glaubte Simon, war sich aber nicht ganz sicher.

»Mädchen«, sagte ihre Mutter ruhig, aber mit einem Hauch Schärfe. »Wir wissen alle, dass es unfair ist, aber die Entscheidung wurde nun einmal so getroffen. Wenn ihr etwas daran auszusetzen habt, wendet euch an euren Vater, nicht an euren Bruder. Es ist nicht seine Schuld, dass der General Haien gegenüber voreingenommen ist.«

»Ich bin nicht voreingenommen«, erwiderte der General scharf und blickte von seiner leisen Unterhaltung mit Malcolm auf. »Delfine regieren unser Reich seit Jahrtausenden. Ich werde diese ununterbrochene Linie nicht beenden, nur weil unsere Töchter zu unreif sind, um die Bedeutung von Tradition zu erkennen.«

Während am Rest des Tischs eine hitzige Diskussion ausbrach und mehrere Schwestern durcheinanderredeten, beobachtete Simon Rhode, die still blieb. An seinem ersten Tag auf der Akademie hatte er die Insel des Bestienkönigs besucht. Es war am Einheitstag gewesen – dem Jahrestag des Siegs der fünf Reiche über den Bestienkönig Hunderte Jahre zuvor. Er war überwältigt gewesen, nachdem er gerade erst am Tag zuvor erfahren hatte, dass es Animox gab und dass er eine Familie besaß, von der er nichts gewusst hatte, aber er konnte sich noch lebhaft an den zerstörten Bereich des Schlosses erinnern und an die Trümmerhaufen dort, wo einst große Säle gewesen waren. Er konnte sich nicht vorstellen, wie irgendjemand, der zum Zeitpunkt des Angriffs in diesen Räumen gewesen war, überlebt hatte.

»Deine Schwestern sind Haie?«, fragte Nolan. Er bemühte sich, cool zu wirken, doch seine piepsige Stimme verriet seine Verunsicherung. »Ja, aber wir beißen nicht, versprochen«, sagte eine fröhliche Stimme. Die jüngste Schwester, Pearl, die sich nicht an der Diskussion beteiligt hatte, lächelte ihn schüchtern an. »Wie heißt du?«

Nolan setzte sich aufrechter hin und streckte die Brust heraus, als wolle er beweisen, dass er keine Angst hatte. »Ich bin Nolan Thorn«, erklärte er. »Der Alpha ist mein Onkel.«

»Bist du auch ein Wolf?«, fragte Pearl und beugte sich so weit zu ihm hinüber, dass sie praktisch auf Winters Schoß saß.

»Ja, ist er«, sagte Winter trocken. »Und ich bin übrigens Winter, falls es dich interessiert. Da du schon mit mir kuschelst.«

Pearl setzte sich wieder auf ihren Stuhl und musterte sie, ohne mit der Wimper zu zucken. »Du bist wohl die Schlange. Kaum zu glauben, dass der General dich in die Stadt gelassen hat.«

»Sie ist meine Freundin«, erklärte Jam nachdrücklich. »Und sie ist nicht hier, um für irgendjemanden zu spionieren.«

»Was ist mit eurem anderen Freund?«, fragte Pearl und blickte zu Simon hinüber. »Der General hat gesagt …«

Plötzlich ertönte auf der anderen Tischseite ein langer, wütender Schrei, und eine der älteren Schwestern – Coralia, wenn Simon sich richtig erinnerte – stand abrupt auf, wobei die Stuhlbeine laut über den Boden kratzten. »Ich bin neunzehn! Du kannst mir nicht mehr vorschreiben, was ich tun soll!«

Totenstille. Selbst der General wirkte verblüfft über ihren Ausbruch. Schließlich sagte er würdevoller, als Simon es ihm zugetraut hätte: »Setz dich, Coralia. Wir sprechen bei anderer Gelegenheit darüber …«

»Das sagst du immer, aber es ist nie eine gute Gelegenheit.« Ihre Stimme überschlug sich. »Ich liebe ihn. Ich werde ihn heiraten. Es ist mir egal, was du dazu sagst. Ich brauche nicht deine Erlaubnis, um mein Leben zu leben.«

»Ist sie *immer noch* mit ihm zusammen?«, flüsterte Jam Pearl zu, die vergessen zu haben schien, was sie über Simon sagen wollte.

Pearl nickte, während der Streit am Kopfende weiterging. »Er hat ihr letzten Monat einen Heiratsantrag gemacht.« Mit einem Grinsen fügte sie hinzu: »Vielleicht haben wir bald einen Menschen zum Schwager!«

»Selbst der wäre besser imstande, das Reich zu führen, als Benjamin«, sagte eine verdrießliche Stimme – noch eine Schwester, die ein paar Plätze weiter saß. Simons Haut kribbelte.

»Du hast keine Ahnung, wozu er imstande ist«, sagte er und zog eine Augenbraue hoch. Ihre braunen Haare waren zu Zöpfen geflochten und zu einem Knoten aufgesteckt, ihre Fingernägel waren schwarz lackiert. An ihrem Erscheinungsbild war nichts Unordentliches, trotzdem hatte Simon das Gefühl, dass es nicht so recht zu den strengen Vorstellungen des Generals passen wollte.

»Ach nein?«, fragte sie. »Und wie lange genau kennst du ihn, wenn ich fragen darf? Ich bin mir ziemlich sicher, dass er mein kleiner Bruder ist und nicht deiner.«

Jam war wieder rot geworden. »Ist schon in Ordnung, Simon. Falls du es noch nicht erraten hast, so sind sie immer. Dem General ist es egal. Er meint, es bilde den Charakter.«

»Apropos Charakter, du hättest ihn hören sollen, als er erfahren hat, dass du die Schule geschwänzt hast und nach Arizona gefahren bist«, sagte Nixie mit unverhohlener Schadenfreude. »Er hätte beinahe einen Herzinfarkt bekommen.«

»Er hat es getan, um mir zu helfen«, sagte Winter, die sich von Nixie nicht beeindrucken ließ. »Manchmal muss man eben Regeln brechen, um das Richtige zu tun. Aber davon verstehst du ja sowieso nichts.«

Nixie rümpfte die Nase und musterte Winter von oben bis unten. »Der General hat nach Freiwilligen gesucht, die euch die Woche über babysitten. Ich denke, meine Hausaufgaben können warten.«

»Hu, wie rebellisch«, spottete Winter und verdrehte

die Augen. Sie nahm ein Sushi-Röllchen zwischen die Stäbchen. »Viel Spaß beim Zeitverschwenden.«

Für den Rest der Mahlzeit blieb Simon schweigsam. Jam zankte sich mit seinen Schwestern, und Pearl flirtete mit Nolan, den das nicht zu stören schien. Simon spitzte die Ohren, um Unterhaltungsfetzen vom anderen Tischende aufzuschnappen, wo der General halblaut mit Ariana und Malcolm debattierte.

Sie redeten über ihn. Oder – wenn nicht über ihn, dann über das Vogelreich. Orion.

Als Jam sie nach dem Essen zurück auf ihre Zimmer brachte, konnte Simon es kaum erwarten, allein mit Ariana zu sprechen. Er wartete, bis Nolan, glücklich vor sich hin summend, zum Zähneputzen im Bad verschwand, bevor er sich aus dem Zimmer schlich und an die gegenüberliegende Tür klopfte.

»Ich hasse sie«, verkündete Winter, sobald sie die Tür geöffnet hatte. »Allesamt. Aber am meisten Nixie.«

Simon trat ins Zimmer, das ebenso karg war wie sein eigenes. Die Wände waren violett gestrichen.

»Ich bin sicher, es geht ihr ebenso«, sagte er und schloss die Tür hinter sich.

»Wie soll ich dir helfen, wenn sie mir die ganze Woche am Rockzipfel hängt?«, fragte Winter.

»Ich mag sie auch nicht.« Ariana hockte im Schlafanzug auf der Bettkante und sah so aus, als würde sie jeden

Moment einschlafen. »Aber ihr habt Malcolm gehört. Ihr könnt hier nicht rumschnüffeln.«

Simon blinzelte ungläubig. Ariana war die Letzte, von der er die Warnung erwartet hätte, er dürfe keine Regeln brechen, um das Teil des Greifstabs zu finden. Aber etwas an ihr war anders als sonst – seit sie den Berater ihrer Mutter getroffen hatte, wirkte sie ... schlapp. Es war, als hätte ihr die Begegnung mit dem General sämtliche Energie geraubt, als hätte jemand das Feuer in ihr mit einem Eimer Wasser gelöscht.

Vielleicht liegt es an Atlantis, überlegte Simon. Für ihn war es nicht schwer, zu vergessen, dass sie unter Wasser waren, aber Ariana ging es vermutlich anders. Er glaubte allerdings nicht, dass es nur daran lag. Da war noch etwas anderes, und das machte ihm Sorgen.

Er kannte sie gut genug, um zu wissen, dass es nichts bringen würde, sie einfach zu fragen – wenn es überhaupt irgendetwas bewirkte, dann nur, dass sie noch verschlossener würde. Also ließ er es bleiben. Wenn sie reden wollte, würde sie es irgendwann tun. »Worüber hast du die ganze Zeit mit Malcolm und dem General gesprochen?«, fragte er stattdessen.

»In erster Linie über Orion«, sagte Ariana. »Der General betrachtet die Invasion der Vögel auf Santa Catalina als Kriegshandlung, aber für einen Luftkrieg ist er nicht gerüstet. Deshalb hat er alle hergebeten. Es geht ihm nicht nur darum, das Teil des Greifstabs zu schützen. Er will gegen Orion kämpfen.«

»Klingt nach einem guten Plan«, kommentierte Winter verbittert. Eigentlich hätte Simon nicht überrascht sein sollen, er war es aber doch. Orion hatte Winter wie seine eigene Enkelin großgezogen, doch als er herausgefunden hatte, dass sie eine Schlange und kein Vogel war, hatte er sie verstoßen. Nach Simon hatte sie wohl die meisten Gründe, ihn zu hassen.

»Wenn es Krieg gibt, werden viele Unschuldige sterben«, sagte er. »Dazu dürfen wir es nicht kommen lassen. Wir müssen dafür sorgen, dass die Lage nicht eskaliert, bis wir die Teile gefunden und den Greifstab zerstört haben.«

»Leichter gesagt als getan«, murmelte Ariana erschöpft. »Malcolm ist auch dagegen, aber die Reptilien sind einverstanden ...«

»Die Reptilien hassen das Unterwasserreich«, unterbrach Winter sie. »Sie werden sich nie mit dem General verbünden.«

Ariana zog eine Grimasse. »Vielleicht doch. Wenn sie glauben, dass Orion kurz davorsteht, die Waffe zusammenzusetzen, könnte es dazu führen, dass sich die übrigen Reiche zusammentun.«

Alle drei verstummten. Schließlich sagte Simon leise und mit so laut hämmerndem Herzen, dass er sich selbst kaum hören konnte: »Ich könnte ihnen sagen, was wir vorhaben.«

»Nein«, widersprach Winter heftig. »Wag es ja nicht!«

»Möglicherweise hat er keine andere Wahl«, sagte Ariana müde. »Wenn wir den Krieg verhindern wollen …«

»Wenn wir ihnen sagen, was wir vorhaben, werden wir den Krieg nicht verhindern, sondern beginnen! Alle werden hinter Simon her sein«, sagte Winter verzweifelt. »Du bist doch beim Krisentreffen dabei, Ariana. Du musst sie davon überzeugen, dass ein Krieg nichts bringt. Oder lenk sie ab. Es ist mir egal, wie – aber mach bitte irgendwas, statt dich wie eine rückgratlose Qualle zu verhalten.«

Ariana fuhr sich kraftlos durch die blauen Haare. »Ich versuche es ja. Aber meine Kräfte sind auch nicht unendlich. Sie werden nicht auf mich hören …«

»Dann zwing sie eben dazu«, entgegnete Winter giftig. »Oder hast du schon aufgegeben?«

»Ich habe nicht aufgegeben«, erwiderte Ariana. »Es ist einfach schwieriger, als wir erwartet haben. Es geht nicht mehr nur um uns. Es stehen Menschenleben auf dem Spiel …«

»Ich will nicht, dass noch irgendjemand meinetwegen stirbt«, sagte Simon plötzlich. »Du musst sie aufhalten, Ariana. Was auch immer du tun musst, verschaff uns so viel Zeit wie möglich.«

Sie schloss die Augen und sah erschöpft und niedergeschlagen aus. »Ich werde mein Bestes geben.«

Winter seufzte dramatisch und ließ sich auf ihr Bett fallen. »Dann wollen wir hoffen, dass dein Bestes genug ist.«

»Ist es«, sagte Simon, obwohl er sich da selbst nicht so sicher war. Zu viele Leute und zu viele Königreiche trieben sie in die Enge, und früher oder später würde ihre Zeit ablaufen.

SIEBTES KAPITEL

Seesterngalaxie

Der General hatte nicht gescherzt, was die Verteilung von Tagesplänen anging.

Pearl, die jüngste Schwester, stand pünktlich um 6 Uhr vor ihrer Zimmertür – 6 Uhr morgens, wohlgemerkt –, um ihnen einen minutengenauen Zeitplan für den Tag auszuhändigen. Simon stellte zu seinem Entsetzen fest, dass er abgesehen von den Mahlzeiten nur eins zu tun hatte: *bei der Aufsichtsperson verbleiben.*

»Wer ist meine Aufsichtsperson?«, fragte er, als Pearl sie zum Frühstück brachte. Malcolm und Ariana waren bereits mit Rhode verschwunden, beide hatten nicht besonders glücklich ausgesehen.

»Ich natürlich«, sagte sie fröhlich und versuchte, sich bei ihm unterzuhaken. Simon machte einen Schritt zur Seite.

»Ich bin Simon«, sagte er, und sie verzog das Gesicht.

»Oh.« Sie ging zu Nolan hinüber, der sich heute Morgen besonders viel Mühe mit dem Styling seiner Haare gegeben und auf seine Armschlinge verzichtet hatte. »Wir werden heute einen Riesenspaß haben!«

Winter tat hinter ihren Rücken so, als würde sie sich übergeben, und Simon musste sich in die Wange beißen, um nicht laut herauszulachen.

Während Pearl beim Frühstück – 6:20 bis 6:45 Uhr – Nolan schöne Augen machte, brachte Simon gerade genug Sushi hinunter, um seinen knurrenden Magen zu beruhigen. Ihn beschlich der Verdacht, dass er bis zum Ende ihres Aufenthalts entweder rohen Fisch essen musste oder verhungern würde. Dazwischen gab es nichts.

»Für ein paar Scheiben gebratenen Speck würde ich alles geben«, murmelte Winter, die ihren unangetasteten Thunfisch von sich schob. »Glaubst du, die machen das mit Absicht?«

»Wahrscheinlich«, erwiderte Simon. »Ich wette, Ariana und Malcolm bekommen Pfannkuchen.«

»Mit Schokoflocken und Blaubeeren. Und Rührei und Toast und …«

»Hör auf«, stöhnte er. »Du machst mich hungrig.«

Die Tür zum Speisesaal flog auf, und rotgesichtig und atemlos erschien Jam, die blonden Haare ganz zerzaust. Er trug jetzt eine Uniform wie Rhode, allerdings zerknittert und falsch geknöpft. »Yes! Gerade noch geschafft!«

Er ließ sich auf den Stuhl neben Simon plumpsen und verschlang die Speisen, die Simon nicht angerührt hatte. Simon und Winter wechselten einen Blick.

»Hast du verschlafen?«, fragte Simon.

Jam schüttelte den Kopf. »Ich hatte schon Frühtraining«, erklärte er mit vollem Mund. »Der General hat gesagt, dass ich den Vormittag mit euch verbringen kann, wenn ich das Training vorziehe, weil Coralia immer noch sauer ist und sich geweigert hat, auf euch aufzupassen.«

Winter stieß einen Seufzer der Erleichterung aus. »Ich hatte schon fest damit gerechnet, dass Nixie unsere Begleitperson ist.«

»Freu dich nicht zu früh, so leicht kommst du nicht davon.« Nixie erschien hinter ihr und schnappte sich ein Thunfischröllchen von ihrem Teller. »Jam ist Simons Begleitperson. Ich bin deine.«

Winter wurde blass. »Na, wunderbar.«

»Das habe ich mir gedacht.« Nixie grinste. »Die Muscheln in den Korallengärten müssen geerntet werden. Es sollte nicht länger als fünf oder sechs Stunden dauern.«

Winters Gesicht nahm eine beängstigend violette Färbung an, doch bevor sie explodieren konnte, schaltete Jam sich ein. »Der General hat gesagt, dass wir ihnen die Stadt zeigen und dafür sorgen sollen, dass sie keinen Unfug machen. Ich bin ziemlich sicher, dass er nichts von Sklavenarbeit gesagt hat.«

»Er hat aber nicht gesagt, wie wir dafür sorgen sollen«, widersprach Nixie. »Und sie ist meine Geisel, nicht deine.«

»Wir sind keine Geiseln!«, sagte Simon. »Und willst du wirklich mit jemandem in einem Garten allein sein, der sich in eine Giftschlange verwandeln kann?«

»Genau«, sagte Jam. »Oder hast du nicht gewusst, dass Wassermokassinottern giftig sind?«

Nach Nixies Gesichtsausdruck zu urteilen, war ihr diese Information in der Tat neu. Winter wirkte ungewohnt selbstzufrieden. Da sie normalerweise nichts mit ihrer Animox-Gestalt zu tun haben wollte, fand Simon, dass es ein Schritt in die richtige Richtung war.

»Wir können gerne zusammen gärtnern«, sagte sie liebenswürdig zu Nixie. »Es ist schon Monate her, dass ich jemanden gebissen habe.«

Nixie zog die Augenbrauen zusammen, schnappte sich Winters Teller und stürmte ans andere Ende des Tischs, wo sie für das restliche Frühstück sitzen blieb.

Nach dem Essen gingen sie noch einmal auf ihre Zimmer, um ihre Sachen zu holen, und Simon verstaute Felix sicher in seiner Sweatshirttasche. Auch wenn die Gefahr bestand, dass andere Mitglieder des Unterwasserreichs ihn zu sehen bekamen, fand Simon, dass es noch schlimmer wäre, ihn den ganzen Tag in seinem Zimmer allein zu lassen, bis er sich irgendwann auf eigene Faust hinausschlich. So wusste Simon wenigstens immer, wo er war.

Als sie den verspiegelten Bereich verließen, wurden alle dem gleichen Sicherheitscheck unterzogen wie bei ihrer Ankunft. Jam vergewisserte sich dreimal, dass alle Namen, auch der von Felix, auf der Liste standen, um wieder hereingelassen zu werden. Als sie endlich das Gebäude verlassen durften und nach draußen in die Straßen von Atlantis treten konnten, stieß Simon einen tiefen Seufzer aus.

»Ich weiß nicht, wie du es da drin aushältst«, sagte er zu Jam, während sie an den hohen verspiegelten Gebäuden entlanggingen. Die Stadt war noch immer farblos und düster, aber überall war es besser als im Regierungssitz des Generals. »Ich habe die ganze Zeit das Gefühl, dass die Wände mich erdrücken.«

»Ich bin vermutlich daran gewöhnt«, sagte Jam schulterzuckend. »Die Stadt wurde nach Sicherheitskriterien erbaut, damit kein Unbefugter eindringen kann …«

»Hat es denn überhaupt schon mal jemand versucht?«, fragte Winter. Nixie, die neben ihnen ging, richtete ihre dunkel geschminkten Augen auf sie.

»Noch nicht«, sagte sie. »Ist ja auch nicht nötig, wenn

wir alle freiwillig reinlassen und auch noch wie Gäste hofieren.«

»Ich wüsste nicht, warum irgendjemand hier reinwollen sollte«, konterte Winter und verzog das Gesicht. »Von so einem Ort will man doch nur fliehen, aber ganz bestimmt nicht hinein.«

»Das soll hoffentlich heißen, dass du nicht wiederkommst«, schoss Nixie zurück.

»So schlimm ist es gar nicht«, warf Jam schnell ein. »Ihr seht nur die Fassade, die für Außenstehende bestimmt ist. Es soll nach außen hin nicht einladend aussehen. Das ist ja der Sinn des Ganzen. Aber ihr habt doch die Zimmer im Regierungssitz gesehen – sie sind voller Farben und Kunst.«

»Eure Zimmer vielleicht«, murmelte Winter. Jam hörte sie entweder nicht, oder er ignorierte sie.

»Die meisten anderen Reiche halten uns für kalt und herzlos oder seelenlos«, fuhr er fort. »Aber das liegt daran, dass sie nie lange genug hinschauen, um zu sehen, was hinter der militärischen Aufmachung liegt. Wie … das hier.«

Er ging auf eine Tür zu, die sich nahtlos in das graue Gebäude neben ihnen einfügte. Daneben hing ein kleines, schmuckloses Schild mit der Aufschrift *Café zum Weißen Hai.* Als er nach der Klinke griff, blieb Simon zögernd stehen.

»Bist du sicher, dass wir da reinkönnen?«, fragte er.

»Klar! Vertrau mir«, erwiderte Jam und stieß die Tür auf.

Anders als Simon erwartet hatte, befand sich drinnen kein steriler Speisesaal. Das Café war vollgepackt mit alten Sesseln, Sofas und Tischchen in jeder Ecke und Nische, und hinter der Theke hing eine Kreidetafel, auf der die Tagesgerichte standen – und ein paar Haiwitze. Eine Frau in einer blauen Schürze begrüßte sie herzlich, und während Jam heiße Schokolade für alle bestellte, ließ Simon den Blick durch den Raum schweifen.

Jedes Fleckchen an der Wand war von Bildern bedeckt. Keine schicken, teuren Kunstwerke, wie die Reptilien sie aufhängen würden, sondern selbst gemachte Zeichnungen, Cartoons und Graffiti. Es gab sogar eine kleine Bühne, und Simon entdeckte einen Wochenplan, der eine Lesung, einen Gedichtwettbewerb und ein Konzert ankündigte.

»Das ist ja unglaublich«, sagte er und nahm dankbar die heiße Schokolade entgegen, die Jam ihm reichte. An der Decke befand sich ein großes Gemälde des Pazifischen Ozeans, und er entdeckte zahlreiche Meeresgeschöpfe – echte und mythologische – in den Wellen. »Bist du sicher, dass dieser Ort nicht zum Reptilienreich gehört?«, scherzte er.

»Bei uns ist das Leben auch manchmal bunt«, sagte

Jam stolz und schaute sich um. »Niemand ist die ganze Zeit im Dienst.«

»Außer vielleicht der General«, sagte Nixie und sah sie über ihre Tasse hinweg an.

Jam räusperte sich. »Es ist so – unser Reich ist wie das Meer. Man sieht uns nur, wenn man unter die Oberfläche schaut. Wir sind keine Roboter. Nicht alle hier mögen Kunst oder Musik oder Bücher, aber es gibt noch viele andere versteckte Dinge, die sehr beliebt sind. Die Korallengärten, das Planetarium …«

»Ihr habt hier unten ein Planetarium?«, fragte Simon, als gerade ein halbes Dutzend uniformierter Männer ins Café trat. Bei ihrem Anblick bekam er mit einem Mal Panik, dass sie hinter Winter und ihm her waren, aber sie gingen nur an die Theke, um etwas zu bestellen.

»So in der Art«, sagte Jam mit einem geheimnisvollen Grinsen. »Wollt ihr es sehen?«

Eine Touristenführung gehörte eigentlich nicht zu ihrem Plan, aber Simon konnte ihre Mission, das Teil des Greifstabs zu finden, schlecht vor Nixie, Nolan und Pearl zur Sprache bringen. Weniger begeistert, als es bei der Aussicht auf den Besuch eines Unterwasserplanetariums wohl angemessen wäre, nickte Simon, während Pearl Nolans Arm drückte.

»Es wird dir gefallen. Es ist der beste Ort in der ganzen Stadt!«

Nixie verdrehte die Augen. »Findest du es wirklich besser als die Gärten?«

»Nur weil du ein Gartenfreak bist und Gärtnern für cool hältst, heißt das nicht, dass es allen so geht«, sagte Pearl gehässig. Als sie sich zu Nolan umdrehte, lächelte sie wieder engelsgleich. »Vielleicht können wir hinterher noch mal herkommen und uns einen Muffin teilen.«

Simon unterdrückte ein Lachen. Wie schaffte es Nolan, so ernst zu bleiben?

Das Planetarium war nicht weit vom Café entfernt, und als sie in Richtung des Stadtzentrums gingen, musterte Simon die grauen Gebäude um sie herum. Vielleicht war es wirklich gar nicht so schlimm hier. So grau und trostlos es unter der Kuppel auch war, sie war immerhin unter Wasser – richtig tief unten –, und als Simon den Blick hob, sah er einen grauen Wal träge durch eine der Röhren schwimmen, die durch die Kuppel führten.

»Schau mal«, sagte er und stieß Winter an. Sie blickte nach oben, und er glaubte, einen Funken Neugier in ihren Augen zu sehen, doch er verschwand sofort wieder. Ihr Gesicht nahm wieder den gelangweilten Ausdruck an, den er so gut an ihr kannte.

»Sag Bescheid, wenn du einen Narwal siehst«, murmelte sie.

Simon ließ sich von ihr nicht die Laune verderben. Natürlich wäre er auch lieber an der Oberfläche gewesen, trotzdem fragte er Jam nach den einzelnen Gebäuden. Die meisten waren Büro- oder Wohnhäuser, aber Jam zeigte ihnen auch seinen Lieblingsbuchladen und die Kunsthochschule, die eine seiner Schwestern besuchte.

Schließlich erreichten sie das breite steinerne Gebäude des Planetariums. Zu dieser frühen Stunde war fast niemand da, und als Jam die Eintrittsgebühr für sie alle bezahlte, streckte Felix den Kopf aus Simons Tasche. »*Das* ist eure größte Touristenattraktion?«

»Wenn das Morgentraining beendet ist, wird es voller werden«, erwiderte Jam, während er ihnen die Eintrittskarten reichte. »Viele Leute kommen zum Mittagessen her oder um in der Freistunde zu entspannen.«

»Ihr bekommt eine *ganze* Freistunde?«, fragte Winter.

»Jeden Tag«, erwiderte Pearl, die Winters Ironie nicht bemerkt hatte. Sie und Nolan gingen vorneweg den sich abwärtssenkenden Gang entlang, der unter die Stadt zu führen schien. Winter folgte ihnen, verzog aber beim Anblick der beiden Turteltäubchen vor ihr abschätzig das Gesicht – was Simon gut verstehen konnte –, dann folgte Nixie. Simon gesellte sich zu Jam ans Ende der Gruppe und lief langsamer, bis die anderen vor ihnen um eine Ecke verschwunden waren.

»Wir müssen nach dem Kristallteil suchen«, flüsterte Simon, sobald er sicher war, dass die anderen außer Hörweite waren. »Meinst du, es ist in Atlantis versteckt?«

»Ich weiß es nicht«, gestand Jam. »Es wäre möglich, aber ich glaube es nicht. Der Regierungssitz ist zu naheliegend, und kein anderer Ort in der Stadt wäre sicher genug. Im Meer dagegen bestünde eigentlich kaum eine Chance, dass jemand es zufällig findet.«

»Glaubst du, es gibt irgendeinen Hinweis darauf, wo er es versteckt hat?«, fragte Simon.

»Ich …« Jam zuckte die Schultern. »Ich weiß es nicht.«

»Wenn du mich im Regierungsgebäude gelassen hättest, hätte ich mich auf die Suche machen können«, sagte Felix sachlich und putzte sich die Barthaare. »Aber nein, du wolltest ja nicht darauf vertrauen, dass ich mir keinen Ärger einhandele.«

»Es ist nicht so, dass ich *dir* nicht vertraue. Ich vertraue nur nicht darauf, dass die *anderen* dich nicht fressen«, entgegnete Simon und schaute sich in dem engen Gang um. »Gibt es hier irgendwo einen Weg nach draußen?«

Jam zögerte. »Es gibt einen Tunnel, der aus Atlantis hinausführt. Er würde uns weit genug ins offene Wasser bringen, um die Patrouillen zu umgehen. Aber was wollen wir dann machen, Simon? Das ganze Meer absuchen?«

»Ich weiß es auch nicht«, gab er zu. »Aber wir müssen es wenigstens versuchen. Vielleicht hat meine Mutter auf ihren Postkarten irgendeinen Hinweis hinterlassen, und wir sehen etwas, was mich auf eine Spur bringt. Oder vielleicht gibt es einen bestimmten Weg, dem wir folgen müssen. Wir werden es erst erfahren, wenn wir dort draußen sind.«

Jam schnitt eine Grimasse. »Wenn du auch nur eine Minute lang verschwunden bist, wird der General …«

»Was? Mich aus Atlantis werfen?«, fragte Simon. »Wenn wir erwischt werden, können wir uns immer noch was überlegen, aber wir müssen es wenigstens versuchen. Es könnte unsere einzige Gelegenheit sein.«

Jam raufte sich die Haare und lief schneller. »Also gut, in Ordnung. Wir versuchen es. Aber was ist mit Winter?«

»Wir müssen sie hierlassen«, sagte Simon. Jams Augen weiteten sich hinter den Brillengläsern, und als er zum Protest ansetzte, fügte Simon schnell hinzu: »Es gefällt mir auch nicht, aber es geht nun mal nicht anders.«

»Aber … sie wird uns umbringen, wenn wir sie hier allein lassen.«

»Nein, wird sie nicht. Deine Schwester lässt sie nicht aus den Augen, und sie weiß selbst, wie wichtig es ist …«

»Wie wichtig was ist?«

Nixie tauchte hinter einer Ecke auf und sah sie verschlagen an. Simon schloss den Mund.

»Wie wichtig es ist, dass dieses Treffen erfolgreich verläuft«, erwiderte Jam gelassen – so gelassen, dass Simon es kaum glauben konnte. »Und so wie du Winter behandelst, machen wir uns Sorgen, dass sie einen Anfall bekommt und Malcolm und Ariana zur Abreise überredet.«

Seine Schwester starrte ihn an, und Simon war nicht sicher, ob sie Jam glaubte oder nicht. »Ist ja nicht meine Schuld, dass sie so empfindlich ist«, sagte sie schließlich.

»Wenn beim Krisentreffen keine Lösung gefunden wird, würde ich das dem General genau so sagen, wenn er dich fragt, warum du sie so gequält hast«, sagte Jam.

Nixie sah ihn düster an. »Ich quäle sie nicht …«

»Du bist unhöflich und schikanierst sie, weil sie ein Reptil ist. Das kennt sie aus dem L. A. G. E. R. schon zur Genüge. Wenn du so weitermachst, reisen sie noch vor dem Abendessen ab.«

Nixie machte drohend einen Schritt auf ihn zu. »Du bist nicht mein Boss!«

Jam straffte die Schultern und erhob sich zu voller Größe – womit er allerdings immer noch mehrere Zentimeter kleiner war als Nixie. »Irgendwann schon«, sagte er, und seine Stimme zitterte leicht. »Es ist mir egal, dass du meine Schwester bist. Wenn du meine Freunde schlecht behandelst, wirst du es bereuen.«

Nixie zögerte kurz, und obwohl sie eine Sekunde später die Augen verdrehte, wirkte sie auf Simon nicht mehr ganz so selbstsicher wie zuvor. »Na schön. Ich werde versuchen, daran zu denken, dass sie keinen Spaß versteht.«

Das war, wie es schien, das größte Zugeständnis, das sie von ihr bekommen würden, und Jam nickte. Die Jungen wechselten einen Blick, als sie zu dritt den dunklen Gang zurückgingen. Der Tunnel musste warten, bis sie allein waren. Aber wie lange würde das dauern? Sie konnten sich nicht auf einen glücklichen Zufall verlassen. Selbst wenn es ihnen gelänge, in jeder wachen Stunde der nächsten beiden Wochen den Meeresboden abzusuchen – die Chance, dass sie das Teil finden würden, war praktisch gleich null.

Simon rief sich die Postkarten seiner Mutter ins Gedächtnis – hatte er irgendeinen Hinweis übersehen?

Er war so in Gedanken versunken, dass er zunächst gar nicht merkte, dass sie im eigentlichen Planetarium angekommen waren. Nur der Temperaturunterschied fiel ihm auf, und als ihm klar wurde, wo er war, blieb er wie angewurzelt stehen.

Sie befanden sich in einer kühlen, feuchten Höhle, die so hoch war wie ein zweistöckiges Gebäude. Soweit Simon sehen konnte, gab es keine künstlichen Lichtquellen – die Wände und die Decke strömten ein weiches blaues Licht aus, das direkt aus dem Fels zu kommen schien. Sprachlos reckte Simon den Hals, um alles aufzunehmen. Langsam ging er in die Mitte der Höhle.

»Was ist das? Das sieht ja aus wie ein riesiger Leuchtstab …«

»Stopp!«, rief Pearl, und Simon blieb wenige Zentimeter vor dem Rand eines flachen Gewässers mit kristallklarem Wasser stehen. Vorsichtig zog er den Fuß zurück. Fast wäre er auf einen Seestern getreten.

Und es war nicht der einzige. Hunderte Seesterne lagen im Wasser und hielten sich an Felsen fest, die vom Wasser überspült wurden. Obwohl Simon ihre Augen nicht sehen konnte – hatten Seesterne überhaupt Augen? –, konnte er ihre empörten Blicke richtiggehend spüren.

»Oh.« Er blinzelte. »Seesterne. Sterne. Planetarium. Jetzt hab ich's kapiert.«

»Der General hat diesen Schutzraum für sie geschaffen, nachdem die Seesterne rund um Atlantis immer weniger geworden sind«, erklärte Pearl. »Sie können gehen, wohin sie wollen, aber die meisten bleiben einfach hier, wo sie vor Raubtieren geschützt sind und gefüttert werden.«

»Sie können ihren Magen aus dem Körper stülpen«, fügte Nixie hinzu und tippte mit dem Zeh gegen eins der fünfarmigen Geschöpfe. »Das sieht echt cool aus.«

Winter verzog das Gesicht, während Nolan fragte: »Warum leuchtet es hier?«

»Biolumineszente Bakterien«, erklärte Pearl fröhlich. »Ist es nicht schön?«

»Das ist bestimmt das erste Mal, dass irgendjemand Bakterien schön genannt hat«, murmelte Winter. Sie setzte sich auf einen flachen Stein, der als Bank diente, und betrachtete das blaue Schimmern. Nicht einmal sie konnte verbergen, dass sie beeindruckt war.

Simon setzte sich neben sie und wartete, bis die anderen rund um das Wasser gegangen waren, um sich einen besonders farbenprächtigen Seestern anzusehen. Sobald sie außer Hörweite waren, legte er ihr den Arm um die Schultern, weil er sicher war, dass sie das im Augenblick ebenso nötig hatte wie er.

»Jam und ich wollen nach dem Kristall suchen«, sagte er leise. »Wir würden dich gerne mitnehmen, aber ...«

»... aber ich kann unter Wasser nicht atmen, und Nixie wird mich keine Sekunde aus den Augen lassen«, beendete Winter seinen Satz und ließ die Schultern sinken.

Er biss sich auf die Lippe. »Jam hat Nixie gesagt, dass sie dich in Ruhe lassen soll. Wenn sie wieder auf dir herumhackt, tu einfach so, als würdest du das nächste U-Boot ans Festland nehmen, okay?«

Sie nickte resigniert. »Weißt du, wo das Teil ist?«

»Nein, aber wir werden es schon herausfinden. Glaubst du, du könntest sie lange genug ablenken, dass wir uns rausschleichen können?«

Sie steckten die Köpfe zusammen und tuschelten, bis die anderen zurückkamen. Simons Arm lag noch immer um Winters Schultern, und Nixie blieb vor ihnen stehen und schnaubte.

»Ihr zwei seid wie füreinander geschaffen!«

Simon ließ den Arm sinken, und Winter erhob sich und baute sich vor Nixie auf, die gut fünfzehn Zentimeter größer war als sie. »Was ist dein Problem? Ist dein Leben so mies, dass du es nicht ertragen kannst, wenn andere glücklich sind?«

Nixies Augen weiteten sich kurz, doch ihr spöttischer Blick kam so schnell zurück, wie er verschwunden war. »*Du* bist mein Problem, Schlangenbrut. Dein Großvater hat alles darangesetzt, uns das Leben zur Hölle zu machen. Ich bin eins der tödlichsten Wesen im Meer, aber ich darf Atlantis nicht ohne Begleitung verlassen, weil am Strand die Vögel und im Meer Reptilien wie du sind. Wenn einem unserer Animox irgendetwas passiert, wird der General den Vögeln den Krieg erklären, das hat er geschworen.«

»Ist das etwa meine Schuld?«, fiel Winter ihr ins Wort, stellte sich auf die Zehenspitzen und reckte das Gesicht in die Höhe. »Wenn dein General nicht so ein ungehobelter Blödmann wäre, wären eure Beziehungen zu den anderen Königreichen vielleicht besser, und du müsstest nicht darüber nachdenken, einen Krieg anzufangen, nur weil du eine schildkrötenfressende Idiotin bist, du Blindfisch!«

Nixie stieß einen Wutschrei aus, der von den Wänden der Höhle widerhallte, und schubste Winter nach hinten. Simon fing sie auf, doch anstatt ihm zu danken, fauchte Winter und ging auf Nixie los.

Mit einem Platsch fielen beide ins flache Wasser, und Simon hörte erbostes Gemurmel, als die Seesterne aus dem Weg huschten, sehr viel schneller, als er es ihnen zugetraut hätte. Vom Rand aus verfolgten Nolan und Pearl gebannt den Ringkampf, und Simon konnte es ihnen nicht verübeln. Winter war zwar eindeutig eine Kratzbürste, aber aufgrund ihrer Körpergröße hielt sie sich normalerweise aus körperlichen Auseinandersetzungen heraus. Er hatte sie noch nie so angriffslustig erlebt.

Doch mitten im Gefecht begegneten sich ihre Blicke, und Winter deutete mit dem Kinn auf die Tür. Da erst dämmerte es ihm. Es ging gar nicht um sie. Es ging um ihn.

Er rückte näher zu Jam. »Los, komm, solange sie abgelenkt sind«, flüsterte er, und als Winter gerade einen weiteren wütenden Schrei ausstieß, schlüpften Jam und er nach draußen auf den Gang.

Sie rannten nur wenige Meter, bevor Jam stehen blieb und eine Tür aufstieß, die in der dunklen Wand kaum zu sehen war. »Hier entlang«, sagte er, und Simon zog den Kopf ein. Sie stolperten in einen schwach erleuchteten Raum, in dem es nach altem Fisch stank, und während Felix in der Sweatshirttasche würgende Geräusche von sich gab, bedeckte Simon seine Nase mit dem Ärmel.

»Der Ausgang ist da drüben, glaube ich.« Jam bückte sich und tastete sich an der dunklen Wand entlang. Schließlich öffnete sich eine kleine quadratische Tür. »Ziemlich eng, aber sie führt zu dem Tunnel, durch den die Seesterne ins offene Meer schwimmen.«

Simon zog sein Sweatshirt aus. »Felix, du bleibst besser hier.«

»Wie bitte?« Trotz des Gestanks sprang die kleine Maus aus Simons Tasche und huschte auf seine Schulter. »Erst zwingst du mich mitzukommen, und jetzt soll ich in einem Raum bleiben, in dem es nach vergammelter Haifischkacke riecht?«

»Kannst du unter Wasser atmen?«, sagte Simon geduldig. Felix stutzte. »Warum fragst du?«

»Weil wir jetzt eine Runde schwimmen gehen«, erklärte er. »Und wenn du unter Wasser nicht atmen kannst, ertrinkst du.«

Felix schnaubte. »Deshalb hast du noch lange kein Recht, mich hier allein zu lassen.«

»Du kannst eine Weile mit den Seesternen abhängen«, sagte Jam. »Die werden dich schon nicht fressen. Bis 11:30 Uhr sind wir zurück. Wir haben einen dichten Zeitplan.«

»Siehst du?«, sagte Simon. »Es wird nicht lange dauern.«

Felix schmollte, doch diesmal hatte Simon kein schlechtes Gewissen. Felix konnte jammern, so viel er wollte – es war schließlich sein eigener Wunsch gewesen, mit nach Atlantis zu kommen.

Jam stieg als Erster durch die enge Öffnung, die in eine feuchte, rutschige, steil nach unten abfallende Höhle führte. Das einzige Licht um sie herum kam von dem biolumineszenten Leuchten der Wände. Simon schauderte. Ohne Sweatshirt war es gleich viel kühler.

»Vorsicht«, warnte Jam, während er flink die Steigung hinunterkletterte. Simon folgte wesentlich langsamer, behutsam jeden Schritt testend, bevor er sein Gewicht verlagerte. Jam drängelte nicht, obwohl sie keine Zeit zu verlieren hatten, und nach einer gefühlten Stunde erreichten sie endlich das Ende der Höhle. Die letzten Meter waren überflutet, und an der gegenüberliegenden Wand, halb über, halb unter Wasser, befand sich eine quadratische Luke im Fels.

»Bist du bereit?«, fragte Jam grinsend. »Das ist das erste Mal, dass du schwimmst, oder?«

»Zumindest im Meer«, antwortete Simon und beäugte das dunkle Wasser. »Ich bin schon im Schwimmbad geschwommen. Und im Graben vom L. A. G. E. R.« Allerdings immer als Mensch.«

»Atme tief ein und schwimm mir nach. Und sag nichts zu Al und Floyd. Das übernehme ich.«

»Al und Floyd?«, fragte Simon. »Wer ist das?«

Doch Jam war bereits ins Wasser gewatet und animagierte. Seine Haut wurde glatt und grau, seine Arme schrumpften zu Brustflossen, seine Füße verschmolzen und bildeten die Schwanzflosse. Eine weitere steile Flosse wuchs ihm aus dem Rücken, und sein Gesicht verlängerte sich zu einer Schnauze, bis Simon nicht mehr seinem menschlichen Freund gegenüberstand, sondern einem Delfin.

»Na, komm!«, sagte Jam und schlug mit den Flossen. »Das Wasser ist warm.«

Simon schloss die Augen und konzentrierte sich. Sein Körper begann sich zu verändern und wandelte sich vom Menschen zum Delfin. Als er einatmete und ins Wasser tauchte, war die Verwandlung vollzogen.

»Wow.« Er schlug versuchsweise mit der Schwanzflosse und stieß beinahe mit dem Kopf gegen die Felswand. Das Wasser war tatsächlich warm. »Das ist ja fantastisch!«

»Warte, bis wir im offenen Meer sind«, sagte Jam und schwamm durch die Luke, die er mithilfe eines Hebels nach oben geschoben hatte. Simon folgte ihm.

Jam stieß ein klickendes Geräusch aus, und Simon versuchte, es ihm nachzumachen.

Augenblicklich geschah etwas, auch wenn Simon nicht sicher war, was. Er schien sich mit einem Mal der Ausdehnung des Tunnels um sie herum genau bewusst zu sein, und er spürte, dass der Ausgang ins offene Meer nicht weiter als zwanzig Meter entfernt war. Dahinter lag der Meeresgrund und …

»Ist das Echo-Ortung?«, fragte er verblüfft. »So findest du dich immer zurecht?«

»Vermutlich«, erwiderte Jam, als sie eine zweite Luke erreichten. »Ich denke nicht wirklich darüber nach. Eigentlich darf ich nicht alleine nach draußen, und der General ist immer zu beschäftigt, um mich zu begleiten, deshalb hatte ich noch nie die Gelegenheit herauszufinden, ob ich es richtig mache.«

»Macht ihr eure Übungen nicht im offenen Meer?«, fragte Simon.

»Doch, aber wir bleiben immer in der Nähe der Stadt. Du hast doch die Kolonnen gesehen, als wir hergekommen sind. Nur die erfahrensten Soldaten entfernen sich weiter von Atlantis.«

»Wie sollst du denn lernen, dein Reich zu verteidigen, wenn du es nicht mal richtig kennst?«

»Keine Ahnung«, sagte Jam, während sie durch die Luke hindurchglitten. »Der General verspricht zwar immer wieder, mir irgendwann alles zu zeigen, aber …«

»Wen haben wir denn da?« Ohne Vorwarnung

tauchte ein riesiger Weißer Hai wenige Zentimeter vor Simon und Jam auf und versperrte ihnen den Weg. Der Hai grinste und stellte seine scharfen weißen Zähne zur Schau, während er sie umkreiste.

»Wo soll's denn hingehen?«

ACHTES KAPITEL

Haifischfutter

Simon war noch nie einem Hai so nah gewesen. Der Captain, der die Schüler des Unterwasserreichs im L. A. G. E. R. trainierte, hatte in Haigestalt immer einen Sicherheitsabstand gewahrt. Eine denkwürdige Gelegenheit hatte es allerdings gegeben, als Simon ihm unter Wasser begegnet war, doch da hatte er wenigstens gewusst, dass der Captain ihn nicht fressen würde. Bei diesem Hai war er sich nicht so sicher.

Er machte sich zur Flucht bereit, als Jam neben ihm das Wort ergriff. »Musst du die Nummer wirklich jedes Mal abziehen, Al? Du weißt, wer ich bin.«

»Aber nicht, wer dein Freund ist«, sagte ein zweiter Weißer Hai, der ein Stück über Simon und Jam seine Kreise zog.

»Er ist mein Freund, Floyd, mehr müsst ihr nicht wissen«, sagte Jam. »Ihr werdet ihn doch sowieso durchlassen.«

»Da wär ich mir nicht so sicher.« Der erste Hai, Al, zog engere Kreise um sie. »Wer sagt das?«

»Ich. Und ich werde irgendwann General, also wenn ich euch nicht bei der ersten Gelegenheit zu Fischmehl verarbeiten lassen soll …«

»Schon gut, schon gut«, sagte der zweite Hai, Floyd, von oben. »Ganz schön große Reden für zwei kleine Delfine. Wir haben heute noch nicht gefrühstückt, aber ihr zwei gebt ja nicht mal eine anständige Vorspeise ab.«

Simon sagte nichts, doch er warf Jam einen Blick zu, der deutlich zeigte, wie wenig ihm diese Unterhaltung gefiel. Jam schüttelte genervt den Kopf.

»Ihr habt genau fünf Sekunden, um zu überlegen, ob ich euch und eurer Gang das gesamte Unterwasserreich auf die Flossen hetzen soll«, drohte er, »oder ob ihr mal kurz in die andere Richtung schaut wie sonst auch. Überlegt es euch gut.«

Al sah Floyd an, der nachzudenken schien. »Na schön«, murmelte der. »Aber nächstes Mal schnappen wir ihn uns.«

Sie ließen Simon und Jam vorbeischwimmen. Erst als sie außer Hörweite waren, stieß Simon einen Fluch aus. »Ich dachte, Animox dürfen keine anderen Animox fressen!«

»Sie sind keine Animox«, sagte Jam. »Sie sind echte Haie.«

Wenn Simon hätte blass werden können, hätte er es getan. Mit einem Mal fiel es ihm schwer, sein Frühstück bei sich zu behalten. »Ich wäre beinahe von *echten Haien* gefressen worden?«

»Ach was. Al und Floyd spielen sich auf wie große, harte Kerle, aber eigentlich sind sie harmlos«, sagte Jam. »Versteh mich nicht falsch, die meisten echten Haie mögen uns nicht. Sie halten sich für die Könige des Meeres, und dann kommen wir daher und behaupten, wir hätten die Macht. Aber der General wahrt meistens den Frieden. Und der Anführer des Unterwasserreichs heiratet traditionell einen Hai-Animox«, fügte er hinzu. »Das hilft also.«

Simon sah ihn überrascht an. »Du musst später mal einen Hai heiraten?«

»Ein Mädchen, das in einen Hai animagiert, ja. Es gibt ein paar Familien auf der Insel.« Obwohl Simon Jams Gesicht nicht sehen konnte – und nicht einmal wusste, ob Delfine das Gesicht verziehen konnten wie Menschen –, hörte er, dass er nicht gerade glücklich klang.

»Ist ja auch egal.«

»Nein, ist es nicht«, widersprach Simon und blickte im offenen Wasser um sich. Sie waren jetzt so weit von der Kuppel entfernt, dass der Höhleneingang und die

Wächter nicht mehr zu sehen waren, aber er verspürte noch immer einen beinahe unwiderstehlichen Drang, so schnell wie möglich davonzuschwimmen. »Wie hältst du das nur aus? Wie deine Familie dich behandelt und all die Regeln und Traditionen …«

»Ich halte es nicht aus«, sagte Jam düster. »Manchmal denke ich, es wäre am einfachsten, wenn ich abhauen würde. Dann müsste der General Rhode zu seiner Nachfolgerin machen, und niemand würde mir mehr auf die Nerven gehen oder Befehle zuschreien – und alle wären glücklich. Aber dann müsste ich meine Familie aufgeben. Und sie sind nicht alle schlimm«, fügte er hinzu, als Simon den Mund öffnete. »Ich weiß, wie es aussieht, und ich sage ja auch nicht, dass es nicht schrecklich ist. Aber es gibt auch gute Momente.«

Kein noch so guter Moment konnte aufwiegen, was seine Schwestern beim Essen zu Jam gesagt hatten, fand Simon. »So sollte man in einer Familie nicht miteinander umgehen.«

»Mom setzt sich fast immer für mich ein. Also, sie will auch, dass Rhode General wird – das wollen alle –, aber sie lässt ihnen ihre Gemeinheiten nicht durchgehen.« Jam seufzte. »Es sind nur zwei Wochen. Dann gehen wir zurück ins L. A. G. E. R., und ich muss die nächsten sechs Monate nicht darüber nachdenken.«

»Was passiert, wenn du die Schule abgeschlossen

hast?«, fragte Simon. »Lässt du sie dann einfach so weitermachen?«

»Ich …« Jam zögerte und hielt die Flossen still. »Ich weiß es nicht. Vielleicht ist es bis dahin besser.«

Simon wusste, dass das nicht der Fall sein würde, und Jam musste es auch wissen. Aber wenn er in Atlantis bleiben wollte, konnte Simon nicht viel tun, um seine Meinung zu ändern. »Was sie zu dir sagen … du weißt, dass das nicht stimmt, oder?«

»Doch, es stimmt«, sagte Jam so resigniert und nüchtern, dass er Simon schrecklich leidtat. »Ich werde ein fürchterlicher General sein. Ich mag weder Regeln noch Traditionen, und der Gedanke, jeden Tag alle anzuschreien, macht mich ganz krank.«

»Dann wirst du eben ein anderer General«, sagte Simon. »Ein General, zu dem die Leute aufblicken können, und nicht einer, den sie fürchten.«

»Vielleicht«, murmelte Jam. Man konnte hören, dass er nicht weiter darüber sprechen wollte. »Wohin wollen wir?«

Simon wollte noch etwas sagen, doch es würde nichts bringen, weiter nachzubohren, wenn Jam sich sperrte. »Ich weiß es nicht«, sagte er und ließ das Thema fallen. »Die Karte meiner Mom war nicht sehr genau. Es standen ein paar Infos zu Weißen Haien darauf und dass sie eine missverstandene und zu Unrecht gefürchtete Art sind, dass sie aber trotzdem nicht empfehlen würde, sich mit einem von ihnen anzufreunden, egal was für ein netter Kerl er zu sein scheint, oder so ähnlich. Sagt dir das irgendwas?«

»Vielleicht«, sagte Jam nachdenklich. »Es gibt einen Ort auf Santa Catalina, den die Haie die Kumpelbucht nennen. Viele von ihnen hängen da rum, in einem alten Schiffswrack.«

Nach der Begegnung mit Al und Floyd war Simon nicht gerade scharf auf weitere Haie, aber ihm blieb wohl nichts anderes übrig. »Vielleicht können wir mal vorbeischwimmen«, sagte er nervös. »Und uns umschauen.«

»Sie werden uns nie und nimmer in die Nähe des Schiffs lassen, aber wir können zumindest schauen, ob es dort irgendwelche Hinweise gibt«, stimmte Jam zu. Mit klopfendem Herzen folgte Simon Jam in Richtung der Kumpelbucht.

Er versuchte, sich wieder und wieder daran zu erinnern, dass er ein Animox war und keinen Grund hatte, vor Weißen Haien Angst zu haben, wenn er sich selbst in einen verwandeln konnte, doch das half nicht viel. Im Gegenteil, während das Wasser ein immer helleres Blau annahm, je näher sie der Küste von Santa Catalina kamen, desto nervöser wurde Simon, bis er sich kaum noch zusammenreißen konnte. Eigentlich war das gar nicht seine Art, doch hier draußen im Meer, inmitten von

Wasser und Geschöpfen, die er nie zuvor gesehen hatte, fühlte er sich alles andere als in seinem Element.

Als sie an die Wasseroberfläche kamen, holte Simon tief Luft, erleichtert, endlich wieder den Himmel zu sehen. »Wie ist der Plan?«

»Schwimm mir nach«, sagte Jam. »Das Wrack ist in der Bucht da drüben.«

Simon betrachtete den schönen Strand mit dem glitzernden blauen Wasser, und sein Magen verwandelte sich in heiße Lava. »Gibt es ein Tier, vor dem Haie Angst haben?«

Jam überlegte kurz. »Vor einem Orca vermutlich. Orcas sind Schwertwale, aber sie gehören zur Familie der Delfine. Sie sind riesig, und sie fressen Haie.«

»Alles klar«, sagte Simon. »Wenn irgendein Hai sich auf uns stürzt, verwandle ich mich einfach in einen Orca.«

»Oder du drehst ihn auf den Rücken«, sagte Jam. »Dann kann er nicht mehr angreifen.«

Simon speicherte diese wertvolle Information ab, holte noch einmal tief Luft und tauchte wieder nach unten. Er schob die Angst beiseite, nahm all seinen Mut zusammen und folgte Jam, und schon nach kurzer Zeit zeichneten sich vor ihnen im türkisblauen Wasser die Umrisse eines Schiffswracks ab.

Es musste vor hundert Jahren ein beeindruckendes

Schiff gewesen sein, aber jetzt war nur noch der hölzerne Rumpf übrig, von Korallen, Algen und Seepocken bedeckt, sodass es eher wie eine blühende Unterwasserstadt aussah als wie das Wrack eines von Menschen erbauten Seefahrzeugs. Aus der Entfernung konnte Simon keine Einzelheiten erkennen, doch beinahe sofort entdeckte er schlanke Silhouetten, die nur Haien gehören konnten.

Jam und er versteckten sich hinter einem großen Felsen. »Wie viele sind da normalerweise?«, fragte Simon leise, aus Angst, die Haie könnten sie hören.

»Etwa zwölf bis fünfzehn«, sagte Jam. »Kommt auf die Tageszeit an. Und du musst nicht flüstern. Sie riechen uns sowieso schon.«

Das trug nicht gerade dazu bei, Simon die Panik zu nehmen. Er spähte nervös um die Ecke. »Warum verstecken wir uns dann?«

»Na ja, wir sollten ihnen keinen Anlass geben, uns zu jagen.«

Simons Rückenflosse zuckte. »Wenn wir im Wrack herumstöbern und nach dem Kristall suchen, wäre das wohl Anlass genug, was?«

»Ich fürchte, ja.«

Sie beobachteten, wie die Haie träge durch das Schiffswrack glitten und andere Fische vertrieben, und Simon versuchte, ein Muster zu erkennen – irgendeine Art der Regelmäßigkeit ihrer Bewegung, die ihm und Jam zum richtigen Zeitpunkt den Zugang ermöglichte. Aber auch das war zu riskant, vor allem da sie gar keinen richtigen Anhaltspunkt hatten. Seine Mutter konnte mit ihrem Kommentar alles Mögliche gemeint haben.

Mit einem Seufzen sah Simon schließlich ein, dass er zumindest im Augenblick nicht in das Wrack gelangen würde. Selbst wenn er sich in einen Hai verwandelte, bestand die Gefahr, dass sie ihm Fragen stellten, die er nicht beantworten konnte; und sollten sie misstrauisch werden, da war sich Simon sicher, wäre er verloren. Und wenn er sich in einen Orca verwandelte, würde er sie vielleicht vertreiben können, aber er wäre zu groß, um sich im Wrack umzusehen; und außerdem konnte es sein, dass sie ihn trotzdem angriffen, da sie in der Überzahl waren.

Also schwamm er wieder an die Oberfläche und hielt nach dem nächsten Strand Ausschau. Sie waren der Küste jetzt sehr viel näher, und Simon konnte mehrere Leute im Sand sehen. Auf den ersten Blick wirkten sie, als wären sie zum Sonnenbaden und Schwimmen da, aber Simon stellte schnell fest, dass keiner von ihnen Badesachen trug oder ins Wasser ging. In den Bäumen am Rande der Bucht saßen Hunderte Vögel.

»Ich glaube, wir haben Orion gefunden«, murmelte er und warf einen besorgten Blick zum Himmel. Über ihnen kreisten zahllose Vögel – Habichte, Adler, Falken, auch

Möwen waren dabei, die lautstark miteinander schwätzten. »Die waren vorhin doch noch nicht da, oder?«

»Nein«, sagte Jam und schluckte. »Los, komm, bevor sie uns sehen.«

»Ich glaube, das haben sie schon«, sagte Simon, als ein paar Habichte in ihre Richtung flogen. Ein Schrei schallte durch die Luft, und Jam und er tauchten gleichzeitig ab und schwammen, so schnell sie konnten.

Simon spürte einen Stich des Bedauerns, als sie sich entfernten, und er brauchte eine Weile, bis ihm klar wurde, warum er das Gefühl hatte, etwas zurückzulassen. Dort am Strand bei den Vögeln war seine Mutter – als Gefangene von Orion.

Nein. Nicht als seine Gefangene. Sie hatte sich dafür entschieden, bei Orion zu bleiben, das durfte Simon nicht vergessen. Sosehr er sie auch vermisste, es hatte keinen Sinn, ein Risiko einzugehen, um sie zu sehen. Es war zu gefährlich. Außerdem würde er sie bestimmt wieder zum Mitkommen überreden wollen, und dazu hatten sie im Augenblick überhaupt keine Zeit.

»Sie können doch nicht wissen, dass wir Animox sind, oder?«, fragte Simon, während sie tiefer schwammen, damit die Vögel sie nicht mehr sehen konnten. »Vielleicht waren sie gar nicht misstrauisch.«

»Orion ist immer misstrauisch«, erwiderte Jam. »Wenn der General davon erfährt ...«

»Er weiß ja nicht, dass wir es waren«, sagte Simon. »Alle halten mich für einen Adler, schon vergessen?«

Trotzdem blickte Jam weiter so besorgt drein, dass Simon nichts anderes übrig blieb, als ihn abzulenken. »Hier unten muss es doch noch andere coole Sachen geben«, sagte er. In seinen Augen war alles eine einzige türkistrübe Suppe, doch Jams Miene hellte sich auf.

»Mein Lieblingsplatz ist nicht weit«, sagte er. »Wir haben noch Zeit, wenn du ihn sehen willst.«

Nachdem sie weit entfernt von der Küste noch einmal auftauchten, um Luft zu holen, schwammen sie tiefer nach unten. Hier war es dunkel, nur wenige Sonnenstrahlen drangen bis zum Meeresgrund herab. Simon schauderte. Mit all seinen sonderbaren Geschöpfen, leuchtenden Höhlen und farbigen Seesternen war das Unterwasserreich wirklich spektakulär, doch Simon wurde das Gefühl nicht los, dass er nicht hierhergehörte.

»Hier ist es«, sagte Jam stolz, als sie den Eingang einer Höhle erreichten. »Es ist ein riesiges Labyrinth, es sind so viele Höhlen, dass ich immer noch nicht jede einzelne erkundet habe. Pearl hat mir von ihnen erzählt, als ich im letzten Winter zum ersten Mal animagiert habe. Ich glaube, sie sollte es mir eigentlich gar nicht sagen«, fügte er hinzu. »Sie hat mich gewarnt, ich solle nicht herkommen, wenn meine Schwestern hier sind. Es ist so was wie ihr geheimer Club oder so.«

Simon musterte skeptisch den schlammigen Grund, halb in der Erwartung, ein Hai oder ein anderes Geschöpf mit vielen Zähnen könnte vor ihnen auftauchen. »Bist du denn sicher, dass sie nicht jetzt gerade hier sind?«

»Wahrscheinlich nicht«, sagte Jam. »Sie haben gerade Training.«

»*Wahrscheinlich* nicht?«

Doch Jam glitt schon durch den Höhleneingang. Simon fluchte leise vor sich hin und schwamm hinterher. Diese Expedition gefiel ihm überhaupt nicht.

»In welche Richtung willst du?« Jam hatte etwa zehn Meter hinter dem Eingang vor einer Gabelung angehalten und wartete auf ihn. Simon fand keine der beiden Optionen verlockend.

»Nach rechts«, sagte er. In der Richtung sah es etwas heller aus. Und wenn er sich immer für rechts entschied, dachte er, fanden sie vielleicht leichter wieder hinaus. Also entschied er sich wieder und wieder, wenn sie an eine neue Gabelung kamen, für rechts.

»Machst du das mit Absicht?«, fragte Jam. Er klang aber nicht verärgert, im Gegenteil.

»Was?«, fragte Simon, der nicht erklären wollte, dass er einfach keine Lust hatte, sich zu verirren. Normalerweise war es immer Jam, der nervös war, nicht er.

»Du wirst schon sehen. Nimm wieder rechts«, sagte Jam, und Simon befolgte die Anweisung.

Dieser Tunnel war kürzer und dunkler als die anderen, und als die Wände sich um sie zusammenschlossen, wünschte Simon, er hätte sich diesmal für links entschieden. Doch gerade als er das Gefühl hatte, der Tunnel würde nie ein Ende nehmen, öffnete er sich zu einer großen Höhle.

Doch es war nicht nur eine Höhle. Wie im Planetarium waren die Wände mit einer biolumineszenten Schicht bedeckt, die genug Licht spendete, um erkennen zu können, was sich in der Höhle befand. Diesmal war der Boden nicht mit Seesternen, sondern mit glitzernden Steinen und Muscheln bedeckt, die das bläuliche Schimmern reflektierten. Einige waren klein, nicht größer als Kieselsteine, doch zwischen Quarz und verrosteten Münzen entdeckte Simon auch faustgroße Steine, die wie echte Edelsteine aussahen. Er sperrte den Mund auf.

»Wo sind wir?«

»Es ist der Garten eines Oktopus, also eines Kraken«, sagte Jam. »Du weißt schon, wie in dem Song.«

»Was für ein Song?«

Jam starrte ihn an. »Hast du noch nie …« Er summte ein paar Töne mit seiner hohen Delfinstimme, um Simon auf die Sprünge zu helfen.

»Tut mir leid«, sagte er. »Darryl hat nie Musik gehört.«

Jam schüttelte sichtlich bestürzt den Kopf. »Okay,

vergiss es. Kraken sammeln Steine und andere glänzende Gegenstände und legen solche Gärten an. Sie hamstern ziemlich viel Zeug, aber es sieht ganz schön cool aus, oder? Der, der hier lebt, ist ziemlich alt und griesgrämig, aber ich weiß, dass er um die Mittagszeit immer weg ist. Toll hier, oder?«

Es war wirklich beeindruckend. Langsam löste sich der Knoten in Simons Magen, er entspannte sich und schaute sich im Garten um. Es gab dort tatsächlich echte Edelsteine, und besonders ein kleiner glitzernder Stein erregte Simons Aufmerksamkeit. Im blauen Licht erinnerte er ihn an den nächtlichen Sternenhimmel.

»Winter würde es hier gefallen«, sagte Simon und hob den Stein mit der Schnauze auf. »Den bringe ich ihr mit.«

Er sprach undeutlich, doch Jam schien ihn zu verstehen. »Wir müssen jetzt zurück«, sagte er. »Es ist bald Zeit für das Mittagessen, und wenn wir zu spät kommen, lässt mich der General dich nicht mehr begleiten.«

Den ganzen Tag eine von Jams Schwestern im Nacken zu haben war das Letzte, worauf Simon Lust hatte, also folgte er Jam, ohne zu murren, zurück zur Unterwasserstadt. Nun, da er den Weg kannte, kam er ihm viel kürzer vor. Nachdem Jam die beiden Haie, Al und Floyd, freundlich gegrüßt hatte, als hätten sie nicht noch vor Kurzem gedroht, sie zu fressen, tauchten sie durch die beiden Luken und schwammen zurück in die Höhle unterm Planetarium. Simon legte den Stein ab, verwandelte sich in menschliche Gestalt und dehnte seine Muskeln.

»Hat Spaß gemacht«, sagte er, während er den Stein in die Hosentasche steckte. »Abgesehen davon, dass wir mehrmals fast gefressen worden wären, meine ich.«

»Ich hab dir doch gesagt, dass sie uns nicht fressen«, erwiderte Jam, dessen Laune sich merklich gebessert hatte. Sie setzten die Diskussion fort, während sie über die rutschigen Steine kletterten. Glücklicherweise war ihre Kleidung beim Animagieren trocken geblieben.

Trotzdem war Simon froh, sein Sweatshirt wieder überziehen zu können, als sie den stinkenden Lagerraum erreichten. Hoffentlich würde der Geruch nach verrottetem Fisch nicht allzu lange daran haften. Als er die Hände in die Tasche steckte, fiel ihm ein, dass er etwas Wichtiges vergessen hatte.

»Felix?«, rief er, so laut er sich traute. »Felix, bist du hier?«

»Wahrscheinlich wartet er draußen«, sagte Jam und warf einen Blick auf die Uhr. »Ein bisschen Zeit haben wir noch.«

Sie eilten ins Planetarium, das nun voller Leute war, die am Seesternbecken saßen und zu Mittag aßen. Simon und Jam sahen unter Stühlen nach, hinter Felsen und sogar am Rand des Beckens, falls Felix beschlossen hatte, ein Bad zu nehmen. Er war nirgends zu finden.

So langsam mussten sie zurück, und Simon begann, sich Sorgen zu machen. »Was, wenn jemand ihn gefangen und für einen Spion gehalten hat?«, fragte er, nachdem sie noch einmal im Lagerraum nachgeschaut hatten.

»Dann hätten sie ihn dem General gemeldet«, sagte Jam. »Na komm, ich bin sicher, dass wir ihn finden.«

Zögernd ließ Simon sich von Jam aus dem Planetarium und durch die Straßen von Atlantis führen. Sie kamen wieder am Haicafé vorbei, und Simon warf einen Blick hinein, um zu sehen, ob Felix vielleicht versuchte, ein Croissant zu stibitzen. Anscheinend nicht.

»Dann ist er wahrscheinlich schon wieder im Regierungsgebäude, oder?«, sagte Simon, während sie den Bürgersteig entlangeilten.

»Ja, er wollte bestimmt ein Nickerchen machen«, stimmte Jam zu, doch auch er klang jetzt besorgt. Simon beschleunigte seinen Schritt, und obwohl Jam größer war als er, musste er joggen, um mit ihm mitzuhalten.

Sie eilten zur Sicherheitskontrolle im Regierungsgebäude, und nach kurzer Diskussion mit einem der Wachmänner sah Jam die Liste durch. »Er wurde nicht kontrolliert«, sagte er. »Aber er ist klein. Vielleicht haben sie ihn übersehen, als er zurückgekommen ist.«

Simon konnte sich gut vorstellen, dass Felix sich reingeschlichen hatte, schließlich war er letztes Mal in einem Käfig gelandet. Er zwang sich, ruhig zu bleiben und die

Durchsuchung über sich ergehen zu lassen, während ein anderer Wachmann seine Uhr und den kleinen Stein in Augenschein nahm, den er für Winter mitgebracht hatte. Nachdem der Mann entschieden hatte, dass keiner der beiden Gegenstände eine Waffe war, durfte Simon das Gebäude betreten, und er und Jam eilten zu den Gästezimmern.

»Felix?«, rief Simon, kaum dass er die Tür aufgerissen hatte. »Felix, bist du …«

»Ihr seid zu spät«, sagte Rhode, die hinter ihnen in der Tür erschien. Simon hatte keine Ahnung, wie er sie auf dem Gang hatte übersehen können. »Drei Minuten.«

»Wir waren pünktlich«, entgegnete Jam hitzig. »Die Kontrolle hat ewig gedauert. Hast du Felix gesehen?«

»Wen?«

»Felix. Meine Maus«, sagte Simon, dessen Panik jetzt seinen gesunden Menschenverstand besiegte. Sein Koffer war leer, ebenso seine Seite des Raums. Er streckte den Kopf ins Badezimmer, doch auch dort war kein Felix. »Sie wissen schon, die, die Sie gestern festgenommen haben.«

»Der General hat seine Freilassung angeordnet«, sagte Rhode. »Wenn er abgehauen ist, ist das nicht meine Schuld.«

Simon fuhr sie an: »Sie haben ihn doch für einen Spion gehalten. Sie wollten ihn von Anfang an nicht hier haben …«

»Dich will ich auch nicht hier haben, trotzdem muss ich mich mit dir herumschlagen«, entgegnete sie bissig. »Ich folge nur den Anweisungen des Generals. Sonst niemandem.«

»Sie würde ihm nichts tun, solange der General es nicht angeordnet hätte«, sagte Jam, obwohl er seiner Schwester einen misstrauischen Blick zuwarf. »Komm, vielleicht hat jemand anders ihn gesehen.«

»Bevor ihr in den Speisesaal geht, wünscht der General dich zu sprechen, Soldat«, sagte Rhode. »Sofort. Ich bringe Simon zum Essen.«

»Aber …«, wollte Simon protestieren.

»Sie betrifft das nicht, Mr Thorn«, unterbrach Rhode ihn scharf. Als er sich zu Jam umdrehte, konnte der ihm nur einen hilflosen Blick zuwerfen.

»Ich helfe dir später«, versprach Jam, eilte los und ließ Simon mit Rhode zurück.

Na wunderbar. Simon hatte keine Ahnung, was er sagen sollte, und die beiden starrten sich eine Weile schweigend an. Ihre blauen Augen musterten ihn, als wäre er ein ekelerregendes Geschöpf.

»Du hast keine Ahnung, was dein Einfluss mit ihm macht, oder?«, sagte sie leise, und zum ersten Mal hatte Simon das Gefühl, Jams Schwester zu hören und nicht einen gefühllosen Offizier. »Er wird der nächste General unseres Reichs werden. Er kann es sich nicht leisten, ständig Ärger zu bekommen und sich über wichtige Anordnungen hinwegzusetzen.«

»Ich …«, begann Simon, doch sie unterbrach ihn.

»Ich habe alle Berichte, die der Alpha dem General geschickt hat, selbst gelesen. Ich weiß, was ihr gemacht habt, und ich habe mein Bestes getan, um meinen Bruder vor dem Zorn des Generals zu schützen, aber du bist keine Hilfe.« Sie verschränkte die Arme. »Wenn du wirklich sein Freund bist, dann hör auf, ihn in Schwierigkeiten zu bringen, und fang an, ihn zu unterstützen.«

»Ich unterstütze ihn ja«, sagte Simon, obwohl er sich nicht ganz sicher war, was das eigentlich heißen sollte. »Und ich versuche ganz bestimmt nicht, ihn in Schwierigkeiten zu bringen …«

»Du kannst nur nichts dafür, wenn ihr erwischt werdet, was?«, sagte Rhode abfällig. »Ich kann dich nicht leiden, Simon Thorn.«

»Wirklich? Darauf wär ich nie gekommen«, murmelte er. Sie ignorierte ihn.

»Und ich werde dich noch weniger leiden können, wenn du weiterhin meinen kleinen Bruder in Gefahr bringst und dafür sorgst, dass er mit dem General und dem Rest der Familie Probleme bekommt. Ich sag es dir nur einmal, also hör besser zu.« Sie trat einen Schritt näher und beugte sich vor, sodass sie drohend über ihm stand. »Was auch immer du vorhast, halt ihn da raus.

Andernfalls zwingst du mich zum Eingreifen, und ich kann dir garantieren, dass dir das nicht gefallen wird.«

Mit diesen Worten marschierte sie aus dem Zimmer und machte sich auf den Weg zum Speisesaal. Simon biss die Zähne zusammen. Vielleicht hatte sie recht – vielleicht brachte er Jam wirklich zu oft in Schwierigkeiten. Er fühlte sich ja selbst schuldig genug, weil er seine Freunde auf der Suche nach den Teilen des Greifstabs immer wieder in Gefahr brachte. Aber Simon wusste auch, dass der General und der Rest der Familie schon vorher nicht viel von Jam gehalten hatten. Es war nicht alles seine Schuld.

»Wenn Sie Jam nicht verlieren wollen, sollten Sie nicht die ganze Zeit so auf ihm herumhacken«, gab er zurück, während er ihr durch den Spiegelgang folgte. »Damit schaden Sie ihm mehr, als ich es je könnte.«

Rhode warf einen Blick über die Schulter, und kurz glaubte er, einen Anflug der Trauer in ihren Augen zu sehen. »Unsere Familie geht dich nichts an.«

»Das ist mir egal. Jam ist mein bester Freund, und Sie machen ihm das Leben zur Hölle.«

»Er macht sich selbst das Leben zur Hölle. Ich kann ihm nicht helfen, solange er sich weigert, sich selbst zu helfen.«

Sie ging schneller, doch Simon machte sich nicht die Mühe, mit ihr Schritt zu halten. Stattdessen suchte er den

Gang gründlich nach Felix ab. Erst glaubte er, Rhode würde ihn einfach zurücklassen, damit er sich im Spiegellabyrinth verirrte, doch sie blieb bei ihm, wenn sie auch mehrmals gereizt stöhnte. Aber das war ihm egal. Sollte sie ruhig genervt sein – was Jam anging, hatte sie keine Ahnung. Und er würde sich nicht die Gelegenheit nehmen lassen, nach Felix Ausschau zu halten, nur weil sie pünktlich zum Essen wollte.

Als sie den Speisesaal schließlich erreichten, war der Raum voller Soldaten und Zivilisten, die sich an einem Buffet bedienten. Zu Simons Überraschung waren auch der General und Jam bereits da. Sie standen in der Mitte des überfüllten Raums, und der General hielt Jam einen Vortrag, in dem es, nach den wenigen Satzfetzen zu urteilen, die Simon auffing, um den Zeitplan von Ebbe und Flut ging. Simon ließ Rhode stehen und bahnte sich einen Weg durch die Menge in die Ecke, in der Winter saß und düster vor sich hin starrte. Doch schon nach wenigen Schritten stellte sich ihm ein wohlbekannter Mann mit Glatze und Schildpattbrille in den Weg.

»Ah, Simon, mein Junge«, sagte Crocker und stützte sich auf seinen Stock, während eine Frau, die Simon als ein weiteres Mitglied des Reptilienrats erkannte, ihm einen Stuhl hinschob. »Du siehst aus, als hättest du schon bessere Zeiten erlebt.«

»Mein Freund ist verschwunden«, sagte Simon und

warf instinktiv einen Blick zur Tür. »Können Sie sich an Felix erinnern?«

»Die Maus? Aber ja«, sagte Crocker. »Wie bedauerlich. Na, er wird schon wieder auftauchen. Malcolm, dein Neffe ist endlich da.«

Malcolm stand neben Crocker und unterhielt sich mit einer rothaarigen Frau in einem übergroßen Sweatshirt und zerrissener schwarzer Jeans. Sie stand mit dem Rücken zu ihm, doch als beide zu ihm hinübersahen, riss Simon erstaunt die Augen auf.

Es war Zia Stone, die Anführerin der Säugergemeinschaft, die er und seine Freunde auf ihrer Reise nach Arizona kennengelernt hatten. Was machte die denn hier?

»Da bist du ja, Simon«, sagte Malcolm. Er sah so aus, als wäre er an einem einzigen Tag um zehn Jahre gealtert. »Dein Bruder hat gesagt, du wärst abgehauen.«

»Wir haben uns nur ein bisschen umgeschaut«, sagte Simon ausweichend. Das war nicht mal gelogen. »Felix ist verschwunden. Ich hab ihn überall gesucht …«

»Bist du sicher, dass er sich nicht einfach gelangweilt und einen Spaziergang gemacht hat?«, fragte Malcolm.

»Ich … nein«, gab Simon zu. »Aber was, wenn nicht? Was, wenn jemand ihn findet und für einen Spion hält?«

»Warum hast du ihn denn überhaupt aus den Augen gelassen?«, fragte sein Onkel. »Du sollst doch auf ihn aufpassen.«

»Du weißt doch, dass er nicht auf mich hört«, sagte Simon zerknirscht. »Es tut mir leid. Ich … bitte, Malcolm. Er könnte verletzt sein. Oder … oder Schlimmeres.«

Malcolm zog eine Grimasse. »Diese Maus treibt mich und alle fünf Reiche noch in den Wahnsinn.« Er warf Zia einen bedauernden Blick zu. »Bitte entschuldige mich, ich muss kurz mit dem General reden.«

Er steuerte auf den General zu, der jetzt mit Rhode sprach und dabei in seine Richtung sah. Simon versuchte, sich zu verdrücken, doch Zia fing ihn ab und nahm ihn freundschaftlich beim Arm.

»Wie schön, dich zu sehen, Simon«, sagte sie so vergnügt, dass es ihm Juckreiz verursachte. Sie hatte irgendetwas an sich, was ihm nicht geheuer war. »Da Orion auf der Insel sein Lager aufgeschlagen hat, hätte ich eigentlich erwartet, dass der General sich eher in die eigene Schwanzflosse beißen würde, als einen Vogel in die Stadt zu lassen.«

»Malcolm hat ihn überredet«, sagte Simon und versuchte, um sie herumzugehen, doch jetzt versperrte Coralia ihm den Weg.

»Sollten Sie nicht eigentlich in Stonehaven für Ordnung sorgen?«, fragte Simon Zia.

»Dein Onkel hat mich gebeten zu kommen«, erklärte sie und zuckte mit den Schultern, wobei ihr Pullover ein wenig verrutschte, sodass die Narben sichtbar wurden, die sie sich zugezogen hatte, als sie ihn in Arizona gegen Celeste verteidigt hatte. Auch wenn Simon sich immer noch nicht sicher war, ob er ihr trauen konnte – sie hatte eine Menge Ärger auf sich genommen, um ihn zu schützen.

»Genießt du deinen Aufenthalt in Atlantis?«

»Nicht wirklich«, sagte er. »Felix ...«

»... ist verschwunden. Stimmt ja.« Zia legte den Kopf schief und musterte ihn. »Hast du schon nachgefragt, ob es hier einen Fernseher gibt?«

»Ich bezweifle, dass sie hier unten Empfang haben.« Aber daran hatte er tatsächlich noch nicht gedacht. Das war zumindest eine Möglichkeit. »Sind Bonnie, Billy und Butch eigentlich jemals nach Stonehaven gekommen?«, fragte er. Er und seine Freunde hatten die elternlosen Waschbärengeschwister in Chicago kennengelernt, und Zia hatte ihm versprochen, ein neues Zuhause für sie zu finden, falls sie sich dazu entschieden, zu ihr nach Stonehaven zu ziehen.

»Ja, sind sie«, erwiderte sie fröhlich. »Sie gehen zur Schule, bekommen jeden Tag eine warme Mahlzeit, haben Betten, Freunde, eine Familie und so weiter. Und sie machen mehr Unfug als ein Rudel Kojoten, sie sind also genau nach meinem Geschmack.«

»Simon!«, bellte Malcolm auf der anderen Seite des

Raums. Er winkte ihn zu sich, und Simon murmelte eine Entschuldigung und eilte durch das Gedränge. Er war dankbar, Zias durchdringendem Blick entkommen zu können.

»Ich werde eine stadtweite Vermisstenanzeige aufgeben«, sagte der General und seufzte genervt, nachdem Simon ihm die Lage erklärt hatte – natürlich ohne zu erwähnen, dass Jam und er die kleine Maus eine Weile allein gelassen hatten, um schwimmen zu gehen. »Damit die Bevölkerung weiß, dass er ein Gast ist und kein feindlicher Soldat.«

»Danke«, sagte Simon, unsicher, ob er jetzt erleichtert oder eher noch besorgter sein sollte. »Man würde es Ihnen doch melden, wenn jemand ihn findet, oder? Ich meine, niemand würde …«

»Niemand wird ihm etwas tun«, versprach Malcolm mit fester Stimme, bevor der General antworten konnte. »Er wird schneller wieder da sein, als du denkst. Und jetzt tu mir einen Gefallen und kümmer dich um Ariana. Sie wirkte in der Sitzung eben nicht ganz bei der Sache.«

Simon war zu besorgt um Felix, um sich auf andere Dinge zu konzentrieren, aber er wollte natürlich auch wissen, was beim Krisentreffen besprochen worden war. Also hielt er nach Arianas blauen Haaren Ausschau und entdeckte sie schnell in einer Ecke mit Jam und Winter.

Ariana hatte das Gesicht verzogen und sah irgendwie krank aus, doch ob es an dem Sushi-Teller vor ihr oder an etwas anderem lag, konnte Simon nicht sagen.

»Ist alles in Ordnung?«, fragte er, als er bei ihnen war. Sie schüttelte den Kopf.

»Wir haben ein Problem«, sagte Jam. »Ein großes.«

Panik überkam Simon, während ihm Bilder von Felix unter einem schweren Soldatenstiefel durch den Kopf schossen. »Was ist los?«, fragte er und machte sich auf das Schlimmste gefasst. Die drei sahen sich an.

»Der General hat beschlossen, den Kristall in ein neues Versteck zu bringen«, sagte Ariana.

»Und er will, dass ich mitkomme«, fügte Jam hinzu. »Heute Nacht.«

NEUNTES KAPITEL

Blut im Wasser

Aber ... warum?«, wiederholte Simon zum gefühlt hundertsten Mal, während er auf dem abgewetzten gemusterten Teppich hin und her lief. Sie hatten sich aus dem Speisesaal geschlichen und in ein nahe gelegenes Empfangszimmer zurückgezogen, das so aussah, als sei es seit mindestens zehn Jahren nicht mehr genutzt worden. Wenigstens würde hier niemand ihr Gespräch belauschen. »Warum ändert er jetzt das Versteck? Das ist doch genau das, worauf Orion wartet.«

»Weil er glaubt, dass das Versteck nicht mehr sicher ist«, sagte Ariana, die sich in einen steifen braunen Sessel gesetzt und die Knie an die Brust gezogen hatte. »Wahrscheinlich ist die Vogelarmee so nahe dran, dass er sich langsam Sorgen macht.«

»Vielleicht ist das Teil ja wirklich in der Kumpelbucht«, sagte Jam, der auf einem farblich passenden Samtsofa saß. »Das würde auch erklären, warum Orion dort sein Lager aufgeschlagen hat. Aber es ist völlig ausgeschlossen, dass er an den Haien vorbeikommt.«

»Sind sie denn immer da?«, fragte Simon. »Oder sind sie auch mal woanders unterwegs?«

»Nachts gehen sie auf Jagd«, erklärte Jam. »Aber das bedeutet, dass dann eher noch mehr von ihnen beim Wrack herumhängen.«

»Wrack?«, fragte Winter, die neben Jam saß. »Welches Wrack?«

Simon berichtete hastig von ihrem Ausflug. »Wenn das der Ort ist, an dem der General das Teil versteckt hat, dann hat die Vogelarmee nicht die geringste Chance, es zu bekommen. Aber wenn der General es in ein neues Versteck bringt …« Er starrte mit finsterem Blick auf den unschuldigen Teppich. »Er nimmt doch sicher ein paar Wachen mit, oder?«

»Nein«, sagte Jam. »Niemand soll wissen, wo das Teil versteckt ist. Nur er und ich. Das heißt, ich werde bald wissen, wo es ist, aber die Gefahr ist natürlich groß, dass Orion uns unterwegs angreift.«

Simon murmelte etwas wenig Schmeichelhaftes über den General. »Wissen die anderen Teilnehmer, was er vorhat?«

»Er hat keine genauen Angaben gemacht«, antwortete Ariana. »Er hat nur gesagt, er werde dafür sorgen, dass Orion es nicht finden kann.«

»Also, was machen wir jetzt?«, fragte Jam und rang die Hände.

»Glaubst du, du könntest ihn davon überzeugen, das Versteck nicht zu ändern?«, fragte Simon.

»Ich kann es versuchen. Aber normalerweise hört er nicht auf mich. Er ist eher einer, der anderen Lektionen erteilt, als dass er selbst Ratschläge annimmt.«

»Aber er muss, wenn es so wichtig ist«, sagte Winter. »Oder wir holen es uns einfach selbst!«

»Es sind zu viele Haie, das ist unmöglich«, sagte Jam düster und schob seine Brille hoch. »Tut mir leid, Simon. Ich weiß wirklich nicht, was wir tun sollen.«

Simon schüttelte den Kopf und lief weiter im Zimmer auf und ab. »Es ist ja nicht deine Schuld. Wir überlegen uns was. Du begleitest ihn auf jeden Fall. Und ich versuche, euch zu folgen. Vielleicht kann ich den Kristall sichern, bevor irgendetwas passiert.«

Winter verdrehte die Augen. »Hat das Salzwasser dir das Gehirn zerfressen? Wenn der General dich erwischt …«

»Ja, aber was, wenn Orion das Teil bekommt? Was dann?«

»Winter hat recht«, sagte Ariana erschöpft und ließ den Kopf auf die Knie sinken. »Das Risiko ist zu groß.

Im besten Fall würdest du *nur* des Hochverrats angeklagt, und im schlimmsten Fall würdest du des Hochverrats angeklagt *und* alle wüssten, dass du die Kräfte des Bestienkönigs geerbt hast.«

»Dann darf ich mich eben nicht fangen lassen«, sagte Simon fest und richtete seinen Blick auf Jam. »Er wird nie erfahren, dass ich euch folge. Ich bleibe in sicherer Entfernung und verwandle mich in verschiedene Wassergeschöpfe. Ich werde vorsichtig sein.«

Jam presste die Lippen zusammen. »Und wenn Orion angreift?«

»Er hat nur den Schwarm. Unter Wasser können sie nichts ausrichten.«

»Aber was, wenn ...«

»Oh Mann, ihr seid auch nicht besser als die Leute beim Krisentreffen«, stöhnte Ariana und rieb sich die Schläfen. »Morgen früh wissen wir doch, wo das Teil ist, Simon. Dann könnt ihr zwei hinschwimmen und es holen.«

»Aber ...«, begann Simon.

»Und«, übertönte sie ihn, »wenn du darauf bestehst, ihnen zu folgen, um sicherzugehen, dass niemand sich einmischt, ist das in Ordnung. Aber nur unter der Bedingung, dass du kein unnötiges Risiko eingehst. Wenn du erwischt wirst, verlieren wir sehr viel mehr als den Kristall.«

Simon öffnete den Mund und schloss ihn wieder. »Und wenn Orion angreift?«

»Dann verwandelst du dich in den größten und fiesesten Hai aller Zeiten und frisst ihn auf«, sagte Ariana, als wäre die Antwort klar. »Ich habe gehört, dass Adler wie Hühnchen schmeckt.«

Simon verzog das Gesicht. »Super.«

»Jam, du nimmst Simon in deiner Jackentasche mit«, sagte sie. »Wenn du am Wasser bist, hält er sich außer Sichtweite. Bei Nacht sollte das nicht allzu schwer sein.«

Jam vergrub das Gesicht in den Händen und stöhnte. »Das ist verrückt. Der General ist doch nicht blöd. Genau auf solche Tricks wird er achten, und wenn er sieht, wie Simon aus meiner Tasche krabbelt, oder wenn er ihn irgendwie im Meer entdeckt, dann …«

»Die ganze Mission ist verrückt«, stimmte Simon zu. »Aber wenn *wir* es nicht tun, wer dann? Wir können nicht die Welt retten, ohne ein paar Risiken einzugehen. Andernfalls hätte es schon längst jemand getan.«

»Sehr tiefsinnig«, sagte Winter spöttisch und erhob sich mit einem Satz vom Sofa. »Ich werde dafür sorgen, dass man es auf deinen Grabstein schreiben lässt. Wenn ihr mich jetzt entschuldigen würdet, ich muss zurück in den Speisesaal, bevor Nixie merkt, dass ich weg bin. Oder kann ich irgendwie helfen?«

Simon, Ariana und Jam sahen sich an, und Winter seufzte.

»Hab ich mir doch gedacht. Dann bis später. Versuch bitte, nicht zu sterben.«

Sie ging, schloss die Tür hinter sich, und die drei starrten einander an. Vielleicht war es dumm, vielleicht war es waghalsig, aber die einzige Alternative war, nichts zu tun. Und im Augenblick konnte Nichtstun bedeuten, dass sie ihre Chance auf den Kristall verspielten – und der Krieg begann.

Das zu verhindern, fand Simon, war ein kleines Risiko wert.

Der Rest des Tages verging im Schneckentempo. Jam hatte den Nachmittag über Training, sodass Simon in der Obhut von Coralia zurückblieb, die so aufgebracht war, dass der General ihren Freund ablehnte, dass es ihr völlig egal zu sein schien, was Simon trieb. Sie folgte ihm geduldig durch das Gebäude, während er nach Felix suchte. Es störte Simon nicht weiter, dass sie ihm eine lange Rede hielt, mit der sie ihren Vater überzeugen wollte, dass es besser sei, wenn sie einen Menschen heiratete, als wenn sie einfach wegliefe, weil sie Atlantis so schrecklich fand.

Obwohl er selbst erst einen Tag unter Wasser lebte, konnte Simon sie voll und ganz verstehen.

Nachdem der Nachmittag ohne ein Zeichen von Felix

zu Ende gegangen war, brachte Simon beim Abendessen kaum einen Bissen hinunter, einerseits aus Sorge, andererseits weil er Sushi wirklich nicht mehr sehen konnte. Seine Freunde waren zwar nicht so besorgt wegen Felix, aber nervös wegen der Verlegung des Kristalls, und keiner von ihnen war zu Scherzen aufgelegt. Sie lachten nicht einmal, als Nolan erzählte, wie Pearl am Nachmittag in den Korallengärten gestürzt war und er sie heldenhaft aufgefangen hatte.

An diesem Abend hatte Simon keine andere Wahl, als seine Sorge um Felix beiseitezuschieben und sich auf das Problem zu konzentrieren, das vor ihnen lag. Während sein Bruder sich die Zähne putzte, schlich Simon nach draußen auf den verspiegelten Gang. Jam hatte ihm beim Essen eine Karte auf eine Serviette gezeichnet, und obwohl sich Simon bei ein paar Abzweigungen nicht ganz sicher war, kam er schließlich vor einer Tür an, bei der er ziemlich sicher war, dass sie zu Jams Zimmer führte.

Er klopfte so sachte an, dass seine Fingerknöchel kaum die Tür berührten, und spähte beim Warten nervös um sich. Auf dieser Etage wohnte Jams Familie, und wenn irgendjemand zufällig in diesem Moment aus seinem Zimmer kam und ihn sah, dann …

»Das wurde aber auch Zeit!« Jam öffnete die Tür und zog ihn herein. »Der General kann jeden Augenblick hier sein.«

»Nolan hat mich aufgehalten«, sagte Simon. Anders als die karg möblierten Gästezimmer war Jams Zimmer vollgestopft mit Regalen voller Comics, Bücher und Filme; und jeder Fleck, an dem sich kein Regal befand, war mit Bildern von verschiedenen Teilen der Welt bedeckt. Die Sahara, die Schweizer Alpen, die Chinesische Mauer – alles Orte, die weit von Los Angeles entfernt waren. »Und dein Zimmer ist echt abgelegen. Wie findest du dich hier bloß zurecht?«

»Ich weiß eben, wo alles ist, schon vergessen?«, sagte Jam. »Meine Schwestern verirren sich allerdings manchmal. Los, komm – am sichersten ist es vermutlich, wenn wir so tun, als wärst du Felix.«

»Wie bitte?«, fragte Simon und erstarrte in der Bewegung, als er sich gerade vorbeugen wollte, um Jams Comicsammlung zu inspizieren.

»Wenn der General merkt, dass du in meiner Tasche bist, tun wir einfach so, als wärst du Felix«, sagte Jam. »Es ist nicht perfekt, aber besser, als wenn ich erklären muss, warum ich eine Kakerlake mit mir herumschleppe oder so.«

»Eine Kakerlake? Denkst du wirklich, ich würde mich in eine Kakerlake verwandeln?«

»Ariana hat gesagt, die seien total unterschätzt«, erwiderte Jam entschuldigend. »Ist ja auch egal. Ich dachte nur, es wäre eine gute Idee …«

»Na schön, in Ordnung«, sagte Simon, da Jam recht hatte. Es war tatsächlich eine gute Idee, auch wenn Simon ein schlechtes Gewissen hatte, Felix' Verschwinden auszunutzen. Er schloss die Augen und stellte sich Felix vor. Er hatte sich bisher immer nur in eine graue Maus verwandelt und wusste nicht, ob der Bestienkönig vor vielen Jahren auch die Kräfte anderer Mäuse geraubt hatte. Doch als sein Körper zu schrumpfen begann, wuchs ihm braunes Fell aus der Haut, und er stieß einen Seufzer der Erleichterung aus. Zumindest dieser Teil des Plans funktionierte. Hoffentlich.

Kaum war er in Jams Sweatshirttasche geschlüpft, ertönte ein Klopfen an der Tür. »Soldat!«, sagte der General mit dröhnender Stimme, obwohl er sich anscheinend bemühte zu flüstern.

Jam öffnete die Tür. »Bereit zum Einsatz, Sir!«, antwortete er. Simon konnte durch den dicken Stoff zwar nichts sehen, doch er fühlte, dass Jam die Hand zum Militärgruß hob.

Die beiden eilten durch die verspiegelten Gänge, und Simon empfand eine neue Bewunderung für Felix, der so viel Zeit in seiner Tasche verbracht und sich nie beschwert hatte. Also, jedenfalls nur selten. Es war bequem, aber eng, und die Tasche schaukelte bei jedem Schritt, was ihn ein bisschen seekrank machte. Vielleicht war Felix daran gewöhnt. Oder vielleicht hatte er ab und zu den Kopf rausgestreckt, um sich zu übergeben, und Simon hatte es nie bemerkt.

Er konzentrierte sich so sehr darauf, seinen winzigen Magen nicht zu entleeren, dass er kaum mitbekam, was um ihn herum geschah. Erst als kalte Luft in Jams Tasche drang, merkte er, dass sie sich in einem Keller befanden.

»Diesen Ausgang darfst du unter keinen Umständen ohne meine Erlaubnis benutzen, ist das klar?«, sagte der General. Simon versuchte, nach draußen zu spähen, doch um sie herum war es dunkel.

»Ja, Sir«, sagte Jam mit zitternder Stimme. »Sir, wenn ich etwas anmerken dürfte …«

»Heb dir den Gedanken für später auf, Soldat. Nachts ist das Wasser trügerisch, du musst dich dicht bei mir halten. Keine riskanten Manöver, verstanden?«

»Ja, Sir«, wiederholte Jam. »Sir …«

Ein lautes Quietschen durchdrang die Stille, und Simon zuckte zusammen und hielt sich die Ohren zu. Es klang wie eine rostige Tür; und als Jam eine Treppe hinunterstieg, kam Simon zu dem Schluss, dass sie sich in einem Gewölbe unter dem Regierungsgebäude befinden mussten. Er hätte gerne gewusst, ob noch jemand anders diesen Ausgang benutzte, doch der General sagte nichts mehr, und Jam schwieg ebenfalls.

Simon wusste nicht, ob ihr Schweigen an der Anspannung lag oder ob es normal war, dass Vater und Sohn nicht miteinander redeten. So oder so, sie sagten nichts, bis Simon Stiefel im Wasser platschen hörte.

»Wir treffen uns am Ausgang«, erklärte der General. »Beeil dich.«

»Ja, Sir«, ertönte Jams vorhersehbare Antwort, dann war alles still.

Jam wartete mehrere Sekunden, bevor er Simon aus der Tasche nahm und auf einem glitschigen Felsen absetzte. »Wir sehen uns später«, flüsterte er, bevor er animagierte und in ein schwarzes Becken tauchte, das, wie die Höhle unterm Planetarium, hinaus ins Meer führen musste.

Vielleicht war der Kristall aber auch gar nicht draußen im Meer versteckt, und sie sorgten sich ganz umsonst. Vielleicht befand sich das Versteck in dieser geheimen Höhle unter der Stadt. In dem Fall hätte Orion keine Chance, sie beim Transport des Teils anzugreifen.

Simon ballte die winzigen Mausepfoten und verwandelte sich in eins der Tiere, die Jam vorgeschlagen hatte – eine weiße Seebrasse. Er war kleiner, als ihm lieb war; aber sobald er im Wasser war, schwamm er, so schnell sein kleiner Körper konnte. In der Dunkelheit war es beinahe unmöglich zu sehen, was vor ihm lag, doch er nahm all seinen Mut zusammen und schwamm geradeaus, wobei er inständig hoffte, nicht mit dem General zusammenzustoßen.

Zu seiner großen Enttäuschung mündete die Höhle ins Meer. Glücklicherweise waren keine Wächter vor dem schmalen, hinter Seegras und Korallen verborgenen Ausgang stationiert; und als er hindurchgeschwommen war, konnte Simon gerade noch zwei Delfine erkennen. Er verwandelte sich in einen unauffälligen schwarzen Steinfisch – für den Fall, dass der General die Seebrasse bemerkt haben sollte, die ihnen folgte.

Die Delfine schwammen zielstrebig durchs Wasser, doch glücklicherweise hatte Simon keine Probleme, mit ihrem Tempo mitzuhalten. Er achtete darauf, nicht ins Blickfeld des Generals zu kommen, folgte ihnen jedoch so dicht wie möglich – dicht genug, um Teile ihres Gesprächs aufzufangen.

»... seit Generationen«, sagte der General. »Jeder General gibt den Kristall an seinen Nachfolger weiter, und er wird in jeder Dekade neu versteckt. Es ist die wichtigste Aufgabe des Generals, das Teil des Greifstabs zu schützen.«

»Wichtiger, als unsere Gemeinschaft zu schützen, Sir?«, fragte Jam skeptisch.

»Wenn das Teil nicht mehr in unserer Obhut ist, befindet sich unsere ganze Gemeinschaft in Gefahr. Kriege wurden schon aus geringeren Gründen ausgetragen, Soldat. Ich kann dir gar nicht sagen, wie wichtig es ist, dass du das Versteck geheim hältst. Niemals, in fünfhundert

Jahren nicht ein einziges Mal, wurde es gestohlen, und auch ich werde es nicht zulassen.«

Selbst aus der Entfernung spürte Simon Jams Zögern. »Aber wenn es an einem sicheren Ort ist, warum ändern wir dann das Versteck, Sir?«

»Weil das Versteck nicht mehr sicher ist«, erwiderte der General. »Ich habe leider den Fehler gemacht, Isabel Thorn zu vertrauen, und jetzt hat sie uns betrogen und Orion den Ort verraten.«

Simons Magen zog sich zusammen und verursachte einen stechenden Schmerz in seinem Bauch oder wie auch immer man das bei einem Fisch nannte. Seine Mutter versuchte doch nicht, die anderen Reiche zu verraten. Sie versuchte, sie zu schützen!

Jam schien der gleiche Gedanken durch den Kopf zu gehen, denn er sagte schüchtern: »Sir, wenn Isabel Thorn dem Vogelreich das Versteck verraten hätte ... müssten sie es dann nicht längst gefunden haben?«

»Es ist zu gut bewacht«, erklärte der General.

»Aber dann ...« Jam zauderte. »Warum ändern wir das Versteck dann, Sir?«

»Weil das Vogelreich schon viel zu nahe dran ist. Das Teil ist gut bewacht, aber sie könnten Verbündete haben, von denen wir nichts wissen.«

»Aber, Sir, riskieren wir nicht genau damit, das Vogelreich zum Versteck zu führen?«

»Deshalb sind wir ja mitten in der Nacht hier draußen, Soldat, nur du und ich«, sagte der General. »Orion wird es nicht ahnen, und wenn doch, kann er unter Wasser kaum eingreifen. Das Risiko müssen wir eingehen. Eines Tages wirst du es verstehen.«

Simon und Jam verstanden es schon jetzt – vermutlich weit besser als der General. So wichtig es war, dass Simon das Teil fand – noch wichtiger war, dass Orion es *nicht* fand. Wenn es an einem sicheren Ort war, sollte es lieber dort bleiben, als dass sie Orion die Gelegenheit gaben, es ihnen beim Transport abzunehmen.

Doch egal was Jam sagte, der General blieb bei seiner Meinung. Sie würden das Teil in ein neues Versteck bringen, und damit basta.

Während sie durch das dunkle Wasser schwammen, spürte Simon ein Kribbeln, als würde ihn jemand beobachten. Mehrmals wich er vom Kurs ab und animagierte in ein anderes Tier, um umzukehren und zu sehen, ob jemand Jam und dem General folgte, aber er konnte niemanden entdecken.

Trotzdem wurde er noch nervöser, als sie schließlich die Kumpelbucht erreichten. Jam hatte tatsächlich recht gehabt – der Kristall war in dem alten Wrack versteckt. Dutzende Haie schwammen um das versunkene Schiff herum, doch statt die Delfine zu befragen, wie Simon erwartet hatte, sahen sie einfach nur zu, wie sie hineinschwammen. Er glaubte zu hören, wie der General murmelnd gegrüßt wurde, aber da er hinter dem Felsen war, den Jam und er auch am Vormittag als Versteck genutzt hatten, war er nicht ganz sicher.

Als Jam und der General im Inneren des Wracks verschwunden waren, wirkte das Meer mit einem Mal schauderhaft still. Simon wagte es nicht, an die Oberfläche zu schwimmen, um nachzusehen, ob Orion und der Schwarm über ihnen kreisten – er bewegte sich kaum, trieb neben dem Felsen im Wasser und versuchte, sich so unsichtbar wie möglich zu machen.

Das Kribbeln kam zurück, sobald die Delfine wieder aus dem Wrack kamen. Außer Sichtweite der anderen verwandelte Simon sich in einen Hammerhai – weil er hoffte, so besser eingreifen zu können, wenn etwas passierte, vor allem aber, weil er sich darauf gefreut hatte, seit er das erste Mal ins Wasser gestiegen war.

Es war besser, als er es sich hätte erträumen können. Als er sich vor einigen Wochen in Arizona in eine Königsnatter verwandelt hatte, hatte er sich zum ersten Mal in seinem Leben richtig stark gefühlt. Jetzt verlieh ihm der Körper des Hammerhais eine Kraft, die er nie für möglich gehalten hätte. Er war sicher, dass er, wenn er gewollt hätte, die ganze Welt mit dem Kiefer hätte zermalmen können. Seine Augen befanden sich nun weit voneinander entfernt auf seinem breiten Kopf, sodass er in alle Richtungen schauen konnte – nach oben, unten, rechts, links, vorne, hinten, alles gleichzeitig. Es war seltsam, wie in einem Computerspiel, dachte er, nur cooler. Eine Flut von Gerüchen stürzte auf ihn ein. Fische, Haie, Seegras, Sand, Vögel, Menschen …

Simon trieb einen Augenblick im kalten Wasser, so benommen, dass er völlig machtlos war, trotz seiner plötzlichen Stärke. Aber jetzt war nicht der richtige Zeitpunkt, um über seine neuen Fähigkeiten zu staunen. Obwohl die vielen verschiedenen Eindrücke ihn überwältigten, riss er sich zusammen und ließ sich von den Instinkten des Hais leiten. Delfine. Er musste die Delfine finden.

Augenblicklich nahm er ihre Fährte auf, und bevor er darüber nachdenken konnte, setzte sich sein stromlinienförmiger Körper in Bewegung. Stark und tödlich glitt er durchs Wasser, und die wenigen Geschöpfe, die ihn in der Dunkelheit sehen konnten, wichen ihm aus. Er war noch nie der Größte gewesen, und es war berauschend – so berauschend, dass er kurz vergaß, warum er eigentlich hier war.

Doch dann drang ein schriller Schrei durch das Wasser, und Simons sämtliche Instinkte – die des Hais und die des Menschen – erwachten. Mit klopfendem Herzen schoss er auf das Geräusch zu. Es gab viele Möglichkeiten. Es musste nicht zwangsläufig der Hilferuf eines Delfins gewesen sein.

Doch als Jam und der General vor ihm im dunklen Wasser sichtbar wurden, bemerkte Simon, dass sie dicht über dem sandigen Meeresgrund verharrten. Sie waren unversehrt, doch der größere Delfin hielt sich schützend vor dem kleineren, und Simon schluckte, als er erkannte, warum.

Tigerhaie, Bullenhaie, sogar ein Weißer Hai umkreisten die Delfine und zeigten ihre Zähne – bereit, jeden Moment zuzuschlagen.

Jam und der General waren umzingelt.

ZEHNTES KAPITEL

Hai-Alarm

Habt ihr irgendeine Vorstellung, wer ich bin?«, fragte der General, der selbst als Delfin eine dröhnende Stimme hatte.

»Du bist der General«, sagte der Weiße Hai. Eine Narbe lief über seine Seite, so lang und tief, dass sie von einer Harpune stammen musste. »Aber ich bin der König. Gib uns den Kristall, dann lassen wir euch leben.«

Simons Herz klopfte heftig, Adrenalin durchströmte ihn, doch die Angst überwog. Er zählte insgesamt acht Haie – zu viele für ihn allein. Selbst wenn Jam und der General mit gegen die Haie kämpfen konnten, waren sie in der Unterzahl.

»Welchen Kristall?«, fragte der General. »Ich weiß nicht, wovon ihr sprecht.«

»Den Kristall, den ihr aus dem Schiff geholt habt.«

Der Weiße Hai zeigte mit der Flosse in die Richtung, aus der sie gekommen waren, wo sich in der Dunkelheit das Schiffswrack abzeichnete. »Wir haben gesehen, wie ihr es genommen habt. Und jetzt gebt ihr es uns zurück. Orion hat es befohlen.«

Orion. Simon gefror das Blut in den Adern. So also wollte sein Großvater an das Teil des Greifstabs kommen – aber wie er es geschafft hatte, Mitglieder eines anderen Reichs zu seinen Verbündeten zu machen, war Simon schleierhaft. Doch er hatte keine Zeit, um jetzt darüber nachzudenken. So wie der Hai redete, war er kein Animox. Das bedeutete, dass er und seine Kumpel auch kein Problem damit haben würden, Jam und den General zu fressen – oder Simon, wenn er sich verriet. Schlimmer noch, es hieß vermutlich, dass man ihnen nicht mit vernünftigen Argumenten kommen konnte.

»Ich befehle euch, uns in Frieden zu lassen.« Die Stimme des Generals bebte vor Zorn. »Wenn ihr es nicht tut, wird das gesamte Unterwasserreich jeden Einzelnen von euch jagen und bestrafen, bis nichts als Wellenschaum von euch übrig ist. Ist das wirklich das Schicksal, das ihr euch wünscht?«

Trotz seines scharfen Tonfalls hatte der General nicht wirklich etwas, womit er drohen konnte, und das schien er auch zu wissen.

Simon war seine einzige Chance. Aber wie sollte Simon acht blutrünstige Haie daran hindern, die beiden zu töten?

Der Weiße Hai knurrte. »Du gibst es uns nicht, also nehmen wir es uns. Attacke!«

Augenblicklich schossen die anderen Haie auf die Delfine zu, und Simon spürte, dass er animagierte, ohne darüber nachgedacht zu haben. Er wurde groß – größer als der Hammerhai, größer als ein Wolf oder Bär oder sogar ein Weißer Hai. Als die Verwandlung vollendet war, war er doppelt so groß wie die anderen Haie. Sein scharfer Geruchssinn war verschwunden, dafür war die Fähigkeit zur Echo-Ortung wieder da. Er war ein Orca.

Die Haie griffen die Delfine an, und am Meeresgrund begann eine regelrechte Schlacht. Obgleich in der Unterzahl, waren der General und Jam verblüffend schnell, sie wichen den Haien aus und wehrten sich, wie Simon es nicht für möglich gehalten hätte. Verblüfft schaute er zu, bis ein Tigerhai Jam beinahe in die Schwanzflosse gebissen hätte. Erst da löste er sich aus seiner Erstarrung und schwamm eilig auf den Kampfplatz zu, wobei er einen drohenden Schrei ausstieß.

Das Geräusch war so laut, dass einen Moment lang alle innehielten – selbst der General, der in den Kampf mit einem Bullenhai verwickelt war. Simon schwamm zu ihnen, so schnell er konnte. Trotz seiner Größe war er erstaunlich flink, und er nutzte beides zu seinem Vorteil, während er durch die Haigruppe schoss wie eine Bowlingkugel durch die Kegel. Er wollte niemanden beißen, aber er wusste, dass er nicht darum herumkommen würde. Es war ein Kampf auf Leben und Tod.

Zuerst schnappten seine scharfen Zähne einen Bullenhai, und obwohl es nur die Flosse gewesen war, heulte der Hai auf und verließ schleunigst den Kampfplatz. Zwei weitere folgten, bis der Tigerhai beschloss, Simon anzugreifen. Simon keuchte vor Schmerz, als scharfe Zähne in seine Haut drangen.

Er wusste zwar nicht, wie ein Orca kämpfte, aber er hatte Instinkte, und die übernahmen jetzt die Kontrolle. Seine Angriffsfläche war groß, dafür war er wendig und konnte die Haie orten. Einen Gegner nach dem anderen nahm er sich vor. Es war nicht leicht, aber es fühlte sich natürlich an, und er gab alles.

Aus dem Augenwinkel sah Simon den Weißen Hai auf Jam zuschwimmen. So schnell er konnte, änderte er den Kurs. »Stopp!«, schrie er so drohend wie möglich, doch es half nichts: Der Hai öffnete seinen gewaltigen Kiefer, schwamm noch ein Stück näher und …

Plötzlich schoss der General durchs Wasser und warf sich zwischen Jam und den Hai. Die Zähne des Hais drangen in den Delfinkörper des Generals, und der General stieß einen Schrei aus, der Simon erschauern ließ.

»Dad!«, schrie Jam – der erste Laut, den er von sich

gab, seit sie das Schiffswrack verlassen hatten. Simon glaubte, etwas Glänzendes aus Jams Schnauze fallen zu sehen, doch das spielte im Augenblick keine Rolle. Als er den Weißen Hai erreicht hatte, biss er ihm, so fest er konnte, in die Seite und fühlte die Knorpel unter seinem Kiefer knacken.

Der Körper des Hais erschlaffte, und sein Kiefer gab den General frei. Der verletzte Delfin sank in den Sand, Blut strömte aus seinen Wunden, und Simon zog den Weißen Hai so weit wie möglich vom Kampfplatz weg, bevor er ihn hinaus ins offene Wasser schleuderte. Der Hai trieb schwer verletzt davon und Simon wusste nicht, ob er ihm folgen oder bei Jam und dem General bleiben sollte.

Bevor er eine Entscheidung treffen konnte, umgab sie mit einem Mal tintige Dunkelheit. Das Letzte, was Simon sah, waren mehrere lange Beine mit Saugnäpfen, die über den Boden glitten.

»Jam!«, rief er. »Jam, geht es dir …«

»Ich bin in Ordnung«, rief Jam ganz in der Nähe. Simon ortete ihn neben dem General, während der Weiße Hai und die übrigen Haie die Dunkelheit nutzten, um sich zurückzuziehen. »Mein Dad … er … er ist …«

Simon schwamm durch das dunkle Wasser auf sie zu. Er hätte sich gern in einen Delfin verwandelt, aber es war zu riskant, bevor sie Hilfe geholt hatten oder in Sicherheit waren. »Wir müssen zurück in die Stadt. Glaubst du, dein Vater kann schwimmen?«

»Ich glaube nicht ... er ist nicht bei Bewusstsein.« Jams Stimme setzte aus, und Simon wurde schlecht. Nur allzu deutlich sah er Darryl auf dem Dach des Sky Towers vor sich, wie er, in einer Blutlache liegend, seinen letzten Atemzug getan hatte. Jam durfte nicht das Gleiche durchmachen wie er. Das würde er nicht zulassen.

»Los, komm«, sagte er. Er nahm den verletzten Delfin sanft in seine Schnauze und schwamm los, doch plötzlich stieß Jam einen wütenden Schrei aus.

»Der Kristall! Er ist weg ... Simon, der Kristall ... er war in meiner Schnauze, und jetzt ...«

Eine weitere Erinnerung an Darryl. Simon schluckte und nahm all seinen Mut zusammen. »Wir suchen ihn später«, murmelte er. »Lass uns zurückschwimmen.«

Während sie sich vom Kampfplatz entfernten, wurde das Wasser langsam klarer. Simon hielt den Blick auf den Grund gerichtet und hoffte, den Kristall, den das Unterwasserreich fünf Jahrhunderte lang beschützt hatte, zu entdecken. Aber die Wahrscheinlichkeit, ihn zu finden, war äußerst gering. Selbst wenn er zurückkäme, sobald sie den General in Sicherheit gebracht hatten, würden die Haie mehr als genug Zeit haben, um ungestört danach zu suchen.

Der Kristall oder das Leben des Generals. Es war keine leichte Entscheidung. Neben sich hörte er Jam ein Schluchzen unterdrücken, und Simon beschleunigte und schwamm weiter von der Tintenwolke weg. Er hatte sich geschworen, dass bei seiner Suche nach den Teilen des Greifstabs niemand mehr sterben sollte, und schweren Herzens richtete er den Blick nach vorn.

Um den General durch den glitschigen Tunnel zu transportieren, musste Simon sich in einen Bären verwandeln. Gemeinsam hievten sie den verletzten Delfin auf seinen Rücken. Als sie den General in die richtige Position gebracht hatten, hielt Jam seinen Vater fest, während Simon ihn vorsichtig nach oben in den Keller des Regierungsgebäudes trug.

Es war riskant, trotzdem verwandelte er sich erst in menschliche Gestalt zurück, als sie den Fahrstuhl erreicht hatten. Als sie drinnen waren, drückte Jam auf den Knopf, und Simon kniete sich neben den General und suchte nach dem Puls.

Er hat viel Blut verloren – zu viel, dachte Simon. Besonders für einen Delfin. Er hatte keine Ahnung, wo er nach dem Puls suchen sollte, doch er sah, dass der Körper sich beim Atmen bewegte.

»Ist er …?«, fragte Jam mit zitternder Stimme.

»Er lebt«, sagte Simon. Aber die Bewegung war

schwach gewesen, und er beschwor den Fahrstuhl innerlich, schneller zu fahren.

Die Türen öffneten sich im ersten Stock in der Nähe der Sicherheitskontrolle. »Hilfe!«, schrie Jam, so laut er konnte. »Hilfe!«

Ein paar Sicherheitsleute kamen angerannt. Kaum hatten sie den verletzten Delfin gesehen, begannen sie ebenfalls zu schreien. Sofort war ein Trupp Soldaten da, darunter mehrere mit roten Armbinden, die sie als Sanitäter auswiesen. Während Jam zuschaute, wie sie sich um seinen Vater bemühten, versuchte Simon, sich nicht das Schlimmste auszumalen. Man musste nicht viel über die Anatomie von Delfinen wissen, um sagen zu können, dass es schlecht um ihn stand.

»Benjamin?« Rhode tauchte mit blassem Gesicht in der Menge auf. Doch statt ihren Bruder anzublaffen, schloss sie ihn fest in die Arme. Simon trat einen Schritt zurück und starrte auf seine Füße.

»Was ist passiert? Der General hat mir nur gesagt … er hat gesagt, ihr wolltet schwimmen gehen …«

»Um das Teil des Greifstabs in ein neues Versteck zu bringen«, sagte Jam leise. Seine Augen waren rot, und er hatte irgendwo in dem Durcheinander seine Brille verloren. »Wir sind von Haien angegriffen worden. Der General … ist verletzt …«

Rhode schluckte. »Er wird wieder gesund«, sagte sie,

obwohl sie alle wussten, dass sie das nicht versprechen konnte. Sie legte Jam den Arm um die Schultern, und gemeinsam sahen sie zu, wie die Ärzte den blutenden Delfin auf eine Trage legten und mit ihm den Gang hinuntereilten. Rhode und Jam folgten ihnen, und Simon lief, ohne nachzudenken, hinterher.

»Was machst du da?« Rhode blieb plötzlich stehen und starrte Simon an. »Warum bist du hier?«

»Ich …«, stammelte Simon, wich einen Schritt zurück und steckte die Hände in die Taschen. »Ich habe nur …«

»Er hat mir geholfen, den General hierherzubringen«, sagte Jam und löste sich aus der Umarmung seiner Schwester.

Rhode zog die Augenbrauen zusammen. »Woher wusstest du, wo sie waren?«

»Ich wusste es nicht«, sagte Simon und bemühte sich, so gelassen zu antworten, wie er konnte. »Ich war auf der Suche nach Felix und …«

»Wahrscheinlich hat er dem General das Leben gerettet«, unterbrach ihn Jam.

Rhode starrte Simon an, bis sich sein Magen zusammenkrampfte, doch er weigerte sich, ihrem Blick auszuweichen. Wenn sie die kleinste Schwäche an ihm wahrnahm, würde sie ihn zweifellos angreifen, und von Angriffen hatte er für heute genug.

Schließlich atmete sie aus, drehte sich um und führte

ihren Bruder den Gang entlang und an einer Gruppe Soldaten vorbei. »Soldaten, informiert den Rest der Familie über den Vorfall. Und sorgt dafür, dass Mr Thorn ohne weitere Umwege auf sein Zimmer gelangt.«

Die Soldaten salutierten, und Simon ließ sich widerstandslos den Gang entlangführen. Doch als sie beim Fahrstuhl ankamen, bestand Simon darauf, die Treppe zu nehmen. Er konnte noch immer das Blut auf dem Boden sehen.

Die Soldaten murrten, doch sie drängten ihn nicht. Sie nahmen den langen Weg durch die verspiegelten Gänge zur Treppe; und als sie vor den Gästezimmern angekommen waren, lief Malcolm bereits im Gang auf und ab. »Simon!«, rief er, eilte auf sie zu und umarmte ihn fest. »Wo bist du gewesen? Wir haben uns schon Sorgen gemacht.«

»Ich habe Felix gesucht«, wiederholte Simon die Lüge, die er schon Rhode erzählt hatte. »Der General …«

»Ich bin schon informiert worden. Admiral Rhode hat eine Sondersitzung einberufen.« Malcolm ließ ihn los und sah ihn vorwurfsvoll an. »Du hättest nirgendwohin gehen sollen, ohne mir Bescheid zu sagen. Du weißt doch, wie gefährlich es hier ist.«

»Ich weiß. Es tut mir leid. Ich konnte nicht schlafen«, sagte er kläglich.

Ariana und Winter tauchten im Türrahmen ihres

Zimmers auf und machten besorgte Gesichter. Aus dem Augenwinkel erhaschte Simon einen Blick in sein und Nolans Zimmer. Sein Bruder lehnte an der Wand. Er hatte die Arme vor der Brust verschränkt und sein Gesicht war düster wie ein Gewitter.

Malcolm beugte sich vor und musterte Simon prüfend. »Geht es dir gut?«, fragte er zweifelnd.

Simon nickte, obwohl es nicht stimmte. Jetzt, da das Adrenalin nachließ, spürte er deutlich den Schmerz der Bisse am Bein und am Oberkörper. Sein Mut sank. Auch ohne sie gesehen zu haben, war er ziemlich sicher, dass die Wunden genäht werden mussten. Wie sollte er das nur erklären?

Malcolm sah nicht überzeugt aus, schien seinen Zustand jedoch auf den Schock zurückzuführen. »Ariana und ich müssen los. Nolan, passt du bitte auf Simon auf, bis ich zurück bin?«

Nolan murrte. »Jetzt soll ich plötzlich helfen?«, meckerte er, doch ein Blick von Malcolm brachte ihn zum Schweigen.

»Ich passe auf ihn auf«, versprach Winter, die ebenfalls nicht überzeugt zu sein schien, dass mit Simon alles in Ordnung war. Malcolm warf ihm einen letzten Blick zu, bevor er die müde Ariana vor sich den Gang entlangschob. Simon wusste nicht, wie spät es war, aber nach ihrem Gähnen zu urteilen, musste es mindestens Mitternacht sein. Wenn sie Glück hatten, dauerte die Sondersitzung bis zum nächsten Morgen, sodass er genug Zeit hatte, zu überlegen, was er tun sollte – wegen des Kristalls und wegen seiner Wunden.

»Ich hätte dir bei der Suche nach deiner blöden Maus helfen können«, grummelte Nolan, sobald ihr Onkel außer Hörweite war. »Nie vertraust du mir.«

»Tut mir leid«, sagte Simon. »Nächstes Mal, okay?«

Nolan verdrehte die Augen. »Ja, klar. Nächstes Mal«, sagte er, bevor er Simon die Tür vor der Nase zuknallte.

»Ignorier ihn einfach. Er hat so viel Ahnung von dem, was hier los ist, wie eine hirntote Amöbe«, sagte Winter frostig und starrte finster die Wand an, als könnte sie hindurchschauen.

»Amöben haben kein Gehirn«, sagte Simon, doch er wehrte sich nicht, als sie seine Hand nahm und ihn in ihr Zimmer zog.

»Eben.«

Sobald die Tür hinter ihm zu war, ließ er sich auf das nächste Bett fallen und zog sein Sweatshirt hoch. An seiner Hüfte und über seinen Rippen befand sich ein Halbkreis aus Zahnabdrücken, und sein T-Shirt war blutbefleckt.

»Was ... Simon!« Winter schnappte sich das Laken und presste es gegen seine Seite. Ihre Gereiztheit verwandelte sich in Panik. »Was ist passiert?«

»Wart's ab, bis du die anderen siehst«, sagte er und versuchte unbeschwert zu klingen, doch das war schwer in Anbetracht von Winters besorgtem Gesicht. Seine letzte Energie verpuffte. Es würde nichts bringen, ihr etwas zu verschweigen. Sie würde es sowieso herausfinden. »Wir haben den Kristall verloren. Orion hat ihn wahrscheinlich schon, und wenn nicht, dann wird er ihn bald haben.«

»Der blöde Kristall ist mir egal. Aber mir ist nicht egal, dass die beinahe Sushi aus dir gemacht hätten. Was habt ihr euch nur dabei gedacht?«

»Eine ganze Haihorde hat Jam und den General angegriffen«, verteidigte sich Simon. »Wenn ich ihnen nicht geholfen hätte, wären sie gestorben.«

Ihre Lippen wurden schmal. »Du musst zum Arzt.«

»Später. Erst muss ich zurück ins Meer und den Kristall suchen, bevor Orion ihn findet. Kannst du mich verbinden?«

Winter starrte ihn entgeistert an. »Du bist verrückt. Durchgedreht. Völlig von Sinnen.«

»Ich bin verzweifelt«, korrigierte er.

»Das ist das Gleiche.«

Er zuckte zusammen, als sie eine besonders schmerzhafte Stelle berührte. »Ich verspreche dir: Sobald ich zurück bin, lasse ich mir irgendeine Geschichte einfallen und gehe zum Arzt. Bitte, Winter.«

»Aber …«

»Wir dürfen nicht warten. Wenn Orion die Haie dazu gebracht hat, für ihn zu arbeiten, dann können wir nicht sagen, wen er noch für sich gewonnen hat.«

Sie stöhnte. »Du gehst mir gerade echt auf die Nerven!«, sagte sie und wühlte in ihrer Tasche. »Ich habe saubere Socken und Klebeband. Das muss reichen.«

Simon fragte sie nicht, warum sie Klebeband in der Tasche hatte, und sie sagte auch nichts dazu. Winter legte die Socken wie Bandagen auf seine Wunden und befestigte sie mit mehreren Streifen Klebeband. Als er die Hose auszog, um ihr sein Bein zu zeigen, bandagierte sie auch diese Wunde nüchtern, ohne ein Wort darüber zu verlieren, dass er in Unterhose vor ihr stand. Der Biss in seinem Oberschenkel war tiefer gewesen als die anderen, und einige seiner Zehen fühlten sich taub an. Das behielt er allerdings für sich.

Als er schließlich vorsichtig die Hose wieder angezogen hatte, lief er zur Tür. »Wenn irgendjemand nach mir fragt …«

»Sage ich, dass du schläfst«, beendete Winter den Satz. »Sei vorsichtig, klar?«

»Klar«, erwiderte er und lächelte schwach. »Danke, Winter.«

»Du musst mir nicht danken. Sorg einfach dafür, dass du nicht stirbst.«

Simon konnte ihr nichts versprechen. Vielleicht lag es an seinen Verletzungen, aber seine Aufgabe hier kam ihm sehr viel gefährlicher vor als ihr Abenteuer in Arizona. Er versuchte, die Schmerzen zu ignorieren, verwandelte sich in eine Fliege und flog durch die verspiegelten Gänge. Sein veränderter Sehsinn bot ihm eine bruchstückhafte, kaleidoskopartige Sicht auf die Welt.

Vor ihm lag die wahrscheinlich letzte Gelegenheit, den Kristall des Unterwasserreichs zurückzuholen. Er durfte sie nicht verpassen.

ELFTES KAPITEL

Vogelperspektive

Während Simon durch die Gänge surrte, merkte er schnell, dass es die richtige Entscheidung gewesen war, sich in etwas Kleines zu verwandeln. Überall im Regierungsgebäude wimmelte es von bewaffneten Soldaten. Er konnte ihnen zwar nicht vollständig ausweichen, achtete jedoch darauf, in sicherer Entfernung zu bleiben.

Nachdem er auf demselben Weg, den er mit Jam zurückgelegt hatte, im Keller angelangt war, sah er zwei Soldaten vor dem geheimen Ausgang. Mit schwindendem Mut flog er so nahe heran, wie er sich traute, und musterte die Tür. Sie war rundherum versiegelt. Es gab keine Möglichkeit, unbemerkt hindurchzugkommen.

Er flog zurück um die Ecke, setzte sich an die Wand und versuchte, ruhig nachzudenken. Was waren seine anderen Optionen? Das Planetarium? Das schien ihm eine gute Idee zu sein, bis er sich an Al und Floyd erinnerte, die Weißen Haie, die den Ausgang bewachten. Zu dieser Uhrzeit waren sie vielleicht nicht mehr da, doch der Gedanke, sich ohne Jam mit ihnen auseinandersetzen zu müssen, ließ ihn erschaudern. Seine Verletzungen waren zu schwer, als dass er einen Kampf, ganz gleich in welcher Gestalt, überstanden hätte.

Es musste doch noch andere Wege aus der Stadt geben. Ganze Armeen waren hier stationiert. Wie gingen die denn ein und aus?

Die Anlegestelle! Simon stieß sich von der Wand ab und flog, so schnell er konnte, zur nächsten Treppe. Wenn es einen Weg aus Atlantis hinaus gab, musste er in der Nähe des U-Boot-Anlegers sein.

Nach wenigen Minuten erreichte Simon die Stelle, wo sie am Tag zuvor angekommen waren. Es war nicht viel los, nur etwa ein halbes Dutzend U-Boote war draußen vor der durchsichtigen Kuppel vertäut, und eine Handvoll Arbeiter werkelte vor sich hin, doch es gab keinen erkennbaren Weg nach draußen. Keine Schilder, keine Pfeile, keine Türen – nichts.

Dann musste er sich eben etwas einfallen lassen. Er landete, wobei er sorgfältig darauf achtete, nicht gesehen zu werden, und verwandelte sich in eine Krabbe. Das kleine rote Tierchen war nicht zu übersehen, und als Simon über den Betonboden huschte, stieß einer der Arbeiter einen überraschten Schrei aus.

»He, wo kommst du denn her?« Der Mann bückte sich und fing ihn ein. Einen entsetzlichen Augenblick lang fürchtete Simon, er würde ihn einfach zerquetschen, aber der Mann erhob sich wieder und steuerte auf eine kaum sichtbare Luke in der Kuppel zu, die etwa die Größe eines Fahrstuhls hatte. »Jimmy, hier ist schon wieder eine«, rief er. »Ich dachte, du hättest den Ausgang abgedichtet.«

»Hab ich auch«, rief eine Stimme zurück. »Muss mit einer Lieferung reingekommen sein.«

Vor sich hin murmelnd öffnete der erste Arbeiter die versiegelte Tür und warf Simon hindurch. Er landete auf dem Rücken, und als er es endlich geschafft hatte, sich wieder auf den Bauch zu drehen, hatte der Arbeiter die Luke längst wieder geschlossen. Ein seltsames Zischen war zu hören.

Simon wollte sich gerade eingestehen, dass seine Idee nicht die beste gewesen war, als ein lautes Piepen ertönte und sich die Tür auf der anderen Seite der Luke öffnete. Wasser strömte herein, und Simon wurde ins kalte Meer gespült.

Er verlor keine Zeit damit, sich selbst zu gratulieren. Sobald er sich weit genug von der Stadt entfernt hatte, verwandelte er sich wieder in einen Orca. Die meisten anderen Meeresgeschöpfe machten einen großen Bogen um ihn, als er in Richtung Santa Catalina schwamm. Mithilfe der Echo-Ortung peilte er die Stelle an, an der Jam der Kristall aus der Schnauze gefallen war. Dank seiner Größe und Schnelligkeit erreichte er sie schon nach kurzer Zeit und war nicht einmal außer Atem. Die Tinte, die der Krake ausgestoßen hatte, war weitgehend verschwunden, doch das Wasser war noch immer etwas trübe.

Trotzdem war es nicht schwer, die gesuchte Stelle zu finden. Der Sand war dort, wo der General angegriffen worden war, dunkel vom Blut, und Simon suchte den Grund ab. Hier hatte Jam den Kristall verloren – er hatte es selbst gesehen. Doch sosehr er sich auch anstrengte, er konnte ihn nicht entdecken.

Der Krake musste mit den Haien zusammengearbeitet haben, überlegte Simon. Er hatte ihnen das Leben gerettet, indem er seine Tintenwolke ausgestoßen hatte, und dabei genug Zeit gewonnen, um den Kristall an sich zu nehmen und ihn zu Orion zu bringen. Bei dem Gedanken, dass sein Großvater ein weiteres Teil des Greifstabs in seine Gewalt bekommen haben könnte, wurde Simon ganz schwindlig, und er musste sich zusammenreißen, um sich nicht der Verzweiflung hinzugeben. Noch war es nicht zu spät. Die Vogelarmee war noch da – vielleicht konnte Simon den Kristall zurückstehlen.

Obwohl er vor Schmerzen und Erschöpfung wie betäubt war, schwamm Simon weiter in Richtung der Bucht. Bei jedem Flossenschlag fühlte es sich an, als würde ein heißes Messer in seinen Oberkörper gerammt, und in seinem Kopf hörte er die Stimme seiner Mutter, die ihn warnte, wie gefährlich sein Vorhaben war. Winters Worte kamen hinzu, auch wenn sie das Wort *bescheuert* benutzte. Doch was blieb ihm anderes übrig? Das war der Grund, warum sie nach Atlantis gekommen waren. Er konnte nicht aufgeben, nur weil das Ganze schwieriger war, als er angenommen hatte.

Als er sich der Wasseroberfläche näherte, vergewisserte er sich wieder, dass ihn niemand beobachtete. Es war eine dunkle, mondlose Nacht, und falls irgendjemand vom Strand oder vom Himmel aus das Wasser beobachtete, so konnte er ihn nicht sehen. Er ging das Risiko ein, animagierte zur Möwe und tauchte aus dem Wasser auf. Möwen waren weder schnell noch beeindruckend, aber wenigstens würde er nicht weiter auffallen, und genau darauf kam es jetzt an.

Er erhob sich in die Luft und flog zur Küste, wo die Vogelarmee ihr Lager aufgeschlagen hatte. Er hatte angenommen, dass niemand mehr wach sein würde, doch zu seinem Unmut knisterte ein Lagerfeuer am Strand. Schlimmer noch: Als er näher kam, sah er Orion und seinen Ersten Offizier Perrin bei einem Felsbrocken stehen.

»... ist es gelaufen?«, fragte Orion so leise, dass seine Stimme kaum vom sanften Rauschen der Wellen zu unterscheiden war. Simon flog näher heran und landete auf einem Baum.

»Wir wissen es nicht.« Der Felsen war gar kein Felsen, sondern ein Mann, der vornübergebeugt im Sand saß.

»Unsere Verbündeten wurden überrascht ...«, sagte er.

»Von wem?«, fragte Orion. »Wer bitte kann die stärksten Haie an der Küste überraschen? Oder hast du mich belogen, als du gesagt hast, ich könnte ihnen vertrauen?«

»Nein, nein, ganz bestimmt nicht!«, beteuerte der Mann. »Die Haie wollen die Herrschaft über das Meer zurück, und sie werden alles tun, was Ihr befehlt, hoher Herr. Sie vertrauen Euch.«

»Und ich habe ihnen vertraut. Trotzdem stehen wir jetzt hier.« Orion hinkte über den Sand. »Wie viele waren es?«

»Wie ... wie meint Ihr das, hoher Herr?«

»Wie viele Kämpfer haben die Haie angegriffen?«

»Ich ...« Er zögerte. »Der General und sein Sohn und ...«

»Wie viele?« Orion blieb vor dem Mann stehen, stützte sich auf einen langen Ast wie auf einen Stock und beugte sich vor, bis sein Gesicht nur noch wenige Zentimeter vom Gesicht des Mannes entfernt war. »Es ist eine einfache Frage. Du warst doch dabei, oder nicht?«

»Ich … ja, Herr, aber etwas entfernt …«

»Hat mich jemand betrogen? Oder gab es Sicherheitsvorkehrungen, mit denen wir nicht gerechnet hatten?«

Der Mann schluckte so mühsam, dass sein Adamsapfel hüpfte. »Es war ein Orca, hoher Herr. Eine wilde Bestie, die die Haie vertrieben und mehreren unserer Kameraden schwere Verletzungen zugefügt hat.«

Orion richtete sich wieder auf. »Es ist also ganz zufällig ein Orca vorbeigekommen, wie?« Er warf Perrin einen Blick zu, bevor er sich wieder auf seinen Informanten konzentrierte. »Du bist entlassen.«

Der Mann widersprach nicht. Er erhob sich schwankend auf die Beine, lief auf kürzestem Weg zum Wasser und animagierte dort in ein langes, sich windendendes Geschöpf. Ein Aal.

Als er verschwunden war, wandte Orion sich an Perrin. »Die Zwillinge sind auch in Atlantis, nicht wahr?«

Perrin nickte und öffnete den Mund, doch eine Frauenstimme kam ihm zuvor.

»Nolan ist zwölf. Selbst wenn der General von seiner … Gabe wüsste, würde Malcolm nie zulassen, dass er in so einer gefährlichen Mission mitwirkt.«

Simons Herz begann zu rasen. Seine Mutter. Sie war im Schatten. Er flog lautlos näher heran und setzte sich auf einen anderen Baum. Ein Stück vom Feuer entfernt konnte er sie auf einem Baumstamm sitzen sehen. Nun, da er hinter den Zweigen vor den Mitgliedern des Schwarms verborgen war, verwandelte er sich in einen Uhu. Augenblicklich schwand die Dunkelheit, und er konnte jedes einzelne Haar im Zopf seiner Mutter erkennen, ebenso die des jungen blonden Mannes neben ihr – Rowan, Perrins Sohn, der Simon und seine Freunde vor wenigen Monaten auf der Flucht verfolgt hatte.

»Wie erklärst du dir dann, dass ein Orca die Haie angegriffen hat?«, fragte Orion mit bedrohlich leiser Stimme.

»Dafür könnte es verschiedene Gründe geben«, sagte Simons Mutter gelassen. »Vielleicht hat der General tatsächlich Verstärkung mitgebracht. Oder Celeste hat Freunde, von denen wir nichts wissen. So oder so, du hast den Kristall verloren.«

Simon blinzelte. Orion hatte den Kristall nicht? Wo war er dann?

Knack.

Simon zuckte zusammen, als ein lautes Geräusch durch die Abendstille drang; und nur durch ein regelrechtes Kunststück gelang es ihm, die Balance zu halten und nicht vom Baum zu fallen.

Trotz seines Alters und seiner Verletzungen hatte Orion seinen Stock in der Mitte durchgebrochen. Er schleuderte die eine Hälfte hinaus aufs Meer und die andere in die Bäume. Er verfehlte Simons Mutter nur um Haaresbreite. Simon kochte, doch er riss sich zusammen.

»Wir hatten alles, was für das Gelingen der Mission nötig war«, sagte Orion mit vor Zorn verzerrtem Gesicht. »Unsere Verbündeten sind gnadenlose Kämpfer. Unsere Informationen waren korrekt. Wir waren kurz davor … ganz kurz, und jetzt muss ich hören, dass ein Orca den Plan durchkreuzt hat, an dem wir seit Monaten arbeiten?«

»Was Mäus' und Menschen fein ersonnen, ist schon oft im Sand zerronnen«, zitierte Simons Mutter.

Die Luft um sie herum schien zu knistern, und eine ganze Weile rührte sich niemand. Orion trat einen wankenden Schritt auf sie und Rowan zu, und Simon machte sich bereit, sich auf seinen Großvater zu stürzen, sollte er ihr auch nur ein Haar krümmen.

»Warst du es?«, fragte er sanft, doch nicht weniger drohend. »Hast du dem Unterwasserreich einen Tipp gegeben?«

»Ich war die ganze Zeit bei dir am Strand«, sagte sie spöttisch und warf sich den Zopf über die Schulter. »Ich kann schlecht an zwei Orten gleichzeitig sein, also hatte ich keine Gelegenheit dazu.«

»Jemand könnte sich an meinen Wachen vorbeigeschlichen haben …«

»Das müsstest du dann deinen Wachen vorwerfen, nicht mir.« Sie zuckte die Schultern. »Vielleicht hast du einen Spion in deinen eigenen Reihen. Hast du daran schon mal gedacht?«

Orions Blick huschte argwöhnisch über die im Schatten kauernden Mitglieder seines Schwarms, über Menschen und Vögel. Doch kaum hatte sie ihn auf diese Idee gebracht, schien er sie zu verwerfen. »Meine Armee hat mich noch nie im Stich gelassen. Du dagegen hast uns bei jeder Gelegenheit Steine in den Weg gelegt.«

»Ich habe dir gesagt, wo ihr suchen solltet, oder etwa nicht? Ohne mich hättest du die ganze Küste von hier bis Kanada absuchen müssen.«

»Und ich frage mich, warum.« Orion machte noch einen Schritt auf sie zu. Simons Muskeln spannten sich an, und er beschwor in Gedanken das Bild eines Tigers herauf. Er wollte nicht angreifen, doch wenn Orion seiner Mutter etwas antat, würde ihn nichts in der Welt davon abhalten, ihn in Fetzen zu reißen. »Warum hast du deine Meinung geändert, nachdem du monatelang nichts anderes getan hast, als meine Pläne zu durchkreuzen, Isabel?«

Seine Mutter setzte sich aufrechter hin. »Ich habe es dir gesagt: Wenn du die Jungen in Ruhe lässt, helfe ich dir.«

»Nein. Nein, es steckt mehr dahinter.« Er hatte jetzt nur noch eine Armlänge Abstand zu seiner Mutter, und

Simon sah, dass sie die Hände im Schoß zu Fäusten ballte. Auch sie war bereit zu kämpfen.

»Du willst es mir nicht sagen, aber ich weiß, dass in Arizona irgendetwas passiert ist – etwas, das mit Simon zu tun hat. Warum bist du geblieben, obwohl du so leicht hättest entkommen können?«

Simons Haut kribbelte bei der Erinnerung an das, was in Paradise Valley geschehen war. Er konnte sich noch so oft sagen, dass seine Mutter ihn und Nolan nur allein ließ, um sie beide zu beschützen, ihre Entscheidung schmerzte trotzdem.

»Die Bedrohung durch Celeste ist völlig ausreichend, um mein Interesse an deiner … Mission zu erklären«, sagte seine Mutter. »Wir wollen beide dasselbe – allerdings aus verschiedenen Gründen, auch wenn du es nicht zugibst. Du hast Möglichkeiten, über die ich nicht verfüge. Und ich habe Informationen, ohne die du scheitern würdest. Wir können unser Ziel nur erreichen, wenn wir zusammenarbeiten.«

Orion lachte freudlos. »Seit wann interessierst du dich für Zusammenarbeit?«

»Seit Celeste in Arizona aufgetaucht ist und beinahe meinen Sohn umgebracht hätte. Meine Familie ist mir wichtig, Vater, auch wenn sie dir nichts bedeutet.«

»Meine Familie bedeutet mir alles«, fauchte er und beugte sich über sie. »Ich traue dir nicht.«

»Das machen diese Fesseln mehr als deutlich.« Sie berührte den Metallring um ihren Hals, und eine Eisenkette klirrte leise. »Aber ich bin bereit, sie nicht zu beachten, wenn ich dafür bekomme, was ich will. Du kannst meine Hilfe annehmen oder es bleiben lassen. Wenn ich fliehen wollte, hätte ich es längst getan.«

Orion sah sie einen langen Augenblick an, dann stellte er sich wieder gerade hin. »Wenn ich die Waffe zusammengesetzt habe, wirst du keine andere Wahl haben, als dich meinem Willen zu beugen und mir zu dienen – und deinem Reich, wie du es schon immer hättest tun sollen.«

»Vielleicht setze ich sie aber auch zuerst zusammen und zerstöre sie, bevor du sie in die Finger bekommst«, sagte Simons Mutter leichthin. »Wir werden sehen.«

Orion grummelte und wandte sich an Rowan. »Ruf deine Männer, und lass sie so viele Informationen wie möglich über den Vorfall heute Nacht sammeln. Ich will wissen, wer dieser Orca ist, was er will und wie ich ihn noch vor Sonnenaufgang loswerden kann.«

»Ja, Sir«, antwortete Rowan. Er animagierte zum Wanderfalken, stieß einen schrillen Schrei aus, und der halbe Schwarm flatterte aus den Bäumen und dem Sand auf, als er zum Flug über das Meer aufbrach. Simon schob sich tiefer in den Schatten, doch niemand blickte in seine Richtung.

»Perrin.« Orion ging zum Lagerfeuer zurück, wo sein Offizier bereits strammstand. »Ruf unsere Verbündeten zusammen und bereite den Angriff vor. Der General ist verletzt. Wir müssen die Gelegenheit nutzen und angreifen, solange sie schwach und unorganisiert sind. Wir haben ihre Versorgungskette lange genug gestört, und unsere Kämpfer sind stark genug, um Atlantis zu belagern. Ohne den General werden sie nicht lange durchhalten.«

Perrin salutierte. Nachdem er sich in einen Habicht verwandelt hatte, folgte er seinem Sohn übers Meer und nahm einen weiteren Teil des Schwarms mit. Sobald er fort war, ließ Orion sich auf ein Stück Treibholz in der Nähe des Lagerfeuers sinken und stützte den Kopf in die Hände. Der Strand war jetzt still, und obwohl noch einige Mitglieder des Schwarms da waren, nahm Simon seinen Mut zusammen und flog lautlos unter einen Baum, der nur wenige Meter von seiner Mutter entfernt war. Da Rowan weg war, war sie allein in der Dunkelheit.

»Ich wünschte, wir wären auf einer Seite, Isabel«, sagte Orion nach langem Schweigen. »Du und ich könnten auf dieser Welt eine Menge Gutes tun.«

Isabel schnaubte. »Der Einzige, dem du etwas Gutes tust, bist du selbst.«

»Im Gegenteil. Ich würde die Kriege beenden, die unsere Reiche seit Jahrhunderten erschüttern«, sagte er.

»Sinnlose Kämpfe, die Tausende das Leben kosten. Ich weiß nicht, was besser wäre als das.«

»Das gegenwärtige System ist vielleicht nicht perfekt, aber andere zu unterdrücken ist keine Lösung«, sagte sie. »Du kannst keinen Frieden schaffen, indem du andere unterwirfst.«

»Wer sagt, dass ich jemanden unterwerfen würde?«

»Das würdest du schon allein durch deine Existenz. Du hättest mehr Macht, als ein einzelner Animox haben sollte«, sagte Simons Mutter. »Du kannst nicht über andere bestimmen, indem du sie bedrohst. Es wird immer Menschen geben, die sich dagegen wehren, ganz egal, was es kostet. Du wirst immer ihr Feind sein.«

Orion seufzte. »Vielleicht. Vielleicht werde ich aber auch ein neues Zeitalter beginnen und beweisen, dass du unrecht hast.«

»Vielleicht«, machte sie ihn nach. »Vielleicht wirst du aber auch die fünf Reiche auseinanderreißen, bis nichts mehr übrig ist, wofür es sich zu kämpfen lohnt.«

Ein Lächeln huschte über sein vernarbtes Gesicht. »Vielleicht.«

Simon drehte sich der Magen um, und das nicht nur, weil er sich keine Welt vorstellen wollte, in der Orion als allmächtiger Bestienkönig über sie alle herrschte. Er wusste, dass seine Mutter recht hatte: Kein Mensch sollte die Kräfte haben, über die er und Nolan verfügten. Obwohl sie nichts dafürkonnten, fragte Simon sich einen Augenblick lang, ob seine Mutter das Gleiche auch über sie dachte.

Eine unbehagliche Stille legte sich über den Strand, bis nur noch das Rauschen der Wellen zu hören war. Simon war klar, dass er nicht mit seiner Mutter sprechen konnte, solange Orion zehn Meter von ihr entfernt stand, aber er musste sie wissen lassen, dass sie nicht allein war – dass er immer für sie da war.

Also zeichnete er in der Nähe ihres Baumstamms etwas in den Sand, sodass sie es bei Tageslicht sehen musste. Er konnte ihr keine Nachricht hinterlassen, da das Risiko bestand, dass ein Mitglied des Schwarms sie entdeckte, deshalb zeichnete er ganz einfach ein Herz. Es war nicht viel, aber es sagte alles, was er zu sagen hatte. Er liebte sie, daran würde nichts – nicht einmal das, was in Arizona passiert war – etwas ändern.

Als er fertig war, flog er zurück in die Bäume und verwandelte sich wieder in eine Möwe. Er nahm einen Umweg über die andere Inselseite, weit entfernt vom Lagerfeuer, damit Orion ihn nicht sah. Sobald er außer Sichtweite war, stieß er ins Wasser hinab und animagierte in einen Bullenhai. Das Salzwasser brannte in seinen Wunden. Der Schwarm wollte Atlantis angreifen, er musste das Unterwasserreich warnen. Doch abgesehen davon echoten wieder und wieder die Worte des Herrn der Vögel in seinem Kopf und ließen ihn noch schneller schwimmen.

Unsere Informationen waren korrekt.

Es musste jemanden im Unterwasserreich geben, der dem General nahe genug stand, um zu wissen, dass der Kristall in ein neues Versteck gebracht werden sollte – und diese Person spionierte für Orion.

ZWÖLFTES KAPITEL

Ein Leck

Als Simon ins Regierungsgebäude zurückkam, stellte er fest, dass gerade einmal eine Stunde vergangen war, und zu seiner großen Erleichterung hatte niemand seine Abwesenheit bemerkt. Winter machte einen Riesenwirbel um ihn und bestand darauf, seine behelfsmäßigen Verbände zu kontrollieren, doch Simon weigerte sich.

»Wir müssen sofort zum Krisentreffen«, sagte er. »Orion will die Stadt angreifen.«

»Wenn du nicht zum Arzt gehst, werden sich deine Wunden entzünden, und du fällst tot um, bevor es überhaupt so weit kommt«, zischte Winter.

»Ich … na schön«, murmelte Simon. »Wir sagen es ihnen, und dann gehe ich sofort ins Krankenhaus, in Ordnung?«

Winter musterte ihn zweifelnd, doch schließlich gab sie nach und folgte ihm nur leicht grollend aus dem Zimmer und durch den Gang.

Mittlerweile hatte Simon sich den Weg ziemlich gut eingeprägt, und während er vorneweg durch die verspiegelten Gänge lief, zerbrach er sich den Kopf, ob Ariana irgendetwas darüber erwähnt hatte, wo die Sondersitzung stattfand. Auf der Etage des Speisesaals? Oder ganz woanders?

»Halt!«, ertönte eine tiefe Stimme, als sie um eine weitere Ecke bogen. Simon blieb wie erstarrt stehen, kurz vor dem Zusammenstoß mit einem breitschultrigen Soldaten mit mehreren Abzeichen an der Jacke. »Was macht ihr hier?«

Simon schluckte. »Der Alpha des Säugerreichs ist mein Onkel, und wir müssen dringend mit ihm reden. Es ist ein Notfall.«

»Ich kann nicht erlauben, dass ihr eure Zimmer verlasst«, sagte der Soldat und schob sie zurück in die andere Richtung. »Es wurde eine Ausgangssperre verhängt …«

»Es ist wichtig«, sagte Simon fest. »Es geht um Orion.«

Der Soldat runzelte die Stirn. »Woher willst du …«

»Wenn Sie nicht tun, was wir Ihnen sagen, werden alle unter dieser Kuppel sterben.« Winter machte sich so groß, wie sie konnte. »Wollen Sie das Risiko eingehen, Soldat?«

»Wer …«

»Ich muss mit meinem Onkel sprechen. *Sofort*«, sagte Simon. Er klang nicht ganz so überzeugend wie Winter, aber er hoffte, dass es reichte.

Der Soldat zog die Augenbrauen zusammen und legte seine riesigen Hände auf Simons und Winters Nacken. »Ich bringe euch hin«, sagte er, während er sie mit langen Schritten den Gang hinunterschob. »Aber sollte es sich um einen Witz oder einen Trick handeln, werfe ich euch bis morgen früh in den Bunker.«

Erleichtert marschierte Simon los und widersprach nicht einmal, als sie den Fahrstuhl nahmen. Inzwischen war er gereinigt worden, aber er meinte, noch immer das Blut riechen zu können.

Endlich kamen sie an die verspiegelte Flügeltür, durch die sie bei ihrer Ankunft geführt worden waren – das Konferenzzimmer des Generals. Simon ärgerte sich, dass er nicht selbst darauf gekommen war.

Zwei Wachmänner öffneten die Tür, und die drei traten ein. Die Diskussion im Raum verstummte, und alle an dem langen Tisch, Malcolm, Zia, Crocker, Ariana und die anderen, die Simon nicht kannte, starrten sie an. Zu seiner Überraschung entdeckte Simon Jam rechts neben Rhode. Sein Gesicht war fleckig und seine Schultern schwer vor Erschöpfung. Natürlich war er da. Falls der General starb, bedeutete das …

»Ja, Kommandant?«, fragte Rhode ungeduldig. Trotz der ernsten Lage, in der ihr Vater war, konnte Simon kein Anzeichen von Sorge oder Trauer in ihrem Gesicht erkennen.

»Ich bitte die Unterbrechung zu entschuldigen, Admiral«, sagte ihr Begleiter, »aber die beiden hier haben behauptet, sie hätten eine wichtige Information für Sie.«

Rhodes bohrender Blick richtete sich auf Simon, und er räusperte sich. »Orion plant bei Morgengrauen einen Angriff auf Atlantis. Er hat eine Menge Verbündete im Unterwasserreich – nicht nur Haie, auch Aale und andere Geschöpfe.« Er sah Rhode in die Augen. »Ich glaube nicht, dass viele von ihnen Animox sind«, fügte er hinzu, als sie den Mund öffnete. »Ich glaube, es sind normale Tiere, denen es nicht passt, dass der General über den Ozean herrscht.«

»Woher weißt du das, Simon?«, fragte Malcolm, der Rhode gegenübersaß. Der Stuhl des Generals am Kopfende war leer.

»Ich ...« Simon stockte. »Ich habe mir eine Taucherausrüstung geliehen und bin nach oben geschwommen. Es tut mir leid, ich weiß, ich hätte es nicht tun sollen, aber ...«

»Taucherausrüstung?«, fuhr Malcolm Rhode an, und seine Muskeln spannten sich, als mache er sich zum Kampf bereit. »Warum hat niemand erwähnt, dass es hier Taucherausrüstungen gibt, die meine zwölfjährigen Neffen zufällig finden könnten?«

Simon überlief kalte Angst. Was, wenn es in Atlantis gar keine Taucherausrüstungen gab? Wie sollte er das erklären? Doch Rhode widersprach nicht, sondern rümpfte nur die Nase und sah ihn finster an. »Im Keller befinden sich Notausrüstungen. Sie sind nicht für Freizeitaktivitäten bestimmt.«

»Es tut mir leid«, wiederholte Simon schnell und bemühte sich, seine Erleichterung zu verbergen. »Ich weiß, ich hätte sie nicht nehmen sollen, aber irgendjemand musste schließlich nachsehen, was los ist, und …«

»In Ordnung«, sagte sein Onkel, doch an seinem angespannten Kiefer und seinem verärgerten Gesichtsausdruck sah Simon, dass er es alles andere als in Ordnung fand. »Wir sprechen später darüber. Wenn du wirklich eine wichtige Information hast, schieß los.«

Simon war sicher, dass das übersetzt *Hausarrest auf Lebenszeit* bedeutete. Er begann: »Orion ist außer sich. Was auch immer er sich davon versprochen hat, den General anzugreifen – er hat es nicht bekommen.«

Ein Murmeln erhob sich am Tisch, und Simon sah, dass Jam erleichtert die Schultern sinken ließ.

»Aber er will die Stadt angreifen«, fuhr er fort. »Als Ablenkungsmanöver, während er die Suche fortsetzt. Er will die Versorgungsketten unterbrechen …«

»Das hat er schon an Land versucht«, sagte Rhode gereizt. »Mittlerweile müsste er wissen, dass unsere Transportwege sicher sind, also was will er mit einer Belagerung von Atlantis überhaupt erreichen?«

»Wenn uns der Weg nach draußen abgeschnitten wird, kommen wir um eine Auseinandersetzung nicht herum«, sagte der Kommandant hinter Simon und Winter. »Soll ich die Truppen bereithalten, Admiral?«

Sie nickte. »Warten Sie. Jam – welche Hai-Art, sagtest du, hat euch angegriffen?«

»Es waren mehrere«, antwortete Jam mit blassem Gesicht. »Ein Weißer Hai. Zwei Bullenhaie. Mehrere Tigerhaie ...«

»Dann können wir also der ganzen Haitruppe nicht mehr trauen.« Ihr Mund wurde zu einer schmalen Linie. »Das ist gut ein Viertel unserer Armee.«

»Aber es war ja niemand von unseren Leuten.«

»Trotzdem. Wir wissen nicht, wie viele Sympathisanten sie haben«, erklärte sie. »Wir können kein Risiko eingehen. Kommandant, schicken Sie die Haitruppe nach San Miguel. Lassen Sie sich einen Vorwand einfallen, um sie aus dem Weg zu schaffen.«

Der Kommandant salutierte und verließ das Zimmer, sodass Simon und Winter unbewacht zurückblieben. Winter verlagerte nervös das Gewicht von einem Bein aufs andere, und ihre Finger waren so eng ineinander verkrampft, dass sie ganz fleckig geworden waren. Simon hätte ihr gerne beruhigend die Hand auf den Arm gelegt, doch er wollte sie nicht vor allen Anwesenden in Verlegenheit bringen.

»Sonst noch etwas, Simon?«, fragte Crocker am Fußende des Tischs. Er hatte ihn angestarrt, seit Simon den Raum betreten hatte.

»Ich …« Simon stockte und ließ seinen Blick über die Gesichter schweifen. War einer von ihnen der Spion? Oder jemand anders? So oder so, er durfte ihnen diese Information nicht vorenthalten, und nachdem er einen Moment mit sich selbst gerungen hatte, platzte es aus ihm heraus: »Orion hat gesagt, er habe die Information über die Aktion heute Nacht von jemandem aus Atlantis bekommen.«

Rhode runzelte die Stirn. »Ein Mitglied unseres Reichs würde niemals …«

»Irgendjemand muss es gewesen sein«, unterbrach Simon sie. »Orion hat es selbst gesagt. Er hat keinen Grund, seine Offiziere zu belügen.«

Wieder erhob sich Gemurmel, das von Malcolms tiefer Stimme übertönt wurde. »Es ist niemand aus diesem Raum. So viel wissen wir mit Sicherheit.«

»Wissen wir das wirklich?«, fragte Ariana plötzlich. Es war, so war zumindest Simons Gefühl, das erste Mal überhaupt, dass sie sich zu Wort meldete. »Orion hat

Jam und den General angegriffen, als sie auf geheimer Mission waren. Woher wussten sie davon? Nicht einmal wir waren eingeweiht.«

»Vielleicht hat jemand gelauscht«, sagte Jam unsicher.

»Vielleicht«, sagte Arianas Berater langsam. Der General hatte ihn Lord Anthony genannt, erinnerte sich Simon. Er war ein dünner Mann mit spärlichem Haupthaar und einer Nase, die Richtung Boden zeigte. »Vielleicht, so unwahrscheinlich es auch ist, lässt es sich auch anders erklären. Wenn der Schwarm den Ort beobachtet hat ...«

»Orion hat gesagt, die Information sei korrekt gewesen«, wiederholte Simon fest. »Das kann nur bedeuten, dass sie von jemandem aus dem engsten Kreis des Generals stammen muss.«

»Vielleicht wusste er, dass du ihn belauschst«, sagte Ariana. Simon versuchte, ihren Blick aufzufangen, doch sie starrte auf die Unterlagen vor sich. »Das ist der älteste Trick der Welt – seine Feinde gegeneinander aufbringen, um ihre Gemeinschaft zu schwächen. Dann verbringen sie so viel Zeit damit, sich gegenseitig zu verdächtigen, dass sie sich nicht mehr um den eigentlichen Feind kümmern.«

»Du hast Simon doch gehört«, sagte Zia und lehnte sich in ihrem Stuhl zurück. »Orion hatte keinen Anlass zu der Annahme, dass jemand ihn belauschte.«

»Es könnte eine Falle sein«, sagte Lord Anthony. »Oder vielleicht hat der Junge sich geirrt.«

»Wollen Sie meinen Neffen einen Lügner nennen?«, fragte Malcolm mit einem drohenden Knurren.

»Natürlich nicht, aber …«

»Wir können es nicht mit Sicherheit sagen«, unterbrach Rhode ihn laut, doch ihre Stimme wurde von einem Dutzend anderer übertönt, als alle durcheinanderredeten. Simon stand voller Unbehagen inmitten des Tumults und wusste nicht, was er sagen sollte. Vielleicht hatte Ariana mit ihrer Vermutung recht, aber er hätte seine Postkarten und seine Taschenuhr darauf verwettet, dass es nicht so war.

Schließlich hob Crocker einen knorrigen Finger. »Simon«, sagte er leise, »ist das alles?«

Wieder überlegte Simon, ob er lügen sollte, doch diesmal war er sich nicht so sicher, dass er ohne ihre Hilfe weiterkommen würde. »Sie suchen nach einem Kraken, von dem sie glauben, dass er haben könnte … was auch immer sie haben wollen. Mehr weiß ich nicht.«

Erneut ging ein Raunen durch die Versammlung, und Rhode setzte sich aufrechter hin. »Also gut. Ihr seid entlassen. Geht zurück auf eure Zimmer und wartet auf die weiteren Anweisungen.«

Simon und Winter verließen ohne Widerspruch den Raum. Simon hatte alles gesagt, was er sagen konnte, und irgendjemand am Tisch musste ihm einfach glauben. Die Vertreter der Reiche waren schließlich nicht dumm. Selbst wenn sie meinten, dass er unrecht hatte, würden sie Vorbereitungen treffen. Das mussten sie.

»Ich dachte, Orion sucht nach einem Orca?«, flüsterte Winter, als sie das Konferenzzimmer verlassen hatten.

»Tut er ja auch, aber ich glaube, dass ein Krake den Kristall genommen hat. Wenn irgendjemand ihn finden kann, dann nur ein Mitglied des Unterwasserreichs«, erwiderte Simon leise, als sie um eine Ecke bogen.

Winter warf einen Blick über die Schulter. »Bist du sicher, dass es hier zur Krankenstation geht?«

»Keine Ahnung.« Simon blieb vor der nächsten Tür stehen. Sie war verschlossen. »Warte.«

Nachdem er sich vergewissert hatte, dass niemand in der Nähe war, animagierte er in eine Fliege und krabbelte unter der Tür hindurch. In dem leeren Raum – ein weiterer Konferenzraum, der mit dem ersten beinahe identisch war – verwandelte er sich zurück und öffnete ihr die Tür. »Komm rein. Ich will wissen, was sie jetzt machen.«

Winter stöhnte. »Du musst zum Arzt!«

»Das hier ist wichtiger«, sagte er, durchsuchte den Raum und fand einen Lüftungsschacht. Er war nicht sehr groß, doch nachdem sie mithilfe von Winters Haarspange eine Platte der Wandvertäfelung abgeschraubt hatten, war die Öffnung so breit, dass sie beide hindurchpassten.

Mit Gewissensbissen verwandelte Simon sich wieder in eine braune Maus. Er huschte durch den Metallschacht, und Winter kroch ihm in Schlangengestalt hinterher. Beide waren so leise wie möglich. Da sich der Raum direkt neben dem Konferenzzimmer des Generals befand, brauchten sie nicht lange, um die richtige Öffnung zu finden.

»... völlig außer Frage.« Rhodes Stimme drang durch den Schacht zu ihnen. Simon und die Wassermokassinotter machten es sich hinter einem Metallgitter bequem, um zu lauschen.

»Wir hätten sogar mehrere Möglichkeiten, wenn du auf mich hören würdest«, sagte Jam zu seiner Schwester. »Ohne die Haitruppe haben wir keine Chance. Wir müssen unseren Leuten vertrauen.«

»Ich vertraue nur unseren Schwestern«, entgegnete Rhode kalt. »Das ist alles.«

»Du willst sie gegen eine ganze Hai-Armee kämpfen lassen?«, fragte Jam entsetzt. »Du wirst sie umbringen.«

»Wenn ich etwas anmerken dürfte«, sagte eine tiefere Stimme. Crocker. »Unser dringlichstes Problem ist im Augenblick der Kristall. Wenn wir ihn nicht haben und Orion ihn nicht hat, wer hat ihn dann?«

»Simon hat einen Kraken erwähnt«, sagte Zia, und

Simon konnte hören, dass jemand mit den Fingernägeln auf den Tisch trommelte. »Wie wahrscheinlich ist es, dass diese Information stimmt?«

»Schwer zu sagen«, murmelte Jam. »Es gibt jede Menge Kraken an der Küste. Es wäre möglich, dass einer oder mehrere von ihnen für Orion arbeiten.«

»Was ist mit Isabel Thorn?«, fragte Rhode plötzlich. Ihre Worte trafen Simon wie ein Messer. Er verspannte sich.

»Was soll mit ihr sein?«, fragte Malcolm »Sie ist Orions Geisel. Das wissen wir.«

»Wir wissen aber auch, dass sie ihm hilft«, entgegnete Rhode. »Wie erklären Sie sich sonst, dass Orion genau wusste, wo er suchen musste – sowohl im Reptilienreich als auch bei uns? Isabel ist die einzige Person auf der Welt, die beide Verstecke kennt.«

»Orion kann mehrere Quellen haben«, sagte Malcolm »Wenn jemand aus Ihrem innersten Kreis Informationen weitergegeben hat ...«

»Vielleicht gibt es einen Spion in meinem Reich, vielleicht auch nicht. Wir wissen aber mit Sicherheit, dass Isabel Thorn Orion mit Informationen versorgt«, sagte Rhode. »Wie lautet also unser Ziel?«

Pause. »Die Haie daran zu hindern, die Stadt anzugreifen?«, fragte Jam unsicher.

»Nein. Unser Ziel – unser eigentliches Ziel – ist es,

zu verhindern, dass Orion die Teile des Greifstabs bekommt«, sagte Rhode. »Wie viele hat er bis jetzt?«

»Wir wissen es nicht mit Sicherheit«, antwortete Zia. »Aber wenn Sie damit sagen wollen, was ich denke, dann ...«

»Mehr als alles andere müssen wir die Welt der Animox schützen«, sagte Rhode. »Unzählige Leben stehen auf dem Spiel. Wenn Orion den Greifstab zusammensetzt, können wir ihn möglicherweise niemals besiegen. Außerdem hat er das gesamte Vogelreich hinter sich.«

»Nicht alle«, widersprach Jam hitzig. »Simon jedenfalls nicht, und seine Mom auch nicht ...«

»Den Schwarm aber schon«, murmelte Crocker. »Trotzdem kann es Orion kaum gelingen.«

»Er versucht es mit allen Mitteln«, sagte Rhode. »Und Isabel hat alle Informationen, die er braucht.«

»Die Schwarze Witwenkönigin hat das Versteck unseres Kristalls sofort ändern lassen, als sie gehört hat, dass Simons Mutter entführt wurde«, warf Ariana ein. »Es spielt keine Rolle, ob Orion die anderen Teile bekommt. Unseres wird er niemals finden.«

»Und wenn doch?«, fragte Rhode. »Alle haben Isabel vertraut. Unsere Reiche haben unser Leben und unsere Zukunft in ihre Hände gelegt, und jetzt arbeitet sie mit dem Feind zusammen. Es wäre das Klügste, diese Bedrohung bei der ersten Gelegenheit zu neutralisieren.«

Simon starrte durch das Metallgitter und sperrte den Mund auf. Neutralisieren? Wollte Rhode damit sagen …

»Und wie genau wollen Sie sie *neutralisieren*, Admiral?«, fragte Malcolm scharf.

»So wie wir alle Bedrohungen neutralisieren, Alpha«, erwiderte Rhode kühl. »Wir finden Isabel Thorn und eliminieren sie.«

DREIZEHNTES KAPITEL

Quallengewaber

Eliminieren.

Simons Blut erstarrte zu Eis, und er nahm die Welt um sich herum nur noch gedämpft war. Man musste nicht im Unterwasserreich aufgewachsen sein, um zu verstehen, was Rhode mit *eliminieren* meinte.

Sie wollte seine Mutter töten.

»Ich fürchte, das kann ich nicht zulassen«, sagte Malcolm. Er erhob sich und baute sich vor den anderen auf. »Isabel ist ein Mitglied meiner Familie. Sie ist die Mutter meiner Neffen und steht unter dem Schutz meines Reichs.«

»Der Kristall des Säugerreichs ist bereits verschwunden, oder irre ich mich?«, sagte Rhode gleichmütig. »Sie haben bei Ihrer Aufgabe versagt.«

Simon sah durch das Gitter Malcolms nervös zuckenden Mund. »Isabel hat ihr Leben der Mission gewidmet, die Teile zu schützen und zu verhindern, dass irgendjemand den Greifstab zusammensetzt. Ich weiß nicht, welche Gründe sie hat, ihre Informationen jetzt mit Orion zu teilen, aber ich vertraue ihr.«

»Ich nicht«, entgegnete Rhode.

»Sie kennen sie kaum«, polterte Malcolm. »Ich werde nicht zulassen, dass Sie über eine Situation urteilen, über die Sie nichts wissen. Mein Reich wird Sie auf jedem Schritt dieses Vorhabens bekämpfen, Admiral.«

»Die einzige Person, die ich im Augenblick bekämpfen möchte, ist Orion«, erwiderte sie. »Aber wenn Sie sich mitten in der Krise auf die andere Seite schlagen, werden wir das nicht vergessen, Alpha.«

Malcolm stieß ein Geräusch aus, das dem Knurren eines Wolfs ähnelte, und wandte sich an Jam. »Meine Familie und ich reisen ab. Wir bitten um die sofortige Bereitstellung eines U-Boots.«

»Ich …«, begann Jam verblüfft. Doch Rhode unterbrach ihn, bevor er weitersprechen konnte.

»Die Armeen machen sich einsatzbereit, das bedeutet, dass die Anlegestellen geschlossen sind«, sagte sie. »Und sie werden geschlossen bleiben, bis die Schlacht beendet ist.«

Malcolm bleckte die Zähne. »Mit Ihnen habe ich nicht geredet.«

»Es ist mir egal, mit wem Sie geredet haben. Soldat Fluke ist noch ein Kind. Ich bin die Stellvertreterin des Generals. Sie können sich nicht über mich hinwegsetzen, Alpha. Sie können mit dem ersten Schiff abreisen, das Atlantis nach der Schlacht verlässt, aber keinen Augenblick früher.«

Malcolm schlug mit der Faust auf den Tisch und stieß einen Schwall Flüche aus, von denen Simon mehrere völlig neu waren. »Also gut. Sie übernehmen die Verantwortung. Wenn die Sache schiefgeht und einem Mitglied meiner Familie etwas zustößt, können Sie dem General, wenn er aufwacht, erklären, warum Sie jetzt im Krieg mit dem Vogel- *und* dem Säugerreich sind.«

Malcolm stürmte aus dem Konferenzzimmer und knallte die Tür hinter sich zu. Zia erhob sich ebenfalls, warf Rhode einen missbilligenden Blick zu und folgte ihm.

Eine Weile blieben alle stumm. Die Stille schien förmlich von den Wänden widerzuhallen.

»Ich mag Isabel«, sagte Rhode schließlich leise. Trotz ihrer Entschiedenheit wirkte sie erschüttert. »Das ist eine schwierige Situation für uns alle. Wir dürfen keinen Fehler machen, aber wir müssen die Sicherheit der Animox an die oberste Stelle setzen.«

»Wir sollten sie nicht töten, sondern befreien«, sagte Jam und schob sich wütend die Brille hoch.

»Sie ist Orions wertvollster Besitz«, erwiderte Rhode. »Er wird sie zu keinem Zeitpunkt unbewacht lassen. Für eine Befreiungsaktion an Land sind wir einfach nicht stark genug. Der Schwarm ist zu mächtig.«

»Aber … wir können sie nicht eliminieren«, sagte Jam, und seine Stimme brach. »Sie ist Simons *Mom*. Das geht nicht.«

»Anführer zu sein bedeutet auch, schwierige Entscheidungen zu treffen«, sagte Rhode. »Ganz gleich, was wir für sie empfinden, wir müssen unsere persönlichen Gefühle außer Acht lassen und die richtige Entscheidung für unsere Familien, für unser Volk und füreinander treffen.«

Simon spürte Winters trockenen, schuppigen Schwanz neben seinem, ein beinahe tröstliches Gefühl. Es durfte nicht dazu kommen. Selbst wenn Rhode seine Mutter … *eliminieren* wollte, wollte es doch sonst sicher niemand? Sie konnten es nicht wollen.

»Die Schwarze Witwenkönigin würde zustimmen«, sagte Arianas Berater wie zur Antwort auf Simons stummen Protest. »Hoheit?«

Ariana schwieg lange. Als sie sprach, tat sie es so leise, dass Simon sie kaum hören konnte. »Das würde sie.«

Gerade als Simon glaubte, er müsse sich übergeben, stand Jam wütend auf. »Und was ist mit dir?«, fragte er. »Du kannst dich nicht hinter deiner Mutter verstecken, Ariana. Wir sprechen über ein Menschenleben …«

»Ich verstecke mich nicht.« Ariana blieb sitzen. Sie klang erschöpft. »Ich bin hier, um mein Reich zu vertreten, und die Schwarze Witwenkönigin würde mit Rhode übereinstimmen. Aber sonst niemand«, fügte sie hinzu. »Es spielt also keine Rolle.«

»Es spielt sehr wohl eine Rolle«, entgegnete Rhode. »Wenn wir das Teil des Greifstabs nicht zurückholen können, bevor Orion es findet, bleibt uns möglicherweise keine andere Wahl. Vor allem wenn wir wirklich einen Spion unter uns haben.«

»Das, denke ich, ist der wichtigste Punkt, mit dem wir uns auseinandersetzen müssen«, sagte Arianas Berater.

»Jetzt glauben Sie also doch nicht mehr, dass es ein Trick war?«, fragte Jam ärgerlich.

»Vielleicht, vielleicht auch nicht. Aber alle Pläne sind nutzlos, wenn sie an Orion weitergegeben werden«, sagte Lord Anthony.

Rhode atmete scharf aus. »Das Risiko können wir nicht eingehen. Ich werde Simon Thorn und Winter Rivera in Schutzverwahrung nehmen lassen. Simon hat selbst zugegeben, dass er eigenmächtig die Stadt verlassen hat«, sagte sie laut, um die Einwände der anderen zu übertönen. »Orion hält Simons Mutter gefangen. Wir können die Möglichkeit nicht ausschließen, dass er Simon dazu zwingt, für ihn zu arbeiten und uns mit falschen Informationen zu versorgen.«

»Und wie lautet Ihre Anklage gegen Winter Rivera?« Das war Crocker. Obwohl er nicht knurrte wie Malcolm, lag etwas in seiner Stimme, was Simon Gänsehaut verursachte. Rhode hingegen wirkte unbeeindruckt.

»Sie ist bei Orion aufgewachsen und könnte nach wie vor auf seiner Seite sein.«

»Simon. *Simon.*« Winter stieß ihn mit dem Schwanz an. »Wir müssen verschwinden.«

Er blinzelte, als wäre er gerade aus einem Traum erwacht. Rhode würde tatsächlich versuchen, seine Mutter zu töten. »Ich muss wieder ans Festland«, murmelte er, während sie durch den Luftschacht und zurück in das leere Konferenzzimmer huschten.

»Ich komme mit«, erklärte Winter, deren Schuppen leise scharrend über das Metall glitten. »Ich sitze bestimmt nicht hier herum und warte, bis ich festgenommen werde, nein danke.«

Ausnahmsweise widersprach Simon ihr nicht. Das Stimmengewirr wurde schwächer, bis nichts mehr zu hören war, und als er sich zurück in menschliche Gestalt verwandelt hatte, sagte er: »Ich weiß nicht, wie ich dich aus der Stadt schmuggeln soll.«

»Bring mich einfach zum Meer«, erwiderte sie und klopfte sich den Staub vom Rock. »Dann werden wir schon sehen, ob ich schwimmen kann.«

Gemeinsam eilten sie durch die Gänge, wobei sie vor

jeder Biegung nach Soldaten Ausschau hielten. Zweimal wären sie beinahe geschnappt worden, doch irgendwie schafften sie es auf wundersame Weise bis zur Treppe, ohne gesehen zu werden.

»Durch die Sicherheitsschleuse am Eingang kommen wir nicht. Wir müssen uns etwas einfallen lassen, um die Soldaten am Tunneleingang im Keller abzulenken«, sagte Simon, während sie die Treppe hinunterliefen. »Sobald wir im Meer sind, musst du so schnell wie möglich nach oben. Wenn es nicht geht, gibst du mir ein Zeichen, und ich …«

»Au!«

Er war mit voller Wucht mit jemandem zusammengestoßen und gegen die Wand geprallt, sodass er beinahe das Gleichgewicht verloren hätte. Eine Hand griff nach seinem Sweatshirt. Zum Glück gelang es Simon, sich am Geländer festzuhalten, bevor sie beide die Treppe hinunterstürzten.

»Was …?«, begann er, doch als die andere Person sich aufgerichtet hatte, machte Simon große Augen. »Nolan! Was machst du denn hier?«

»Ich …« Sein Bruder zögerte und schaute zwischen ihm und Winter hin und her. »Ich habe versucht, deine blöde Maus zu finden. Was macht *ihr* hier?«

Nachdem er sich vergewissert hatte, dass außer ihnen niemand im Treppenhaus war, packte Simon Nolans

Arm und zog ihn Richtung Keller. Dort sah es ähnlich aus wie in den oberen Stockwerken, nur ohne die verspiegelten Gänge, und glücklicherweise waren dort kaum Sicherheitskräfte unterwegs. Simon zog seinen Bruder und Winter in eine Kammer, die voller alter Funkgeräte zu sein schien, machte die Tür zu und knipste das Licht an.

»Rhode will Mom umbringen«, sprudelte es aus ihm heraus.

Nolan blinzelte. Seine Wut vom Nachmittag schien er mit einem Schlag vergessen zu haben. »Was?«

So schnell er konnte, berichtete Simon die ganze Geschichte – oder zumindest so viel, wie er Nolan sagen konnte, der mit jeder Sekunde blasser wurde.

»Aber … sie dürfen Mom nichts tun«, sagte der panisch. »Das dürfen sie nicht! Sie hat nichts Böses getan.«

»Sie versorgt Orion mit Informationen. Für Rhode ist das genug.«

Nolan schob das Kinn vor und drehte sich zur Tür. »Das lassen wir nicht zu …«

Winter stellte sich vor ihn und versperrte ihm den Weg. »Was willst du tun, was Malcolm noch nicht versucht hat? Der General ist nicht bei Bewusstsein. Rhode hat die Führung übernommen.«

»Sie muss uns zuhören – uns allen!«, sagte Nolan und versuchte, sich an ihr vorbeizudrängen. Simon hielt ihn am Ellbogen fest.

»Sie wird uns nicht zuhören. Sie hält Winter und mich für Orions Spione.«

»Aber … das ist doch verrückt«, sagte Nolan und schüttelte seinen Arm frei. »Ihr seid keine Spione!«

Die Überzeugung in seiner Stimme überraschte Simon. Vermutlich war er so daran gewöhnt, mit seinem Bruder zu streiten, dass er angenommen hatte, Nolan würde nur das Schlechteste von ihm erwarten. »Wir wissen das, aber sie nicht«, sagte Simon. »Sie wollen Winter und mich festnehmen. Wir sind keine Spione, aber irgendjemand in der Stadt – jemand, der dem General und den Teilnehmern des Krisentreffens nahesteht – gibt geheime Informationen an Orion weiter. Deshalb wusste er auch, wo er den General und Jam angreifen konnte.«

Das Gesicht seines Zwillingsbruders verdunkelte sich, und lange Zeit sagte Nolan gar nichts. »Sie dürfen dich nicht verhaften.«

»Das werden sie aber, wenn Winter und ich nicht hier verschwinden«, sagte Simon. »Rhode hat gesagt, dass es hier unten Taucherausrüstungen gibt. Wir werden uns ein paar Sauerstoffflaschen ausleihen und an die Oberfläche schwimmen.« Die Lüge kratzte auf seiner Zunge wie Sandpapier, doch er wusste nicht, was er sonst sagen sollte. Jetzt war eindeutig nicht der richtige Zeitpunkt, um seinem Bruder zu offenbaren, dass er nicht der Einzige war, der über die Kräfte des Bestienkönigs verfügte.

»Wo wollt ihr hin?«, fragte Nolan.

»Wir warnen Mom und passen auf, dass niemand ihr etwas tut.« Wenigstens das war nicht gelogen.

»Weißt du, wo sie ist?«

Simon nickte. »Sie ist bei Orion und dem Schwarm. Ich werde mich hinschleichen.«

»Ich will mit«, sagte Nolan sofort. »Vielleicht kann ich helfen.«

Hinter Nolans Rücken schüttelte Winter wild den Kopf, und Simons Hoffnung, die Kammer ohne einen Streit verlassen zu können, verpuffte. Sie hatte recht. Nolan konnte nicht mitkommen, jedenfalls nicht, wenn Simon sein Geheimnis bewahren wollte. Wenn Nolan herausfand, dass Simon ebenfalls die Kräfte des Bestienkönigs geerbt hatte, wäre ihr Verhältnis wieder so schlecht wie am Anfang, da war sich Simon sicher. Sein Bruder war so stolz darauf, etwas Besonderes zu sein, dass Simon ihm dieses Gefühl nicht nehmen konnte. Jedenfalls nicht, solange es nicht unbedingt sein musste.

Aber was sollte er sagen? Dass es zu gefährlich war? Damit würde er ihn nur wütend machen, und sie hatten jetzt keine Zeit für Diskussionen. Hilflos öffnete er den Mund und schloss ihn wieder, weil er keine Antwort fand. Doch bevor ihm etwas einfiel, sprach Winter.

»Hier im Keller gibt es einen Tunnel, der ins Meer führt. Wenn du uns helfen willst, könntest du die Wachen ablenken, damit wir uns rausschleichen können«, sagte sie. Nolan wollte etwas einwenden, doch sie ließ ihn nicht zu Wort kommen. »Wenn Simon und ich nicht hier rauskommen, sperren sie uns wegen Hochverrats ein. Willst du das?«

»Ich ...« Nolan sah Simon an. »Ich will helfen. *Wirklich* helfen, nicht nur fünf Minuten lang den Kasper spielen.«

»Dann ... dann finde den Spion«, sagte Simon, dessen Gedanken sich überschlugen. So fühlte sein Bruder sich vielleicht nützlich, auch wenn er bezweifelte, dass es funktionieren würde. »Behalte alle im Auge. Achte darauf, ob jemand die anderen belauscht oder auffällig oft verschwindet oder so ... ich weiß auch nicht. Alles Mögliche. Ariana kennt sich damit gut aus. Wenn du sie darum bittest, wird sie dir helfen.«

Nolan dachte nach. »Ich denke, das kann ich machen«, murmelte er schließlich zu Simons Erleichterung. »Was soll ich tun, wenn ich ihn gefunden habe?«

»Sag Malcolm Bescheid. Aber mach nichts Gefährliches, okay?«

Nolan schnaubte empört. »He, *du* bist derjenige, der sich zu Orions Armee schleichen will!«

»Ja, aber ich bin ja auch nicht du«, sagte Simon bedeutungsvoll. »Du bist wichtiger. Also ... pass auf dich auf. Bitte.«

Nolan nickte zögernd. »Du auch. Und box Orion für mich in den Bauch.«

»Seid ihr zwei jetzt endlich fertig mit dem Bruderkram?«, fragte Winter gereizt. »Wir müssen los. Wenn sie nicht längst gemerkt haben, dass wir nicht auf unseren Zimmern sind …«

Plötzlich ertönten auf dem Gang eilige Schritte, und alle drei hielten den Atem an. Die Schritte stoppten direkt vor der Tür, und mit bis zum Hals klopfendem Herzen gab Simon den anderen ein Zeichen, sich hinter ein paar Kisten mit altem Funkzubehör zu verstecken.

»Simon?«, ertönte draußen eine leise Stimme. Die Tür öffnete sich einen Spalt, und Simon sprang aus seinem Versteck, als er den vertrauten blonden Haarschopf sah.

»Jam? Woher wusstest du, dass wir hier sind?«

Jam legte einen Finger auf die Lippen und zog behutsam die Tür zu. Als das Schloss eingeschnappt war, knipste er das Licht aus, sodass es mit einem Schlag stockdunkel war. »Ich hab das Licht unter der Tür gesehen. Ich hab mir gedacht, dass ihr versuchen würdet, abzuhauen, deshalb bin ich, so schnell ich konnte, in den Keller gerannt. Rhode denkt, ich wäre auf der Toilette.« Ein Knacken ertönte, und ein blauer Leuchtstab erschien in seinen Händen, der ein wenig Licht spendete. »Simon, was sie über deine Mom gesagt hat …«

»Sie will sie umbringen«, sagte er düster.

Jam verzog das Gesicht. »Ich weiß. Aber sie wird es nicht tun, das schwöre ich.«

»Das will ich auch hoffen«, knurrte Nolan drohend. »Wenn sie es versucht …«

»Sie hat gar nicht die Befugnis«, unterbrach Jam ihn hastig. »Wenn … wenn der General nicht überlebt …« Er schluckte. »Dann habe *ich* die Verantwortung, nicht sie. Und selbst wenn Rhode wirklich so dumm sein sollte, es zu versuchen, ist der Schwarm in höchster Alarmbereitschaft. Im Augenblick kann sie es nicht riskieren, Soldaten dorthin zu schicken, und wir haben auch keine Truppe übrig. Wir brauchen jeden einzelnen Kämpfer, um die Stadt zu verteidigen.«

»Wie wollt ihr das machen ohne ein Drittel eurer Armee, wenn ihr die Haie ausschließt?«, fragte Winter, bevor Nolan das Thema weiter vertiefen konnte. »Wollt ihr ein Quallengewaber auf sie hetzen?«

»Ein … was?«, fragte Jam.

»Na, du weißt schon. Ein Schwarm Aale, ein Rudel Seehunde, eine Schule Delfine, ein Gewaber Quallen.«

»So … nennt man eine Gruppe Quallen nicht«, sagte Jam langsam. »Man sagt Schwarm, nicht …«

»Glaubst du wirklich, das interessiert mich?«, fauchte Winter. »Was haben wir davon, zu fliehen, wenn du und alle anderen in der Stadt getötet werdet?«

»Werden wir nicht«, sagte Jam fest. »Ich habe eine Idee. Ich hab mal was in einem Buch gelesen …«

»War das ein Buch über militärische Strategien?«, fragte Winter zweifelnd.

»Nein«, gab Jam zu. »Es war ein Fantasy-Roman über den Angriff auf eine Stadt, aber ich glaube, die Taktik, die da beschrieben wurde, könnte auch bei uns funktionieren.«

»Können wir später darüber diskutieren?«, fragte Simon mit einem nervösen Blick zur Tür. »Wir müssen hier raus.«

Gemeinsam versammelten sie sich vor der Tür, und Simon öffnete sie einen Spalt und spähte den Gang entlang. »Alles frei«, flüsterte er.

»Zum Tunnel geht es den Gang runter und an der dritten Abzweigung nach links«, flüsterte Jam. »Auf der rechten Seite ist eine Tür, die vermutlich bewacht wird.«

»Ich gehe vor«, erklärte Nolan mutig. »Wenn sie mich sehen, renne ich los, und während sie mich verfolgen, könnt ihr entwischen.«

Einer nach dem anderen schob sich aus der Kammer und schlich den Gang entlang. Nie zuvor hatte Simon so deutlich das leise Summen der Belüftungsanlage wahrgenommen, die im gesamten Gebäude zu laufen schien. Es war nie richtig still. Simon spitzte die Ohren, ob Schritte zu hören waren, die nicht von ihnen stammten.

»Lass sie schon mal vorgehen«, flüsterte Jam und wurde langsamer. Verblüfft blieb Simon mit ihm zurück, bis sie mehrere Meter Abstand zu Winter und Nolan hatten.

»Was …?«, begann er, doch Jam legte ihm die Hand auf den Arm.

»Wir müssen zuerst den Kristall finden«, sagte er kaum hörbar. »Noch vor der Schlacht, bevor Orion Zeit hat, danach zu suchen.«

Simon runzelte die Stirn. »Der blöde Kristall ist im Augenblick doch völlig egal.«

»Nein, ist er nicht«, widersprach Jam. »Wenn wir ihn finden, hat Rhode keinen Grund mehr, deine Mutter zu … neutralisieren. Ich habe die Verantwortung für den Kristall. Wenn sie ihn gesehen hat, kann ich ihn dir zurückgeben. Niemand wird wissen, dass du ihn hast, auch Orion nicht.«

Simon zögerte. Jam hatte recht. Obwohl er unbedingt zu seiner Mutter wollte, um sie zu warnen, bevor ihr etwas geschah, würde es nur ein vorübergehender Aufschub sein. Und in Orions Gewahrsam war sie in Sicherheit, wenigstens im Augenblick. »Aber wir wissen doch gar nicht, wo er ist«, wandte er ein.

»Ich weiß, wo er ist. Und du auch.«

Simon runzelte die Stirn. »Wie bitte?«

»Du hast doch einen Stein aus dem Krakengarten mitgenommen, erinnerst du dich?«

Simon griff in die Hosentasche und holte ihn heraus. »Ich habe ganz vergessen, ihn Winter zu geben.«

»Ein Glück, denn ich glaube, dass er unsere einzige Chance ist, den Kristall zurückzubekommen«, sagte Jam, während sie weiter den Gang entlangschlichen. »Der Krake, den du vorhin gesehen hast – ich glaube, es war derselbe. Sie sind Einzelgänger, und wir waren in Gordons Gebiet.«

»Gordon?«

»Der Krake«, sagte Jam geduldig und schob seine Brille hoch. »Er kann es nicht ausstehen, wenn jemand an seine Schätze geht. Es würde mich nicht wundern, wenn er uns gefolgt ist.«

Simon stöhnte innerlich. Die ganze Aufregung nur wegen eines blöden Tintenfischs? »Was machen wir jetzt? Ihm den Stein zurückbringen und hoffen, dass er uns dafür den Kristall gibt?«

Jam zuckte die Schultern. »Ich wüsste nicht, warum er es nicht tun sollte. Er ist ziemlich vernünftig.«

»Er hat uns Tinte in die Augen gespritzt!«

»Er hat uns das Leben gerettet«, widersprach Jam. »Ohne ihn hätten die Haie gewonnen.«

Simon betastete die Socke, die Winter ihm über die Rippen geklebt hatte. »Also, was schlägst du vor? Sollen wir ihn suchen, uns entschuldigen und hoffen, dass er uns den Kristall …«

»Lassen Sie mich los!«

Winters Kreischen hallte durch den Gang, und Jam zog Simon mit solcher Kraft in einen Seitengang, dass sie gegeneinanderprallten. Simon flüsterte eine Entschuldigung und spähte vorsichtig um die Ecke. Ein Soldat hatte Winter den Arm auf den Rücken gedreht und hielt sie fest, während ein anderer Soldat Nolan am Kragen packte. Der erste sprach etwas in seinen Ärmel.

»Wir haben Simon Thorn und Winter Rivera gefunden«, sagte er. »Im Untergeschoss.«

Simons Puls ging schneller. Die Soldaten verwechselten ihn mit Nolan. Aber Winter musste mit nach draußen. Sie durften sie nicht festnehmen.

»Was erlauben Sie sich? Lassen ... Sie ... mich ... los!«, fauchte Nolan und versuchte, sich aus dem Griff des Soldaten zu befreien.

»Admiral Rhode hat angeordnet, dass ihr beide in Sicherheitsverwahrung kommt«, sagte der Soldat. »Wenn ihr euch ruhig verhaltet und unsere Befehle befolgt, macht es das leichter für uns alle.«

»Ich ...«, wollte Nolan widersprechen, doch in diesem Augenblick begegneten sich ihre Blicke – Simons, der am Boden kauerte, nicht ganz hinter der Ecke verborgen, und Nolans, der von einem Soldaten, der etwa doppelt so groß war wie er, festgehalten wurde. Nolan musste ihnen nur sagen, wer er war, und er wäre frei.

Doch stattdessen straffte er die Schultern, zog die Augenbrauen zusammen und drehte sich zu den Soldaten um. »Ich komme nur mit, wenn Sie uns loslassen«, sagte er bestimmter, als Simon es je hinbekommen hätte, doch das wussten die Soldaten glücklicherweise nicht.

»Wenn du versuchst abzuhauen, binde ich dich an allen vieren zusammen und werfe dich über die Schulter, Bürschchen«, drohte der Soldat, bevor er seinem Partner zunickte. Sie ließen Nolan und Winter los. »Und jetzt kommt. Wir haben schon ein gemütliches Zimmer für euch vorbereitet.«

Simon sah hilflos mit an, wie die vier in die entgegengesetzte Richtung zu den Fahrstühlen liefen. Es würde nicht lange dauern, bis jemand merkte, dass sie Nolan und nicht ihn gefangen hatten, aber mit etwas Glück hatten Jam und er bis dahin genug Zeit, um das Gebäude zu verlassen. Er wollte Winter nicht zurücklassen, aber so, wie die Dinge lagen, blieb ihm nichts anderes übrig.

»Simon?«, flüsterte Jam und versuchte, ihm über die Schulter zu spähen. »Was ist …«

»Ah, da seid ihr ja!«

Eisige Panik lief Simon den Rücken hinunter, und er drehte sich langsam und mit hämmerndem Herzen um.

Direkt hinter ihnen stand, mit verschränkten Armen und zornig blitzenden blauen Augen, Rhode.

VIERZEHNTES KAPITEL

Wespennest

»Wie lautet deine Entschuldigung diesmal?«, fragte Rhode. »Willst du mir wieder weismachen, du hättest deine Maus gesucht?«

Simon öffnete den Mund, doch es kam nichts heraus. Ein Dutzend Ausreden schoss ihm durch den Kopf, eine schlechter als die andere, doch es spielte ohnehin keine Rolle – selbst die beste Ausrede würde nicht darüber hinwegtäuschen, dass Jam und er nur aus einem einzigen Grund hier waren.

»Wovon sprichst du?«, fragte Jam, ohne zu zögern. Er stand auf, als täten sie nichts weiter Verdächtiges, und zog Simon mit sich hoch. »Das ist Nolan. Deine Aufpasser haben Simon gerade verhaftet.«

Rhode holte ein paar Kabelbinder aus ihrer Uniformtasche. »Wenn du darauf bestehst, deine Vorgesetzte anzulügen, Soldat, bleibt mir nichts anderes übrig, als dich auch zu verhaften.«

»Aber er lügt nicht«, protestierte Simon. »Ich bin wirklich Nolan …«

»Ich habe dich vor einer halben Stunde gesehen.« Mit einer flinken Bewegung ergriff sie Simons Handgelenke und fesselte sie mit dem Kabelbinder. »Das nächste Mal, wenn du dich als dein Zwillingsbruder ausgeben willst, sei so vernünftig und zieh dir was anderes an.«

»Rhode, du verstehst nicht …«, begann Jam.

»Was verstehe ich nicht?«, fragte sie und drehte sich mit einem weiteren Kabelbinder zu ihrem Bruder um. »Ich verstehe nicht, dass du mit einem feindlichen Spion zusammenarbeitest, um ihm zur Flucht zu verhelfen?«

»Er ist kein Spion«, sagte Jam heftig, genau als Simon rief: »Ich bin kein Spion!«

Sie blickte zwischen ihnen hin und her. »Darüber wird das Gericht entscheiden. Und jetzt, Soldat, sei so gut und mach keinen Aufstand, das erspart uns beiden eine Menge Probleme.«

Jam ballte die Fäuste. »Wenn du Simon fesselst, musst du mich auch fesseln.«

Rhode verzog gereizt das Gesicht und griff nach seinen Händen. »Na schön, wenn du darauf …«

Es ging so schnell, dass Simon nicht sagen konnte, wie es geschah. Im einen Augenblick zog sie das feste schmale Plastikband über Jams Handgelenke, im nächsten machte Jam einen Satz nach vorn und stieß sie gegen die Wand. Sein Oberkörper versperrte Simon die Sicht, doch Rhode stieß einen Schrei aus, und als Jam wieder zurückwich, waren ihre Hände gefesselt, nicht seine.

»Das ist Hochverrat!«, schrie sie und stürzte auf sie zu. »Wachen!«

Jam wich seiner Schwester aus und streckte ein Bein vor. Sie stolperte, schlug der Länge nach auf den Boden, und Jam setzte sich augenblicklich auf ihren Rücken. »Lauf, Simon!«, rief er, während seine Schwester unter ihm zappelte.

Das ließ sich Simon nicht zweimal sagen. Er warf Jam einen dankbaren Blick zu und rannte den Gang hinunter. Schon nach wenigen Sekunden schienen aus allen Richtungen Schreie von Soldaten zu kommen, die hinter ihm herrannten, und schwer atmend stürzte er in eine Kammer voller Putzmittel. Der Kabelbinder schnitt ihm in die Handgelenke, doch er nahm den Schmerz kaum wahr. Was sollte er jetzt tun? Er saß fest. Selbst wenn er einen Weg fand, an den Wachen am Kellerausgang vorbeizukommen, würden sie zweifellos den ganzen Tunnel durchsuchen und möglicherweise auch Wachen am Ausgang postieren.

Aber welche anderen Möglichkeiten blieben ihm? Sich wieder in eine rote Krabbe zu verwandeln und zu hoffen, dass jemand an der Anlegestelle ihn bemerkte? Das würde zu lange dauern. Der einzige andere Weg, den er kannte, führte durchs Planetarium. So spät in der Nacht würde er wahrscheinlich nicht bewacht sein. Wenn er es aus dem Gebäude schaffte, dann ...

Beim Gedanken an Al und Floyd wurde ihm zwar schlecht, doch er hatte keine andere Wahl. Vielleicht waren sie ja auch gar nicht da. Oder sie erinnerten sich an ihn. Vielleicht aber auch nicht. Dann würde er als mickriger Mitternachtssnack für zwei Weiße Haie enden.

Aber das Risiko musste er eingehen.

Schritte ertönten auf dem Betonboden vor der Kammer, und Simon hörte, wie die Soldaten Türen aufrissen. Ihm blieben nur noch Sekunden. Zusammengekauert unter Wischmopps und Putzlappen kniff er die Augen zusammen und animagierte zur Fliege. Er konnte nur hoffen, dass die Verwandlung abgeschlossen war, bevor sie hereinkamen.

Er schaffte es mit einem Vorsprung von Millisekunden. Gerade als sich die Tür öffnete, fiel der Kabelbinder auf den Boden und die Kammer um ihn herum verwandelte sich in ein Kaleidoskop aus Bildern, die ihm einen Rundumblick ermöglichten. Die Soldaten kamen in den engen Raum und durchsuchten jeden Winkel, sogar unter den niedrigen Metallregalen. Simon hielt mucksmäuschenstill.

»Hier ist nichts«, erklärte schließlich einer von ihnen, und als sie die Kammer verließen, krabbelte Simon hinter ihnen durch die Tür und flog den Gang entlang Richtung Treppe.

Im ganzen Keller schwirrten Soldaten herum. Es mussten Dutzende sein. Sie durchsuchten jede Kammer und jeden Winkel. Da Simon nicht wusste, ob es in Atlantis überhaupt Insekten gab, flog er so unauffällig wie möglich von Ecke zu Ecke. Er machte jedoch einen kurzen Abstecher zu der Stelle, an der Rhode sie geschnappt hatte.

Jam saß an der Wand, mit gefesselten Händen, aber mit einem Lächeln auf den Lippen. Simon überlegte kurz, ob er ihm ein Zeichen geben sollte, dass er in Sicherheit war, doch dann entschied er sich dagegen und flog weiter. Wenn er Jam helfen wollte, machte er sich am besten schleunigst auf die Suche nach dem Kristall und bewies seine und Jams Unschuld.

Der Flug über die Treppe und durch das Erdgeschoss war vergleichsweise leicht. Die meisten Soldaten schienen unten im Keller zu sein, am Ausgang dagegen waren nur wenige Wachen stationiert. Schon nach kurzer Zeit hatte Simon das Gebäude verlassen und flog über den Pazifikweg.

Die Straßen von Atlantis wiederum waren voll von Soldaten, die zum Rand der Kuppel marschierten. Männer, Frauen – sogar einige Jugendliche, die nicht viel älter aussahen als Simon. Die ganze Stadt war auf den Beinen, und Angst schnürte Simon die Kehle zu, als er in die grimmigen Gesichter sah. Wie viele von ihnen würden wieder zurückkommen?

Doch darüber durfte er sich jetzt keine Gedanken machen. Er schob Reue und Gewissensbisse beiseite und flog, so schnell es mit den winzigen Flügeln ging, zum Planetarium. Trotz der Menschenmassen in den Straßen lag es verlassen da, und Simon konnte problemlos durch einen Spalt unter einer Tür kriechen. Als er das Ende der steilen Höhle erreicht hatte, die zum Seesterntunnel führte, verwandelte er sich in einen Delfin und tauchte ins Wasser. Aufgrund des Schlafmangels, der Verletzungen und der Anstrengungen der letzten Stunden war er völlig erschöpft, doch er schwamm, so zielstrebig er konnte, zum Ausgang. Wenn er den Kristall schnell genug fand, konnte er ihn zu Jam bringen und noch vor Morgengrauen wieder hinausschwimmen, um seine Mutter zu warnen. Er musste einfach immer weitermachen, nur nicht aufgeben!

Kaum war er durch die zweite Luke geschwommen, entdeckte er zwei große Schatten vor dem Ausgang des Seesterntunnels. Sein Herz begann zu rasen, und sein Magen zog sich zusammen. Al und Floyd.

»Hi, Leute«, sagte er, während sich die Luke hinter

ihm schloss. »Kennt ihr mich noch? Ich bin ein Freund von Jam. Von Benjamin Fluke, dem Sohn des Generals.«

Die Haie umkreisten ihn. Irgendwie wirkten sie noch größer als bei ihrer letzten Begegnung. »Ich kann mich an keinen Freund erinnern. Du?«, fragte der größere.

»Nicht dass ich wüsste«, erwiderte der zweite. Er war kleiner, hatte aber mindestens ebenso viele Zähne wie der erste. »Ich kann mich auch nicht erinnern, wann wir das letzte Mal was gegessen haben, und Delfin hört sich gerade verdammt gut an.«

»Verletzter Delfin«, korrigierte Al und schnupperte im Wasser. »Nicht ganz frisch, aber sollte gehen.«

»Halt!«, rief Simon verzweifelt, als die beiden näher kamen. »Ich bin ein Animox. Jam – ihr kennt doch Jam – ist mein Freund. Ihr dürft mich nicht fressen!«

»Er muss ja nichts davon erfahren«, sagte Al. »Ich werd's ihm nicht verraten. Du, Floyd?«

»Verraten? Was?«, fragte der Kleinere mit einem teuflischen Kichern.

Panik ergriff Simon, und ohne nachzudenken, schoss er an den Weißen Haien vorbei in Richtung Oberfläche. Wenn er es nach oben schaffte, konnte er sich in einen Vogel verwandeln und wegfliegen, doch solange er im Meer war, solange er blutete und die Haie ihn riechen konnten …

»He, wo willst du denn hin?« Al rammte ihn von der

Seite und brachte ihn vom Kurs ab. In Simons Oberkörper explodierte der Schmerz, und er trudelte im Kreis, bis er nicht mehr wusste, wo oben und wo unten war.

»Ich weiß, wohin er will. Ins Paradies«, sagte Floyd, packte Simon an der Schwanzflosse und schleuderte ihn zurück zu Al. Seine scharfen Zähne drangen in Simons Delfinhaut, wenn auch nicht sehr tief. Sie spielten mit ihm.

Er musste sich in einen Orca verwandeln und sie verjagen. Niemand würde ihnen glauben, wenn sie es weitererzählten, und selbst wenn, im Augenblick war es Simon egal. Wenn er nichts unternahm, würden die Haie ihn fressen. Seine Optionen waren also begrenzt.

»Ich gebe euch eine letzte Chance, mich gehen zu lassen«, sagte er, während er in Gedanken das Bild eines Orcas heraufbeschwor. »Wenn nicht, dann ...«

Sterne tanzten vor seinen Augen, als Floyds Schwanz gegen seinen Kopf schlug. Benommen und orientierungslos trieb Simon im Wasser, ohne sich bewegen zu können, seine Gedanken wirbelten durcheinander und der Schmerz schien in alle Richtungen aus ihm hinauszuströmen.

»Mahlzeit!«, rief Al. Seltsamerweise klang seine Stimme weit weg. Simon sah nur noch wie durch einen schmalen Tunnel, und irgendwie war er sogar erleichtert, dass es endlich vorbei war. Die Haie würden ihn fressen, und niemand würde je erfahren, was mit ihm passiert war. Orion würde die Teile des Greifstabs finden und die Waffe zusammensetzen. Er würde seine Familie und seine Freunde nie mehr wiedersehen. Und sie würden niemals erfahren, wie sehr er sie liebte und wie leid es ihm tat, dass er das alles nicht hatte verhindern können.

Während er zu den wartenden Haien hinabsank, war das Letzte, was er zu sehen glaubte, eine riesige Silhouette, die durch das offene Meer glitt und geradewegs auf ihn zusteuerte. Während sein Bewusstsein sich verabschiedete, hätte er schwören können, dass sie seinen Namen rief.

»Simon!«

»Simon? Simon! *Simon.*«

Sein Kopf fühlte sich an, als hätte jemand mit dem Hammer dagegen geschlagen, und er verzog das Gesicht und presste die Hände gegen die Schläfen. Vage wurde ihm klar, dass er sich zu irgendeinem Zeitpunkt in einen Menschen verwandelt haben musste, ohne es bemerkt zu haben. »Was ...?«

»Er ist wach«, sagte eine vertraute Frauenstimme. Simon öffnete die Augen, doch er konnte nur verschwommene Farbkleckse erkennen, die nach gar nichts aussahen, schon gar nicht nach etwas Vertrautem.

»Das wurde aber auch Zeit«, antwortete eine raue Stimme – männlich und unbekannt. »Ich habe doch gesagt, dass du das Riechsalz nehmen sollst, Zia.«

Zia Stone. Simons Gedanken schwammen durch seinen Kopf, und er versuchte, sich aufzusetzen. Doch das verstärkte die Schmerzen nur. Er stöhnte.

»Beweg dich am besten so wenig wie möglich«, riet sie, und er spürte eine Hand auf seiner Schulter. »Die Haie haben ein paar ziemlich gute Treffer gelandet. Du wirst sicher noch eine Weile Schmerzen haben. Aber glücklicherweise keine bleibenden Schäden.«

»Wo …?«, brachte er heraus. Zias Gesicht wurde langsam klarer. Sie saß auf der Kante des Sofas, auf dem er lag, und zwischen ihren Augenbrauen befand sich eine besorgte Falte.

»Du bist in Sicherheit, Simon, versprochen. Es war knapp, aber wir haben dich glücklicherweise gefunden, bevor diese Rüpel mit dir fertig waren«, sagte sie. Das Licht war gedämpft, und Simon konnte das leichte Platschen von Wasser gegen einen Rumpf hören. Langsam wurde ihm klar, dass das Schaukeln von Wellen kommen musste, nicht aus seinem Kopf.

Sie waren auf einem Boot.

Diesmal setzte Simon sich trotz der Hand auf seiner Schulter auf. Eine Welle aus Schmerz und Schwindel überkam ihn, doch obwohl die Welt um ihn herum schwankte, weigerte er sich, sich wieder hinzulegen. »Mom«, keuchte er. »Sie ... Rhode will sie ...«

»Admiral Rhode wird deiner Mutter nichts tun.« Das war wieder die raue Stimme. Simon drehte den Kopf. Ein schlanker Mann mit grauen Haaren und gebräunter Haut saß an der Wand und sah ihn an. »Wir lassen sie beobachten. Wenn irgendjemand versucht, sich deiner Mutter zu nähern, wird er den Morgen nicht erleben.«

Simon seufzte erleichtert auf. Es war immer noch Nacht, und das bedeutete, dass Orion möglicherweise noch nicht angegriffen hatte. Doch seine Erleichterung wich schnell der Erkenntnis, dass er keine Ahnung hatte, wer dieser Mann war, wo er selbst war oder was sie hier machten. »Wer ...?«

»Simon!« Die Tür sprang auf, und Winter stürmte herein. Sie schubste Zia regelrecht beiseite und umarmte ihn fest. »Felix hat mir gesagt, dass du hier bist, aber sie wollten mich nicht zu dir lassen.«

»Felix?« Ein stechender Schmerz ging von der Bisswunde an seiner Seite aus, doch er ignorierte ihn. »Er ist ...«

»Ich bin hier!«, piepste eine wohlbekannte Stimme. Flink wie eh und je sprang Felix aus Winters Tasche auf Simons Kissen. Überwältigt vor Freude nahm er ihn auf die Hand und untersuchte ihn nach Anzeichen von Verletzungen.

»Ich dachte, du wärst gefressen worden«, sagte Simon und drückte ihn an seine Wange. Felix schnaubte verächtlich, sträubte sich aber nicht.

»Das war meine Schuld, fürchte ich«, sagte der unbekannte Mann. Er setzte sich aufrechter hin und schob unter seiner abgewetzten Lederjacke die schmalen Schultern zurück. »Ich habe deinen kleinen Freund entführt.«

»Und Zia und Crocker haben mich aus Atlantis geholt. Mit Taucherausrüstung und allem Drum und Dran«, erklärte Winter. Sie hatte die Arme verschränkt und stand zwischen Simon und dem Fremden. »Erst hielt ich die Aktion für gut, bis sie mich hierhergebracht haben. Er will mir nicht verraten, wer er ist.«

»Ich bin niemand, den ihr fürchten müsst«, sagte der Mann. »Ich werde euch nichts tun. Und auch sonst niemand auf diesem Boot.«

»Crocker ist an Deck«, sagte Felix, hüpfte auf Simons Schulter und glättete sich die Barthaare. »Er beäugt mich die ganze Zeit wie ein saftiges Wurstbrot.«

»Das ist doch lächerlich«, protestierte Zia, die immer noch auf der Sofakante saß. »Crocker ist Vegetarier!«

Simon erhob sich, so schnell sein hämmernder Kopf es zuließ, doch selbst das war zu schnell. Der Raum drehte sich, und er schwankte. Zia streckte einen Arm aus, um ihn zu stützen.

»Wo sind wir?«, fragte er, diesmal eindringlicher.

»In Sicherheit«, wiederholte sie. »Aber wenn du weiter so rumturnst, reißt du dir die Nähte wieder auf und verblutest, also tu uns beiden einen Gefallen und ruinier nicht mein Handwerk.«

Simon war ziemlich sicher, dass sie übertrieb, trotzdem setzte er sich gehorsam. Er zog sein T-Shirt hoch und betrachtete den frischen Verband an seiner Seite. An seinem Bein spürte er ebenfalls eine Bandage. »Bist du unverletzt?«, fragte er Winter.

Sie nickte. »Nur traumatisiert fürs Leben. Du hättest sehen sollen, wie Zia die Soldaten fertiggemacht hat.«

Der Mann hob eine Augenbraue. »Ich entschuldige mich für die Taktik, die mein Team und ich anwenden mussten, aber es war nötig, um euch in Sicherheit zu bringen. Wir wussten nicht, ob Atlantis von Orion oder Celeste infiltriert worden war.«

»Sie …« Simon starrte den Mann an. Er hatte etwas seltsam Vertrautes an sich, und doch war Simon sicher, ihn noch nie zuvor gesehen zu haben. Es war, als würde er ihn an jemanden erinnern, aber er konnte nicht sagen, an wen. »Wer *sind* Sie?«

»Ich dachte schon, du fragst nie.« Mit einem grimmigen Lächeln erhob er sich. »Ich bin Leo Thorn. Dein Großvater.«

FÜNFZEHNTES KAPITEL

Das Erbe des Bestienkönigs

Diesmal hatte es nichts mit Simons Kopfschmerzen zu tun, dass der Raum sich drehte. Von allen Dingen, die der Mann hätte sagen können, war dies das Letzte, was er erwartet hätte.

»Mein ... Großvater?«, wiederholte er verdattert. »Aber ... ich habe doch schon einen Großvater. Orion.«

»Jeder Mensch hat zwei Großväter«, sagte Leo Thorn. Auf seinem faltigen Gesicht erschien ein schwaches Lächeln. »Ich bin der Gute. Dein Vater Luke war mein Sohn.«

Sprachlos starrte Simon ihn an. Jetzt, da er es wusste, war die Ähnlichkeit zwischen dem einzigen Bild, das er je von seinem Vater gesehen hatte, und dem Mann, der mit den Händen in den Taschen vor ihm stand und darauf wartete, dass er etwas sagte, nicht zu übersehen.

Er konnte sich sogar selbst in dem Mann wiedererkennen – sie hatten dieselbe Augenfarbe, und seine gerunzelte Stirn erinnerte ihn stark an Nolan. Und wohl auch an sich selbst.

»Sie … Sie sind wirklich der Vater von meinem Dad?«, fragte er.

Der Mann nickte. »Wirklich. Keine Tricks.« Trotz seiner Schroffheit glänzten seine Augen, und er streckte die Hand aus, um Simons Wange zu berühren. Instinktiv wich Simon zurück, und Leo ließ die Hand sinken. »Du weißt nicht, wie lange ich auf diesen Tag gewartet habe, Simon. Ich kann dir gar nicht sagen, wie froh ich bin, dich endlich kennenzulernen.«

»Ich …« Simon sah ihn hilflos an. Ein Dutzend unterschiedliche Gefühle schossen ihm gleichzeitig durch den Kopf, so durcheinander, dass es ihn richtig benommen machte. Ein Großvater. Er hatte noch einen Großvater. »Ich dachte, du wärst tot«, platzte er heraus, obwohl das nicht ganz richtig war. Um ehrlich zu sein, hatte er nie groß über seinen Großvater väterlicherseits nachgedacht. Sein Vater, Luke Thorn, war etwa zu der Zeit gestorben, als Simon und Nolan zur Welt gekommen waren, und er hatte nie viel über ihn erfahren. Simons Taschenuhr hatte ihm einmal gehört, aber das war das einzige Andenken, das er von seinem Vater hatte. Niemand hatte je seinen Großvater erwähnt.

Zu seiner Überraschung nickte Leo zufrieden. »Gut. Das sollen ja auch alle denken. Es ist besser so, aus Gründen, die du leicht erraten kannst.«

Winter stöhnte auf. »Es gibt noch einen?«

»Noch einen was?«, fragte Simon. Sie warf ihm einen ungläubigen Blick zu.

»Denk doch mal nach. Was war noch gleich das Besondere an deiner Familie?«

Oh. *Oh*. Simon sah Leo wieder an und suchte nach einem Hinweis auf … Er wusste selbst nicht, worauf. »Du kannst es auch? Wie … wie …«

»Wie du?«, fragte Leo mit einem liebevollen Lächeln.

Simon wurde schlecht. Er wusste es. Leo Thorn – und vermutlich auch jeder andere in diesem Boot – wusste, dass Simon die Kräfte des Bestienkönigs geerbt hatte.

Sein Gesicht schien sein Entsetzen zu spiegeln, denn Leo ging vor ihm in die Hocke, sodass sie Auge in Auge waren, auch wenn er nicht wieder den Versuch machte, ihn zu berühren. »Hab keine Angst«, sagte er leise. »Wir sind die Guten.«

»Niemand, der ›Wir sind die Guten‹ sagt, ist *jemals* einer der Guten«, bemerkte Winter. Sie baute sich drohend vor Leo auf, als wäre sie bereit, sich beim geringsten Anlass auf ihn zu stürzen, und Simon schwankte zwischen Dankbarkeit für ihre Fürsorge und Entsetzen, dass sein Geheimnis ans Licht gekommen war.

»Normalerweise behalte ich es für mich«, sagte Leo und sah Simon an. »Aber nach allem, was du durchgemacht hast, wollte ich von Anfang an offen zu dir sein.« Er zog ein zerknittertes Foto aus der Hosentasche und reichte es Simon. »Hier. Das ist der einzige Beweis, den ich im Augenblick habe.«

Simon nahm das Foto. Darauf waren Leo und seine Mutter zu sehen, die lächelnd auf einem Boot standen. Der Himmel hinter ihnen war blau, und seine Mutter sah nicht so aus, als würde sie gefangen gehalten.

»Das Bild wurde vor etwa acht Monaten aufgenommen, in Key West«, erklärte Leo. »Ich kann dir versprechen, dass sich seitdem nichts zwischen uns geändert hat. Wir sitzen im selben Boot. Wir wollen alle das Gleiche.«

Simon hob ruckartig den Kopf. »Was?«

»Die Teile des Greifstabs. Du hast doch nicht geglaubt, deine Mutter würde allein arbeiten?«

Simons Mund wurde trocken, und einen langen Moment sagte er gar nichts. Er fing Winters Blick auf, die kaum merklich den Kopf schüttelte.

Sie hatte recht. Leo konnte ihn täuschen. Ein Foto bewies gar nichts. Selbst wenn seine Mutter mit ihm zusammenarbeitete, musste es einen Grund geben, warum sie Simon nichts von seinem Großvater erzählt hatte. Und was auch immer dieser Grund war, Simon durfte niemandem vertrauen, bis er ganz sicher war.

»Ich weiß nicht, wovon du redest«, sagte er. Die Worte klebten in seinem Mund wie Erdnussbutter.

»Es ist in Ordnung, wenn du nicht darüber sprechen willst«, sagte Leo und stand auf. »Aber du musst wissen, dass wir alle dasselbe wollen – aus denselben Gründen.«

»Das haben wir dir doch schon einmal bewiesen«, sagte Zia. »In Paradise Valley, schon vergessen?«

Simon runzelte die Stirn. Er hatte die ganze Zeit vermutet, dass Zia mehr wusste, als sie ihm sagte. Offensichtlich hatte er recht gehabt. Und Crocker – Crocker hatte dafür gesorgt, dass er mit dem Teil der Reptilien davongekommen war. Er hatte den gesamten Reptilienrat angelogen, um Simon zu schützen.

»Du musst keine Entscheidung treffen, wie du zu uns stehst, weder jetzt noch später«, sagte Leo und schob die Hände wieder in die Taschen. »Aber unsere Familie bereitet sich seit sehr langer Zeit auf diesen Moment vor. Es ist unser gemeinsames Ziel, den Greifstab zu vernichten, und ich werde alles tun, was in meiner Macht steht, damit es dir gelingt.«

»Warum ich?«, fragte Simon mit krächzender Stimme. »Ich verstehe das nicht ... Warum nicht Mom oder irgendjemand anders?«

Das schwache Lächeln kehrte zurück. »Deine Mutter stand unter ständiger Beobachtung durch Celeste, bevor

Orion sie entführt hat. Du dagegen ... Deine Mutter vertraut dir, und ich vertraue deiner Mutter.«

»Das ist alles?«, fragte Simon. »Das ist der Grund, warum ihr mich das alles durchmachen lasst?«

»Es war die Entscheidung deiner Mutter, nicht meine. Aber zu ihrer Verteidigung: Wir hatten alle erwartet, dass du zum entscheidenden Zeitpunkt älter sein würdest«, fügte er entschuldigend hinzu. »Ich will dir einfach nur helfen, so gut ich kann.«

»Dann lassen Sie uns frei«, sagte Winter wütend. »Sie können uns nicht hier festhalten und behaupten, Sie würden uns helfen.«

»In Atlantis ist es im Augenblick zu unsicher. Außerdem würde man euch dort sofort verhaften«, sagte Zia und wippte auf den Ballen auf und ab. Simon hatte nie zuvor erlebt, dass sie nervös war, doch ihr angespanntes Gesicht verriet, dass sie sich eher den eigenen Arm abbeißen würde, als Simon und Winter zurück ins Unterwasserreich zu lassen. »Ein Strafprozess ist kein Witz. Wer alt genug ist, um zu animagieren, ist im Reich des Generals auch alt genug, um eines Verbrechens angeklagt und verurteilt zu werden. Für jede Form des Verrats droht die Todesstrafe.«

»Das Risiko muss ich eingehen«, sagte Simon düster. »Ich bin kein Spion. Ich muss ...«

Er unterbrach sich abrupt. Sie wussten es ja ohnehin

schon, aber er wollte es nicht auch noch bestätigen. Winter und er waren ihnen ausgeliefert, und sie hatten in letzter Zeit nicht gerade viel Glück mit Erwachsenen gehabt. Egal wie sehr Simon sich Hilfe wünschte – Hilfe *brauchte* –, er durfte niemandem vertrauen. Schon gar nicht jemandem wie Leo.

»Es ist in Ordnung«, sagte sein Großvater sanft. »Eines Tages wirst du mir glauben. Wir haben uns gerade erst kennengelernt. Darryl und deine Mutter haben gut daran getan, dir beizubringen, keinem Fremden zu trauen.«

»Du … du kanntest Darryl?«, fragte Simon. Seine Stimme brach beim Namen seines Onkels.

»Wir alle kannten ihn. Er war einer von uns.« Leo öffnete eine quietschende Schreibtischschublade und nahm ein Buch heraus. Zwischen den Seiten zog er vorsichtig ein weiteres Foto hervor. Es war älter, aber unversehrt. Er reichte es Simon beinahe andächtig, und Simon nahm es, wobei er darauf achtete, keine Fingerabdrücke auf dem glänzenden Papier zu hinterlassen.

Er brauchte einen Augenblick, um zu verstehen, was er da sah, doch als es ihm klar geworden war, traf es ihn wie ein Schlag in die Magengrube. Sein Onkel, jünger, als er ihn gekannt hatte, und ohne die Narbe auf der Wange, hatte den Arm um einen anderen jungen Mann gelegt – Luke, Simons Vater. Sie lachten jemanden an, den Simon nicht sehen konnte, und am Rand des Bildes, nur im Profil zu sehen, war ein jüngerer Leo.

»Es war alles meine Schuld«, sagte Leo. »Ich hätte Celeste niemals vertrauen dürfen, aber sie war wie eine Schwester für mich. Seit der Niederlage des Bestienkönigs haben die Alpha-Familien seine Nachfahren beschützt und wie ihre eigenen Kinder aufgezogen. Wir sind nicht blutsverwandt, aber ich bin als ihr Bruder aufgewachsen. Ich habe sie mehr geliebt als irgendjemanden sonst auf der Welt. Ich dachte, sie wäre auf meiner Seite, aber dann ...« Ein Muskel in seinem Kiefer zuckte. »Ich wollte ihr helfen, die Teile des Greifstabs zu finden. Sie hat jedes bisschen an Informationen aus mir herausgequetscht – doch als dein Vater getötet wurde, hat sie, statt mir zu helfen, die Informationen gegen mich verwendet. Gegen uns. Gegen deine Mutter, gegen deinen Bruder, gegen dich ...«

»Es war nicht deine Schuld«, sagte Zia. »Du konntest nicht wissen, dass sie in Wahrheit so nützlich war wie ein zahnloser Piranha.«

Winter verschränkte die Arme und sah Zia misstrauisch an. »Ich verstehe ja, warum Crocker hier mitmischt, schließlich ist er im Reptilienrat und so weiter, aber was haben *Sie* eigentlich mit der ganzen Sache zu tun?«

Zia zeigte lässig auf Leo. »Er ist mein Dad. Und was hast *du* mit der ganzen Sache zu tun?«

»*Er* ist mein Freund«, sagte Winter unbeeindruckt und zeigte auf Simon. »Es ist mir egal, dass Sie verwandt sind. Wenn Sie ihn haben wollen, bekommen Sie es mit mir zu tun.«

Verwandt. Mit einem Schlag fügte Simon die Puzzleteile zusammen. Zia Stone war die Schwester seines Vaters. Seine Tante. Simons Kopf drehte sich schon wieder, und er drückte die Hände an die Stirn. Das war alles zu viel auf einmal – herauszufinden, dass es noch einen ganzen Zweig seiner Familie gab, von dem er nichts gewusst hatte, dass es noch einen Bestienkönig gab, der gesund und munter und ebenfalls auf der Suche nach den Teilen des Greifstabs war, und dass alles noch viel komplizierter war, als er je vermutet hatte. Es war mehr, als er im Augenblick verarbeiten konnte, und mit seinem brummenden Schädel versuchte er es nicht einmal.

»Ich muss zurück«, sagte er. »Lasst mich runter vom Boot.«

»Hast du vergessen, dass du nicht nur von Haien angegriffen worden bist, sondern dass das ganze Unterwasserreich dich für einen Spion hält?«, fragte Zia und setzte sich wieder neben ihn. »Hier bist du in Sicherheit. Wenn du zurückgehst …«

»Glaubst du, das interessiert mich?«, fragte Simon und bedauerte augenblicklich seinen bissigen Ton. Aber er konnte – er würde – nichts zurücknehmen. »Atlantis wird angegriffen. Orion will alle töten, und wenn ich nicht ... wenn ich nicht tue, was ich tun muss, wird er uns zuvorkommen. Das darf nicht passieren.«

Stille. Normalerweise wäre Simon ein solcher Ausbruch peinlich gewesen, aber im Augenblick war nichts wichtiger, als dass er in den Krakengarten tauchen und den verlorenen Kristall finden konnte. Nicht mal sein Stolz.

Zia warf Leo einen eindringlichen Blick zu, aber der schüttelte den Kopf. »Simon hat in den letzten vier Monaten mehr erreicht als unsere Familie in vierhundert Jahren. Wir vertrauen ihm. Wir unterstützen ihn, so gut wir können. Wir lassen ihn tun, was auch immer er tun muss, so wie du es vergangenen November getan hast.«

Sie fluchte leise vor sich hin, doch anstatt zu widersprechen, legte sie die Hand auf Simons Knie. »Lass dich nicht fressen, okay? Unter Wasser kann ich dir nicht helfen.«

Er nickte kurz, weil er nicht wusste, was er darauf sagen sollte. »Ich will mit Taucherausrüstung los, gibt es hier eine?« Die Vorstellung, sich mit seinen Verletzungen noch einmal in ein Unterwassergeschöpf zu verwandeln und weitere Haie anzulocken, reizte ihn ganz und gar nicht. »Und jemand muss Mom warnen.«

Zia sah Leo fragend an. »Können wir unseren Agenten verständigen?«

»Nicht sicher. Orion wird kein Mitglied eines anderen Reichs in die Nähe des Strands lassen.« Leo ließ die Schultern kreisen und ging zum Schrank. »Ich übernehme das. Ich bin ohnehin schon eine Weile nicht mehr geflogen.«

Plötzlich kam Simon ein Gedanke, und er sah Zia an. »Du … kannst es aber nicht, oder?«

Sie lachte. »Nein, nein. Nur Luke hat die Gabe bekommen, ich nicht. Ich bin ein Fuchs, wie unsere Mutter. Sie war eine Stone«, fügte sie hinzu, und Simon nahm traurig zur Kenntnis, dass sie die Vergangenheitsform benutzte. »Alles, was ich dir über unsere Familie und Stonehaven erzählt habe, ist wahr.«

Wenigstens das war keine Lüge gewesen. Simon erhob sich langsam, obwohl sein Kopf jetzt weniger stark pochte. »Was ist mit Winter? Was passiert mit ihr, während wir weg sind?«

»Sie kann hierbleiben und auf das Boot aufpassen«, sagte Zia, während Winter so aussah, als würde sie gleich an die Decke gehen. »Aber wenn du den Kristall hast … entschuldige, ich meinte, *wenn du deine Mission beendet hast*, kommst du zurück, klar?«

»Sie glauben, dass ich hier rumsitze und nichts tue, während Simon da draußen gegen Haie kämpft?«, fragte Winter verächtlich.

»Er wird nicht gegen Haie kämpfen«, sagte Leo scharf,

der im Schrank gekramt hatte und nun eine Taucherausrüstung zutage förderte.

»Im Augenblick sind sowieso alle beschäftigt«, sagte Zia. Die Gefahr, die Orion und seine Verbündeten für Atlantis und seine Bewohner darstellte, schien sie nicht zu beeindrucken. »Außerdem werden Winter und ich einen Riesenspaß haben. Wir flechten uns die Haare, lackieren uns die Nägel und erzählen uns Mädchengeheimnisse.«

Wäre Simon nicht so nervös und verwirrt gewesen, hätte er beim Anblick von Winters entsetztem Gesicht laut gelacht. Doch Zias verschlüsselte Botschaft war klar und deutlich bei ihm angekommen: Winter war ihre Geisel. Wenn er nicht mit dem Kristall zurückkam ... Er wollte gar nicht darüber nachdenken, was dann passierte.

Mit schwerem Herzen und nur einem Ohr hörte er Leo zu, der ihm erklärte, wie man die Taucherausrüstung benutzte. Bevor er die Ausrüstung anlegte, schlüpfte er in eine alte, etwas zu große Jogginghose, damit seine eigenen Sachen bei seiner Rückkehr trocken waren. Als er fertig war, schlurfte er mit der schweren Sauerstoffflasche auf dem Rücken in die Ecke, in der Winter saß und schmollte.

»Pass auf dich auf« war alles, was er sich vor den anderen zu sagen traute, aber er sah sie einen Augenblick länger an, als er es normalerweise getan hätte, und sie nickte.

»Du auch«, erwiderte sie bedeutungsvoll. Beim Verlassen der Kabine, hörte er sie noch sagen: »Wenn ich mir die Nägel lackieren soll, muss Felix aber auch.«

»Wie bitte?«, protestierte die Maus. »Ich bin doch kein Pudel!«

Als Simon an Deck kam, bemerkte er Crocker, der an der Reling lehnte, seinen Stock neben sich. »Simon«, sagte er zum Gruß, als wäre nichts Ungewöhnliches dabei, dass sie sich beide auf einem kleinen Boot vor der Küste von Santa Catalina befanden, während eine Meute abtrünniger Haie das Unterwasserreich bekriegte. An der Küste blinkten die Lichter. Simon vermutete, dass sie nicht mehr als eine Meile von Avalon entfernt waren. Das hieß, dass auch der Krakengarten nicht weit war.

»Du hast deine Aufgabe, und ich habe meine«, sagte Leo, als sie eine Öffnung in der Reling erreichten und er seine Jacke auszog. »Machen wir das Beste draus. Und, Simon …«

Mehrere Sekunden lang hing Stille zwischen ihnen. Leo hob die Hand, als wollte er sie nach ihm ausstrecken, doch dann ließ er sie mit einem Lächeln, das eher wie eine Grimasse aussah, wieder sinken.

»Sei vorsichtig«, sagte er leise. »Ich will dich nicht auch noch verlieren.«

»Ich werd's versuchen«, murmelte Simon. Mehr konnte er im Augenblick nicht versprechen. Er atmete tief durch, zog die Tauchermaske vors Gesicht und ließ sich rückwärts ins dunkle Wasser fallen, hin und her gerissen zwischen Angst und Entschlossenheit. Dieses Gefühl, hatte er festgestellt, war in letzter Zeit zum Dauerzustand geworden.

Während er ins Wasser sank, sah er einen Wanderfalken von der Reling in die Lüfte steigen.

Da Simon jetzt wusste, wie es war, Flossen und Kiemen zu haben, fühlte sich das Schwimmen als Mensch so an, als würde er sich durchs Wasser wühlen, und er brauchte wesentlich länger, als er erwartet hatte. Obwohl der Eingang zur Höhle dicht genug unter der Wasseroberfläche lag, um ihn im Mondlicht erkennen zu können, war drinnen nicht das kleinste bisschen Licht. Simon legte die Hand an die Wand und bog wie beim letzten Mal bei jeder Gabelung rechts ab. Erst als er spürte, dass er in eine größere Höhle gelangt war, knipste er die kleine Lampe an, die Leo ihm mitgegeben hatte.

Mit grimmiger Entschlossenheit betrachtete er die Steine, Muscheln und Edelsteine am Boden. Es mussten Tausende sein! Nur mit den Augen zu suchen war unmöglich, deshalb zog Simon die Taschenuhr seines Vaters aus der Jogginghosentasche und schlang sich die Uhrkette ums Handgelenk, um sie nicht zu verlieren. Es konnte natürlich sein, dass die Uhr sich unter Wasser nicht erwärmte, wenn sie in die Nähe des Kristalls kam, aber er musste es wenigstens versuchen. Es war seine einzige Chance.

Mehrere Male durchschwamm Simon die große Höhle und umklammerte dabei die Uhr. Das Metall schien sich immer dann zu erwärmen, wenn er in die Mitte kam. Es war wie ein Spiel – jedes Mal, wenn die Uhr sich wieder abkühlte, wusste er, dass er auf der falschen Fährte war. Wurde sie wärmer, sagte ihm das, dass er dem gesuchten Teil näher kam. Endlich, als das Metall beinahe zu heiß war, um es in der Hand zu halten, war er sicher, dass er sich direkt darüber befinden musste. Er fuhr mit der Hand durch Schichten von Muscheln und Steinen, und schließlich stießen seine Fingerspitzen gegen einen Gegenstand, der ebenfalls glühend heiß war.

Der Kristall.

Er packte ihn, so schnell er konnte, und stopfte ihn in seine Hosentasche, damit er ihm nicht aus der Hand gleiten konnte. Die Hitze nahm nicht ab und verbrannte ihm beinahe den Oberschenkel, aber er zwang sich, nicht darauf zu achten. So heiß es sich auch anfühlte, er wusste aus Erfahrung, dass nichts weiter passieren würde, als dass sich seine Haut etwas rötete.

Aus derselben Tasche holte er den Stein, den er Winter hatte schenken wollen. Er nahm die Sauerstoffmaske ab und sprach ins Wasser, wobei er das Gefühl hatte, so verrückt zu sein, wie seine Mitschüler in der alten

Schule immer behauptet hatten. »Es tut mir leid, dass ich den Stein gestohlen habe, Gordon. Ich hätte es nicht tun sollen. Ich kann verstehen, warum du den Kristall genommen hast.« Er sog eine Lunge voll Sauerstoff aus der Maske ein. »Aber ich brauche ihn. Es ist wichtig – sehr wichtig, deshalb hoffe ich, dass du mit dem Tausch einverstanden bist.«

Vorsichtig legte er den glitzernden Stein ab. Er setzte seine Maske wieder auf, holte ein weiteres Mal tief Luft und leuchtete mit der Taschenlampe durch die Höhle. Von dem Kraken war nichts zu sehen. Aber sie hatten ihn auch letztes Mal nicht bemerkt. Simon schwamm vorsichtig Richtung Ausgang. Er würde bestimmt nicht den Fehler machen, den Kristall noch einmal fallen zu lassen. Wenn der Krake ihn also zurückhaben wollte, musste er schon …

Zisch.

Simon wurde abrupt nach hinten geschleudert. Er verlor sein Mundstück und versuchte, es festzuhalten, nur um ein zweites Mal an der Sauerstoffflasche zurückgezerrt zu werden. Panisch kämpfte er sich aus den Gurten, mit denen die Flasche auf seinem Rücken befestigt war, und sobald er sich befreit hatte, wirbelte er im Wasser herum.

Direkt vor ihm waren die dunklen, starren Augen eines Weißen Hais.

SECHZEHNTES KAPITEL

In der Höhle des Hais

Simons Herz raste und verbrannte wertvollen Sauerstoff. Der Weiße Hai war klein, doch das spielte keine Rolle. Gegen diese Zähne war Simon machtlos.

»Gib ihn mir«, sagte der Hai. Die Stimme klang vertraut. Simon griff wieder nach seinem Mundstück, doch der Hai schnappte nach ihm, und er musste ausweichen. »Erst wenn du mir den Kristall gibst, Simon.«

Beinahe hätte Simon einen Mund voll Wasser verschluckt. Er kannte diese Stimme. Er konnte es nicht genau sagen, aber er wusste, dass sie einer von Jams Schwestern gehörte.

»Brauche … Luft«, versuchte er zu röcheln, doch er hatte nicht mehr genug Sauerstoff in der Lunge. Ein drittes Mal griff er nach der Maske, und wieder wurde sie weggezogen.

»Den Kristall«, forderte sie, und ihre Stimme wurde schrill. »Sonst wirst du nie wieder einen Atemzug nehmen.«

Seine Gedanken wirbelten durcheinander. Er konnte sich in einen Fisch verwandeln, aber das würde bedeuten, dass er ihr, welche Schwester auch immer sie war, sein Geheimnis enthüllte. Welche Möglichkeiten hatte er sonst noch? Ertrinken?

Simon stieß sich mit aller Kraft vom Boden ab und sprang wieder auf die Maske zu, doch der Hai schleuderte ihn mit einer Leichtigkeit weg, als wäre er ein Wasserball. »Den Kristall. Ich weiß, dass du ihn hast. Ich habe dich gesehen, ich habe dich gehört – *du hast ihn*!«

Das wenige, was er im Licht der Taschenlampe erkennen konnte, wurde dunkel und unscharf. Sein Kopf rauschte und seine Lunge brannte, und er wusste, wenn er nicht innerhalb der nächsten fünf Sekunden Sauerstoff bekam, würde er ohnmächtig werden und sterben. Er widerstand dem Drang, eine Lunge voll Wasser einzuatmen, schloss die Augen und stellte sich einen kleinen dunklen Fisch vor, den er vor Kurzem im Wasser gesehen hatte. Vielleicht konnte er sich verstecken, und sobald er genug Atem geschöpft hatte …

»Gib ihm die Maske!«

Zu Simons Entsetzen erschien ein zweiter Weißer Hai in der Höhle – wesentlich größer als der erste. Er biss kraftvoll in die Schwanzflosse des ersten Hais, der einen spitzen Schrei ausstieß. Simon war vergessen. Jams Schwester wirbelte herum, um sich zu wehren, doch der größere Hai war zu schnell. Sie kämpften im weißen Lichtstrahl der Taschenlampe, der zweite Hai biss noch zweimal zu, und in den kostbaren Sekunden, in denen sie beschäftigt waren, nutzte Simon seine letzte Energie, um zum Mundstück der Sauerstoffflasche zu schwimmen. Er bekam es zu fassen, führte es an seine Lippen und nahm den tiefsten Atemzug seines Lebens.

Luft füllte seine brennende Lunge, und vor seinen Augen tanzten Sterne, als sein Körper endlich den Sauerstoff bekam, den er so dringend brauchte. Aus einer dunklen Ecke schaute Simon zu, wie der große Hai den kleineren aus der Höhle vertrieb. Er war zu benebelt vom Sauerstoffmangel und dem Schlag auf den Kopf, um eins und eins zusammenzuzählen, doch kaum war Jams Schwester verschwunden, stieß der andere Hai einen Freudenschrei aus. Einen sehr bekannt klingenden Freudenschrei.

»Nolan?«, keuchte Simon und nahm einen Augenblick lang die Sauerstoffmaske ab. Der Hai grinste mit blutverschmierten Zähnen. Simon drehte sich der Magen um.

»Das war ja Wahnsinn! Ist alles in Ordnung?«

Simon nickte und atmete mehrmals tief ein, bevor er etwas sagte. »Was machst du hier?«

»Du hast doch gesagt, ich sollte die Augen offen halten und schauen, ob sich irgendjemand komisch verhält, und genau das hab ich getan. Was machst *du* hier?«

»Ich …« Simon setzte die Maske wieder auf, um ein paar Sekunden zu gewinnen. Was sollte er Nolan sagen? Mit welcher Ausrede konnte er glaubhaft erklären, was er vor Sonnenaufgang hier unten in der Höhle zu suchen hatte?

Mit keiner. Es gab nichts, was er zu seinem Bruder sagen konnte, um die Situation zu erklären, und selbst wenn er es versuchte … so, wie Nolan ihn mit seinen schwarzen Hai-Augen ansah, fragte er sich, ob sein Bruder seine Worte gehört hatte. Simon kam zu dem Schluss, dass er sie gehört haben musste. Sein Bruder war vielleicht manchmal etwas zu sehr mit sich selbst beschäftigt, aber er war kein Idiot.

Er holte noch einmal tief Luft und zog den Kristall aus der Tasche. »Ich habe den hier gesucht.«

Statt ihn mit Fragen zu bestürmen, wie Simon erwartet hatte, grinste Nolan nur. »Ich *wusste* es. Ich wusste, dass du nicht nur wegen Winter ins Reptilienreich gereist bist, und ich wusste, dass du nicht nur wegen des blöden Krisentreffens nach Kalifornien kommen wolltest. Du setzt den Greifstab zusammen, um ihn zu zerstören, stimmt's?«

Simon holte noch einmal Luft und nickte. Er konnte

es nicht länger leugnen. »Tut mir leid, dass ich es dir nicht gesagt habe. Mom …«

»Ich weiß, dass Orion Mom deshalb entführt hat«, sagte Nolan. »Jetzt ergibt alles Sinn.«

»Sie hat mir den Auftrag gegeben, die anderen Teile zu finden, bevor er sie an sich reißen kann«, sagte Simon und schnallte sich die Taucherausrüstung wieder um.

Nolan dachte eine ganze Weile nach. Dabei schwamm er im Kreis um ihn herum, was Simon bei jedem anderen Hai ganz schön nervös gemacht hätte. Mit seinem Bruder fühlte er sich im Augenblick einigermaßen sicher hier – trotzdem hatte er das schreckliche Bild im Hinterkopf, wie Orions Hai-Armee ganz plötzlich durch den Höhleneingang schwimmen würde und sie beide hier festsäßen.

Bevor Simon etwas sagen konnte, sprach Nolan. »Ich werde dir helfen.«

Es war keine Frage und auch kein Angebot. Es war eine Feststellung, und Simon wusste, dass er nichts anderes hätte erwarten sollen. Doch jetzt war der falsche Zeitpunkt für eine Diskussion. Wenn der Hai zurückkäme und Verstärkung mitbringen würde, wäre Nolan in großer Gefahr. Dazu durfte Simon es nicht kommen lassen.

Aber konnte er ihn wirklich beschützen, wenn Nolan versuchte, ihm auf seine Art zu helfen – also ungeplant und ohne Absprachen? So wie er seinen Bruder kannte, würde genau das passieren.

Aber da er jetzt Bescheid wusste, musste Simon gar nicht erst versuchen, ihn davon abzubringen. Also sagte er zögernd: »Okay.«

»Wirklich?«, fragte Nolan verblüfft.

»Wirklich«, sagte Simon. »Aber das Wichtigste zuerst. Wenn du weißt, wer die Spionin ist, musst du sie aufhalten, bevor sie irgendjemanden warnen kann. Und ich muss ...« Er hob den Kristall. »Ich muss los.«

»Zu Mom?«, fragte Nolan. Simon nickte kurz. »Ich komme so schnell wie möglich zurück. Pass auf dich auf, ja? Und halt dich aus der Schlacht raus.«

»Die Armee ist riesig«, sagte Nolan mit plötzlicher Begeisterung. »So viele Haie hab ich noch nie im Leben gesehen!«

Er klang beeindruckt, doch Simon wurde schlecht vor Angst. Er dachte an all die Kämpfer des Generals, die er in den Straßen gesehen hatte. »Ich meine es ernst, Nolan«, sagte er. »Halt dich da raus. Du bist zu wichtig.«

Verärgert murmelte Nolan: »Na gut.«

Es wäre gut zu wissen, was vorgeht und wie stark Orions Verbündete wirklich sind, dachte Simon. Und vielleicht war die Realität ja nicht so schlimm wie die Schlacht, die er sich vorstellte.

»Versprich mir, dass du nicht mitmachst. Du musst

die Spionin finden und sie aufhalten«, wiederholte er. »Sonst wird alles nur noch schlimmer.«

In Menschengestalt hätte Nolan jetzt enttäuscht die Schultern sinken lassen.

»Okay. Aber halt dich wenigstens an meiner Finne fest, dann sind wir schneller.«

Simon befolgte die Anweisung, und während Nolan sie rasend schnell durch das dunkle Höhlenlabyrinth steuerte, fragte Simon sich, ob es die richtige Entscheidung gewesen war. Er hatte versprochen, auf seinen Bruder aufzupassen, und was sie jetzt taten, war davon so weit entfernt wie nur möglich. Aber seit Simon von Leo wusste, seit er wusste, dass mehr dahintersteckte, als er je geahnt hatte, wusste er auch, dass er so viel Unterstützung brauchen würde, wie er nur kriegen konnte. Und auch wenn er und Nolan sehr verschieden waren, gab es eins, was sie immer gemeinsam haben würden: ihre Mutter.

Als Atlantis in Sichtweite kam, stockte Simon der Atem. Die Stadt schimmerte in einem unheimlichen blauen Licht und war von großen Fischschwärmen und anderen Unterwassergeschöpfen umringt. Einige der größeren Tiere, darunter die Wale und einige Hai-Arten, waren gut zu erkennen, doch aus der Entfernung konnte Simon nicht sagen, wer zur Armee des Unterwasserreichs gehörte und wer zu Orions Kämpfern.

Eines aber sah er deutlich: Eine sehr große Gruppe stand einer kleineren gegenüber und versperrte ihr den Fluchtweg. Simon schluckte. Die Unterwasserarmee war stark geschwächt. Die Haie würden nur noch wenige Stunden brauchen, um einen Soldaten nach dem anderen außer Gefecht zu setzen.

»Komm, bevor dir die Luft ausgeht«, sagte Nolan, und nach einem letzten Blick auf das Getümmel ließ Simon sich von seinem Bruder nach oben tragen.

Als sie an die Wasseroberfläche kamen, nahm Simon seine Maske ab und atmete die kühle, salzige Meeresluft ein. »Sie werden sterben«, keuchte er. »All diese Soldaten …«

»Jam hat gesagt, er hätte einen Plan«, beschwichtigte Nolan ihn. »Er und Malcolm haben darüber gesprochen, bevor ich gegangen bin.«

»Jam?«, fragte Simon. »Ich dachte, Rhode hätte ihn festnehmen lassen.«

»Hat sie auch, aber nachdem du entkommen bist, hat sie ihn freigelassen, unter der Voraussetzung, dass er bei der Verteidigung hilft. Die wissen schon, was sie tun, okay, Simon? Denk jetzt nicht darüber nach. Denk an Mom.«

Simons Kopf schmerzte. Er hatte das dringende Bedürfnis, irgendetwas zu tun. Aber es gab nichts, was er für Atlantis tun konnte. Gegen so viele Haie war er machtlos. »Versprichst du mir, dass du nichts anderes machst, als der Spionin zu folgen?«

»Ich verspreche es. Sie wird nicht schwer zu finden sein. Ich kann ihr Blut riechen«, sagte Nolan, während er im Kreis um ihn herumschwamm. Er klang fasziniert und angeekelt zugleich. »Dann komme ich zu dir zurück. Und zu Mom, wenn du sie retten kannst.«

Simon biss sich auf die Lippe. »Sie ... sie will bei Orion bleiben. Um ihn in die Irre zu führen«, gestand er, und seine Stimme brach. Aber wenn Nolan jetzt mit dabei war, musste er auch alles wissen, ganz gleich wie sehr dieses Wissen ihn kränkte.

Der Hai schwieg eine Weile. »Oh.«

»Es liegt nicht an uns«, sagte Simon schnell und wollte sich damit selbst ebenso überzeugen wie seinen Bruder. »Es ist nur ... Die Sache ist ihr zu wichtig, um sie aufzugeben. Ich werde sie warnen, dass jemand sie töten will, aber sie wird nicht mit mir kommen. Nicht, bevor der Greifstab zerstört ist.«

Der Hai verharrte einen Augenblick starr im Wasser. »Dann werden wir eben dafür sorgen, dass das so schnell wie möglich passiert«, sagte er dann betont zuversichtlich. Aber Simon bemerkte die Hilflosigkeit hinter seiner Entschlossenheit. Er wusste, was Nolan fühlte.

»Du hast mir da unten das Leben gerettet, weißt du«, murmelte er ins Rauschen der Wellen.

»Komm ja nicht auf die Idee, es zu vergessen.« Der Hai entblößte grinsend seine Zähne. »Ich erwarte, dass du mir dafür die restliche Woche deinen Nachtisch gibst!«

»Aber nur, wenn es keinen Kuchen gibt.« Simon brachte ein Lächeln zustande. »Und jetzt finde die Spionin«, setzte er hinzu. »Und sorg dafür, dass Malcolm ... dass Malcolm in der Schlacht nichts passiert. Ich komme zurück, so schnell ich kann.«

»Schaffst du es alleine?«, fragte Nolan. Simon nickte. Die Brüder wechselten ein kleines Lächeln, bevor Simon animagierte, sich als Adler in den Himmel schwang und nicht daran zu denken versuchte, was gerade unter diesen dunklen, aufgewühlten Wellen passierte und wohin er seinen Bruder schickte.

Er flog in Richtung des Vogelstrands auf Santa Catalina. In der Dunkelheit waren seine Adleraugen nicht sehr scharf, doch er sah Licht auf einem schaukelnden Boot etwa eine Meile vor der Küste. Dort war Winter, und Zia und Leo würden sie erst gehen lassen, wenn Simon ihnen den Kristall aushändigte. Das konnte er jedoch nicht – er würde es nicht tun, da er keinem von ihnen vertraute. Aber wie sollte er seine Freundin dann aus der Gewalt eines weiteren Bestienkönigs befreien?

Seine Sorgen wurden durch einen schrillen Schrei unterbrochen, und mit einem Schaudern flog er schneller auf den Vogelstrand zu. Von dort war das Geräusch gekommen. Simon näherte sich der Küste, und ein weiterer Schrei hallte durch die Nacht.

Es war seine Mutter.

SIEBZEHNTES KAPITEL

Am seidenen Faden

Simon landete auf einem Baum am Rande des Strands. Jetzt war wieder alles ruhig, aber er war sicher, dass es seine Mutter gewesen war, die geschrien hatte. Er hatte sie schon einmal so schreien gehört – an dem Tag, als sie entführt worden war und ihm zugerufen hatte, er solle weglaufen. Er hätte ihre Stimme überall erkannt.

Sie war nicht mehr bei dem Baumstamm, an dem sie am Vorabend angekettet gewesen war. Enttäuscht ließ Simon den Blick schweifen. Die Zweige, die sich unter dem Gewicht der vielen Vögel gebogen hatten, waren jetzt leer, und vom Schwarm war nichts zu sehen. Er schlug alle Vorsicht in den Wind und wagte sich auf den Sand. Mehrere Zelte standen um die glimmenden Überreste eines Lagerfeuers herum. Nachdem Simon sich vergewissert hatte, dass seine Mutter nicht draußen war, flog er zu einem der Zelte und spähte durch einen schmalen Riss in der Wand.

Die Beleuchtung war schwach, nur eine einzelne Laterne hing an der Decke. Seine Mutter kauerte in einer Ecke im Schatten, vornübergebeugt und mit tränennassen Wangen. In der Mitte, neben einem umgestürzten Campingtisch und einem Haufen Papiere und Unterwasserkarten, stand Orion, die Hände um den zarten Hals eines toten Wanderfalken gelegt.

Simon gefror das Blut in den Adern. War das Leo? Aus der Entfernung konnte er es nicht erkennen.

»Ich habe dich gewarnt, Isabel«, sagte Orion mit vor Zorn bebender Stimme. »Ich habe dir gesagt, was passieren würde, wenn er mir noch einen Kristall vor der Nase wegschnappt, und trotzdem hilfst du ihm weiter.«

»Woher willst du wissen, dass es Simon war?«, entgegnete sie. »Das ganze Unterwasserreich ist auf der Suche nach dem Kristall …«

»Aber ausgerechnet dein Sohn hat ihn gefunden. Was glaubst du, wie er das geschafft hat? Glaubst du, er hat in weniger als zwei Tagen den gesamten Pazifik durchkämmt?«

»Die Flukes kannten das Versteck. Er kann es auch von ihnen erfahren haben.« Sie zog die Nase hoch, und wieder traten ihr Tränen in die Augen. »Du hättest den Boten nicht töten müssen. Er war ein guter Mann.«

»Er hätte nicht sterben müssen, wenn du nicht so stur wärst.« Orion blickte finster auf den toten Vogel herab. »Rowan!«, rief er dann, hinkte mit seinem Opfer aus dem Zelt und ließ Simons Mutter in dem Durcheinander aus Karten und Büchern zurück. Kaum war die Plane vor dem Eingang wieder verschlossen, schlüpfte Simon durch den Riss in der Zeltwand und hüpfte zu ihr hinüber. Er bekam das Bild des toten Wanderfalken nicht aus dem Kopf, trotzdem war er erleichtert, dass es nicht Leo war.

»Mom«, flüsterte er, so laut er sich traute. »Mom, ich bin's.«

Sie zuckte zusammen, als hätte er ihr ins Ohr gebrüllt, und die Ketten an ihrer eisernen Halsfessel klirrten leise. »Simon?« Ihr blonder Zopf war zerzaust, und aus der Nähe konnte Simon sehen, wie rot und geschwollen ihre Augen waren. »Bist du das?«

Simon nickte und hüpfte näher. »Ich kann nicht lange bleiben.«

»Du solltest gar nicht hier sein. Es ist zu gefährlich.«

»Ich weiß. Aber ich muss dir sagen …«

»Hast du das Teil gefunden?« Ihre Stimme stockte vor Verzweiflung. »Orion sagt, du hast es, aber …«

»Ich hab es«, sagte er schnell. »Alles in Ordnung, Mom. Ich hab es.«

Sie ließ sich rückwärts gegen die Zeltplane sinken, als

hätte er ihr ein schweres Gewicht von den Schultern genommen. Es dauerte jedoch nur einen Moment, dann straffte sie wieder die Schultern und rückte den schweren Metallring zurecht. »Du musst verschwinden. Wenn Orion dich findet …«

»Gleich«, versprach er. »Aber du musst wissen …«

In diesem Augenblick packten ihn zwei große menschliche Hände und pressten seine Flügel an seinen Körper. Instinktiv wehrte Simon sich gegen den Griff, kreischte und hackte mit dem Schnabel nach den kräftigen Fingern, aber er konnte nichts ausrichten. Er war gefangen, und der Druck gegen die Wunde über seinen Rippen steigerte den Schmerz ins Unerträgliche. Simon drehte den Kopf nach hinten und blickte in Rowans Gesicht. Selbst in dem schwachen Licht sah er blass aus.

»Ich habe mich schon gefragt, wann du vorbeikommen würdest.« Orion tauchte neben Rowan auf und sprach mit ruhiger, sorgloser Stimme. Simon war plötzlich unglaublich dankbar, dass er sich nicht in irgendein anderes Tier verwandelt hatte.

»Fass ihn nicht an!«, knurrte seine Mutter und sprang mit einem Satz auf die Füße. »Wenn du ihm etwas antust …«

»Dann was? Dann bringst du mich um? Liebling, wenn du es könntest, hättest du es längst getan.« Orion zog an der Kette an ihrer Halsfessel. Dann richtete er seine Aufmerksamkeit wieder auf Simon und fügte hinzu: »Wie ich höre, hast du etwas, was mir gehört.«

»Es gehört dir nicht«, zischte Simon und versuchte wieder, nach Rowans Fingern zu schnappen. Irgendwie gelang es ihm jedes Mal, Simons Schnabel auszuweichen.

»Dir auch nicht, deshalb habe ich keine Probleme damit, es dir wegzunehmen.« Orion sah Rowan an. »Du kannst ihn loslassen. Er wird sich zurückverwandeln und mir ohne weitere Mätzchen den Kristall des Unterwasserreichs aushändigen.«

»Warum sollte ich?«, fragte Simon mutiger, als es ihm im Augenblick zustand.

»Weil ich«, erwiderte Orion, »wenn du den Versuch machst, dieses Zelt zu verlassen, deine Mutter töten werde.«

Simon erstarb die Entgegnung auf den Lippen. »Du ... Was?«, stammelte er, überzeugt, nicht richtig gehört zu haben. Seine Mutter dagegen schnaubte.

»Das ist ein Trick, Simon. Er wird mich nicht umbringen. Schließlich hat er keine Ahnung, wo die anderen Teile sind.«

»Ich weiß mehr, als du denkst.« In Orions Augen lag ein seltsames Funkeln, und Simon war sich plötzlich sicher, dass sein Großvater tatsächlich über mehr Informationen verfügte, als seine Mutter und er erwartet hatten. »Es würde vielleicht etwas schwieriger werden, aber nicht unmöglich. Deshalb frage ich dich ein letztes Mal – ist das Angebot klar, junger Mann?«

»Tu es nicht, Simon«, flehte seine Mutter. »Er wird mir nichts tun …«

»Halt doch bitte deinen Mund, Isabel«, fiel Orion ihr ins Wort und zog heftig an der Kette. Seine Mutter schwankte, brach den Blickkontakt mit Simon jedoch nicht ab.

»Tu es nicht«, flüsterte sie. »Was auch immer passiert, Simon, *gib es ihm auf keinen Fall.*«

Orion zog ein Messer aus einem Futteral an seinem Gürtel. »Es wird schmerzhaft«, warnte er und fuhr mit dem Daumen über die gezackte Klinge, um deren Schärfe zu prüfen. »Es liegt ganz bei dir, Junge.«

»Sir«, sagte Rowan leise. »Es muss doch noch einen anderen Weg geben …«

»Sei still«, zischte Orion. »Oder ich brech dir die Flügel.«

Rowan verstummte, und in Simons Hals stieg die Galle hoch. Er konnte den Blick nicht von dem Messer lösen. Der tote Wanderfalke … die vielen Soldaten, die in diesem Moment ihr Leben riskierten, um Atlantis vor Orions Armeen zu verteidigen … Erinnerungen an Darryl in einer Blutlache auf dem Dach des Sky Towers verschwammen mit Bildern seiner Mutter in einer Blutlache hier im Zelt. Simon durfte es nicht so weit kommen lassen.

»Also gut«, sagte er und atmete zitternd ein. »Ich gebe dir das Teil.«

Orion musterte ihn, dann nickte er Rowan zu. »Lass ihn los.«

Rowan setzte Simon sanfter ab, als er erwartet hätte. Als seine Klauen den Sand berührten, verwandelte Simon sich in menschliche Gestalt zurück. Zitternd stand er in der kühlen Morgenluft.

»Simon, nein«, sagte seine Mutter flehend. »Tu es nicht …«

Orion riss ein weiteres Mal an ihrer Kette. Simons Mutter stürzte auf die Knie und hob die Hände an den Metallring, als würde er ihr die Luft abschnüren. Ein heißer Klumpen Wut bildete sich in Simons Brust, und er bohrte die Fingernägel in die Handflächen. »Hör auf«, knurrte er. »Oder ich überlege es mir anders.«

»Ach ja?« Orion machte drohend einen Schritt auf ihn zu. »Du bist hier nicht derjenige, der die Regeln aufstellt, Simon. Hast du das vergessen?«

»Sie ist deine *Tochter*! Hast du das vergessen?«, entgegnete Simon und kämpfte gegen den Drang an, sich in irgendein großes starkes Tier mit genügend scharfen Zähnen zu verwandeln, um seinem Großvater für die nächsten Monate Albträume zu bereiten.

Orion hob drohend das Messer und richtete die Spitze auf Simons Mutter. »Den Kristall, sofort, oder ich …«

Seine Stimme erstarb. Ein seltsamer Ausdruck huschte über sein Gesicht. Einen Augenblick lang passierte gar nichts, als wäre die Zeit stehengeblieben. Doch dann gaben seine Knie unter ihm nach, und er brach auf dem Sandboden zusammen.

Simon starrte ihn mit aufgerissenem Mund an. Orion lag reglos da.

»Was ...«, begann er. Doch dann entdeckte er eine glänzende schwarze Spinne, die unter Orions Kragen hervorkrabbelte. »Ariana? Was machst du denn hier?«

Tatsächlich hob die Spinne eins ihrer vielen Beinchen und winkte ihm zu. »Ich hab mich an Zia und Crocker gehängt, als sie zum Boot gefahren sind. Ich dachte mir schon, dass du nach deiner Mom sehen würdest, und fand, etwas Verstärkung könnte nicht schaden.« Sie verwandelte sich in menschliche Gestalt, hob Orions Messer auf und richtete es auf Rowan. »Willst du auch Ärger machen?«

Rowan schüttelte den Kopf und hob die Hände. Zu Simons Überraschung hielt er ebenfalls ein Messer. »Ich hätte es nicht so weit kommen lassen«, sagte er. »Ich glaube nicht, dass er es versucht hätte – er braucht Isabel –, aber wenn doch, hätte ich ihn aufgehalten.«

Simon hatte keine Zeit, um darüber nachzudenken, ob Rowan die Wahrheit sagte. Seine Mutter kniete neben Orion und fühlte seinen Puls. »Er atmet nicht mehr.«

»Sie sagen das so, als wäre es etwas Schlechtes«, bemerkte Ariana, den Blick noch immer auf Rowan gerichtet. Simon überlief es kalt.

»Du hast ihn *umgebracht*?« Entsetzt starrte er seine Freundin an und sah sie zum ersten Mal wirklich, seit sie in Kalifornien angekommen waren. Die dunklen Augenringe waren wieder da, aber außerdem war da ein gehetzter, wilder Blick in ihren Augen, der ihn an ein in die Enge getriebenes Tier erinnerte. Trotzdem, er hätte niemals erwartet, dass Ariana einen Menschen töten könnte, egal wie sehr er es verdient hatte.

»Im Augenblick ist er erst ein bisschen tot«, sagte sie und warf einen raschen Blick auf Orion. »In ein paar Minuten wird er sehr viel toter sein.«

»Nein«, erklärte Simons Mutter überraschend bestimmt. Sie drehte Orion um und legte das Ohr auf seine Brust. »Er darf noch nicht sterben. Erst wenn das hier vorbei ist.« Sie begann eine Herzdruckmassage. »Hast du das Gegengift bei dir?«

Ariana nahm Rowan das Messer ab. »Gegengift? Er wollte Sie umbringen! Ich verstehe ja, dass man der Familie gegenüber loyal sein soll, aber …«

»Er darf noch nicht sterben«, wiederholte Simons Mutter, die langsam atemlos wurde. »Er ist der Einzige, der weiß, wo das Teil des Vogelreichs ist. Wenn er stirbt …«

»… werden wir nie in der Lage sein, den Greifstab zu zerstören«, beendete Simon ihren Satz, während die Erkenntnis ihn durchdrang. »Du musst ihn retten.«

Ariana knurrte gereizt, doch sie wirkte etwas weniger überzeugt. »Ihr werdet das Teil auch ohne ihn finden. Irgendjemand muss doch etwas wissen …«

»Ich will nicht der Grund sein, dass du jemanden umbringst«, sagte Simon plötzlich. Seine Wangen brannten – nicht vor Verlegenheit, sondern vor Enttäuschung. »Ich weiß nicht, was mit dir los ist. Ich weiß nicht, warum du die ganze Zeit so müde und still und verängstigt bist. Ich will dir helfen, und ich werde es auch tun, wenn du mich lässt, aber was auch immer los ist, das ist es nicht wert. Wenn du jemanden umbringst … wird dich das für immer verändern. Ich will einfach nur meine Freundin zurück.«

Ariana stand ganz still. Simon konnte kaum atmen, und die Sekunden vergingen wie Stunden, bis er überzeugt war, dass Orion trotz der Bemühungen seiner Mutter tot sein musste. Doch schließlich griff Ariana in ihre Tasche und holte eine kleine Ampulle heraus.

»Er wird die ganze Dosis brauchen nach der Menge, die ich ihm verabreicht habe«, murmelte sie und reichte sie Simons Mutter. »Ich hoffe, das ist es wert. Wir wären alle besser dran, wenn er nicht da wäre.«

»Ewig wird er ja auch nicht da sein«, sagte Simons

Mutter, während sie die Kappe der Spritze abzog und die Nadel in Orions Arm schob. »Aber bis dahin brauchen wir ihn, ob es uns gefällt oder nicht.«

»Das heißt wohl, dass Sie nicht mit uns kommen«, stellte Ariana trocken fest. Simon starrte auf seine Füße. Er kannte die Antwort bereits. Sie noch einmal von seiner Mutter zu hören, würde nur eine Wunde öffnen, die gerade erst zu heilen begonnen hatte.

Glücklicherweise antwortete seine Mutter nicht. Als sie mit der Spritze fertig war, wartete sie auf den Puls. Sie nickte kurz befriedigt, dann stand sie auf und klopfte sich den Sand von der Hose. »Es war sehr mutig von dir, uns zu helfen, Ariana. Ich danke dir.«

»Tja, na ja. Hat nicht wirklich was gebracht.« Sie sah Orion düster an. »Als Nächstes wird er sich meine Familie vornehmen.«

»Vermutlich«, gab Isabel zu. »Aber dein Reich war schon immer das stärkste von allen. Ihr werdet keine Probleme haben.«

Etwas an Arianas Gesichtsausdruck erweckte bei Simon den Eindruck, dass sie anderer Meinung war, doch bevor er sie fragen konnte, war der Ausdruck verschwunden. »Er wird fiese Kopfschmerzen haben, wenn er aufwacht, und noch eine ganze Weile verwirrt sein. Ich habe schon erlebt, dass ausgewachsene Männer sich in der Aufwachphase für Säuglinge gehalten haben.«

Simons Mutter grinste schief. »Ein kleiner Dämpfer kann ihm nicht schaden.«

Hinter ihnen animagierte Rowan, und Simon wirbelte herum, bereit, seinen Angriff abzuwehren. Doch der junge Mann spähte nur durch eine Öffnung im Zelt in den heller werdenden Himmel. »Die Sonne geht auf. Bald wird der Schwarm zurück sein. Ihr müsst hier weg, bevor sie euch finden.«

»Aber zuerst«, sagte Simon, »müsst ihr wissen, dass Rhode Fluke jemanden schicken will, um Mom zu töten.«

»Ich weiß«, sagte Rowan, den Blick noch immer zum Himmel gerichtet. »Leo war vor einer halben Stunde da.«

»Oh«, sagte Simon und verlagerte nervös das Gewicht. »Gut.«

»Leo war hier?«, fragte seine Mutter.

»Ich habe ihn geschickt«, bestätigte Simon.

»Du hast ihn *geschickt*?«

Er nickte. »Ich habe ihn ... getroffen und ...« Simon unterbrach sich und setzte im Kopf die Puzzleteile zusammen, während er Rowan anstarrte. »*Du* bist Leos Agent?«, brachte er schließlich mühsam hervor. Rowan zog eine Grimasse und nickte. »Wenn du es irgendjemandem aus meinem Reich sagst, bringen sie mich um.«

»Werde ich nicht«, sagte Simon. »Versprochen.«

Seine Mutter legte ihm eine Hand auf die Schulter. »Ich bin froh, dass du deinen Großvater kennengelernt hast. Er wird dir helfen wie kein anderer. Aber, Simon ...«

Der Schrei eines Falken ertönte am Morgenhimmel, und was auch immer seine Mutter ihm hatte sagen wollen, erstarb auf ihren Lippen. Sie umarmte ihn, und Simon schlang ebenfalls die Arme um sie. Er war nach wie vor verbittert, dass sie es vorzog, bei Orion zu bleiben, aber er verstand sie jetzt, so gut er sie verstehen konnte.

»Ich liebe dich«, murmelte seine Mutter in seine Haare. »Pass auf dich auf.«

»Er müsste nur halb so gut auf sich aufpassen, wenn er sich nicht wegen Orion sorgen müsste«, bemerkte Ariana, doch Simon ignorierte sie. Sie hatte natürlich recht, aber das änderte nichts. Auf dem Dach des Sky Towers hatte er gelernt, dass das Leben aus schwierigen Entscheidungen bestand – Entscheidungen, die Konsequenzen hatten, Entscheidungen, die den Lauf eines Lebens veränderten. Diese war eine von ihnen. Orion musste am Leben bleiben, ganz gleich wie gefährlich er war. Er erfüllte noch einen Zweck in den Plänen seiner Mutter – in ihren gemeinsamen Plänen. Und wenn nicht jede Einzelheit stimmte, würde Simon scheitern. Sie alle.

Diese Erkenntnis war der Grund, warum Simon, als er seine Mutter schließlich losließ, lächeln konnte. »Ich liebe dich auch. Wir vermissen dich.«

»Ich vermisse euch auch. Verrate Nolan so viel du kannst, ohne ihn noch weiter zu gefährden«, sagte sie. Als sie Simons schuldbewusstes Gesicht sah, brachte sie ein schmales Lächeln zustande. »Ah. Du hast es ihm natürlich schon gesagt. Dann … denkt immer daran, dass ihr zwei der Grund seid, warum ich das mache … das alles. Wenn einem von euch irgendetwas zustößt …«

»Ich passe auf ihn auf.«

»Das weiß ich, mein Schatz«, murmelte sie und strich ihm über die Wange. »Aber wer passt auf dich auf?«

»Die Frage dürfte die Spinnenprinzessin schon beantwortet haben«, sagte Rowan. »Ich will ja nur ungern stören, aber der Schwarm kommt zurück. Sie sollten jetzt wirklich los.«

Simons Mutter nickte und küsste Simon auf die Stirn. »Bis bald.«

»Bis bald«, wiederholte er, verwandelte sich in einen Goldadler und wartete, bis Ariana in sein Gefieder gekrabbelt war. Dann hob er ab und flog über das Wasser in Richtung des schaukelnden Boots in der Ferne. Der dunkle Himmel färbte sich langsam rosa, und die Vogelarmee kehrte im Dämmerlicht zum Strand zurück. Zweifellos hatten sie Neuigkeiten von der Schlacht.

Simon landete an Deck des Boots, nur wenige Meter von Crocker entfernt, der seinen Platz an der Reling in der Zwischenzeit nicht verlassen zu haben schien.

»Du hast aber lange gebraucht, mein Junge«, sagte der alte Mann, während Simon sich zurückverwandelte. »Die Vögel, die nach Santa Catalina zurückfliegen, sehen nicht gerade glücklich aus.«

Das musste noch lange nicht heißen, dass das Unterwasserreich gesiegt hatte. Simon versuchte, seine Nervosität unter Kontrolle zu halten. Er konzentrierte sich auf Ariana, die sich in menschliche Gestalt verwandelte, an Deck zusammenrollte und versuchte, nicht aufs Wasser zu sehen, während ihr Gesicht eine grünliche Färbung annahm.

»Komm, in der Kabine ist es wärmer«, sagte Simon und kniete sich neben sie, doch sie schüttelte den Kopf.

»Drinnen ist es noch schlimmer. Ich bleibe hier draußen.«

Zögernd ließ Simon sie in Crockers Obhut und zog den Kopf ein, um in die Kajüte zu gehen. Dort lief Leo nervös auf und ab, und Winter saß auf dem Sofa und blickte missmutiger drein denn je, während Zia ihr die Haare flocht.

»Simon!« Winter sprang auf, sodass ihr komplizierter Zopf auseinanderfiel. Zia stöhnte, doch Winter ignorierte sie und warf sich in seine Arme. »Geht es dir gut? Du siehst blass aus. Bist du wieder gebissen worden?«

»Alles in Ordnung«, sagte Simon. Seine Knie gaben beinahe unter ihm nach, obwohl Winter so ein Leichtgewicht war. Nachdem er Winter abgesetzt hatte, reichte Zia ihm trockene Sachen und ein Handtuch.

»Es wäre eine Schande, wenn du an Lungenentzündung stirbst, nachdem du den Angriff eines Hais überlebt hast«, witzelte sie, doch in ihrer Stimme lag Ernst. Simon beschloss, nicht zu widersprechen, und verzog sich ins Bad, um sich abzutrocknen und umzuziehen.

Kaum war er wieder draußen, krabbelte Felix auch schon an seinem Hosenbein hoch und schlüpfte in die Tasche seines Sweatshirts, wobei er ganze Schimpftiraden über Simons Waghalsigkeit losließ. Simon war klug genug, sich nicht zu verteidigen. Vermutlich hatte Felix recht.

»Hast du den Kristall?«, fragte Leo, und Simons Erleichterung, Winter wohlbehalten zu sehen, schwand dahin.

Er zog den glühenden Kristall aus der Hosentasche und reichte ihn schweigend seinem Großvater. »Lässt du sie jetzt gehen?«

»Wen?«, fragte Winter, während Leo rasch einen Schritt zurücktrat und beinahe über seine eigenen Füße gestolpert wäre, so eilig hatte er es, Simons Hand auszuweichen.

»Na, dich«, sagte Simon stirnrunzelnd. Er sah zwischen ihr und den anderen hin und her. Leo starrte immer noch Simons ausgestreckte Hand an, als würde er ihm eine lebendige Python anbieten, während Zia verwirrt dreinblickte.

»Deshalb sollte ich doch den Kristall holen, oder nicht? Um Winter freizukaufen?«

»Glaubst du wirklich, *die* könnten mich als Geisel nehmen?«, fragte Winter und sah belustigt und beleidigt zugleich aus.

»Das würde uns nicht im Traum einfallen«, sagte Zia, stellte sich neben ihren Vater und legte ihm beruhigend die Hand auf den Arm. »Wie ich schon mehrmals versucht habe, euch klarzumachen: Wir sind die Guten.«

»Aber …« Simon ließ verblüfft die Hand mit dem Kristall sinken. »Wenn ihr ihn gar nicht haben wolltet, warum habt ihr Winter dann zum Bleiben gezwungen?«

»Sie haben mich zu gar nichts gezwungen«, erklärte Winter, obwohl Simon hätte schwören können, dass sie noch vor einer Stunde so verängstigt gewesen war wie er selbst. »Ich hätte jederzeit gehen können.«

»Und stattdessen lässt du dir von Zia die Haare flechten?«, fragte Simon mit wachsender Fassungslosigkeit.

»Mir hat vorher noch nie jemand die Haare geflochten. Es war nett«, sagte Winter und hob das Kinn, als wollte sie ihn warnen, sich über sie lustig zu machen.

Leo betrachtete Simons geballte Faust und wahrte nach wie vor Abstand zu ihm. »Ich will die Teile des Greifstabs nicht, Simon«, sagte er leise. »Ich dachte, das hätte ich deutlich zum Ausdruck gebracht. Bitte verzeih die Verwirrung. Deine Freundin war keine Geisel. Das ist keine Entführung. Ich wollte euch nur in Sicherheit bringen.«

»Aber …« Simon starrte den Kristall an. »Du willst, dass ich ihn behalte?«

»Die Teile sind bei dir in guten Händen«, sagte Zia. »Warum sollten wir uns da einmischen?«

Winter verdrehte die Augen. »Jetzt steck das Ding schon ein, und hör auf, so verwirrt zu gucken. So blöd bist du doch nicht.«

Simon tat, was sie sagte. Vielleicht lag es an den Schmerzen und der Erschöpfung, aber nachdem er monatelang erlebt hatte, wie Erwachsene versuchten, die Teile des Greifstabs an sich zu reißen, konnte er sich nicht vorstellen, dass jemand sie *nicht* haben wollte. Doch Zia schien es bitterernst zu meinen, und Leo sah regelrecht krank aus bei dem Gedanken, den Kristall an sich zu nehmen. Was auch immer hier los war, es schien kein Trick zu sein.

»Wir müssen zurück nach Atlantis«, sagte Simon nach längerem Schweigen. »Crocker hat gesagt, dass die Schlacht vorbei ist und …« Er konnte es nicht aussprechen. Jam hatte vermutlich da unten gekämpft. Wenn es den Vögeln und den Haien gelungen war, in die Kuppel von Atlantis einzudringen, dann hätte sein Onkel mit aller Kraft gekämpft, um Nolan zu verteidigen. Vielleicht hatten die Vögel nur deshalb unzufrieden ausgesehen, weil sie das Teil des Greifstabs nicht gefunden hatten. Vielleicht hatte es gar nichts mit der Schlacht zu tun, vielleicht …

»Mir wäre es wesentlich lieber, wenn du hier bei uns bleiben würdest«, sagte Leo. Simon hob abrupt den Kopf.

»Was?«

»Wir können dich schützen. Und dir bei der Suche nach den übrigen Teilen helfen. Du musst das alles nicht allein machen, Simon.«

»Ich bin nicht allein«, erwiderte er mit einem Blick auf Winter. »Und meine Familie ist da unten … der Rest meiner Familie, meine ich. Ich kann sie nicht im Stich lassen.«

»Wir wollten doch sowieso bald zurück«, sagte Zia zu ihrem Vater. »Wir können dafür sorgen, dass Simon und Winter sicher nach Atlantis kommen.«

»Und Ariana«, ergänzte Simon. Zia sah ihn fragend an, und er berichtete kleinlaut, was am Strand passiert war.

Als er fertig war, war Leo ziemlich blass um die Nase. »Mir wäre es lieber, wenn der Schwarzen Witwenkönigin nicht zu Ohren käme, dass ich noch lebe«, murmelte er.

»Ich werde Ariana bitten, es für sich zu behalten«,

versprach Simon. Normalerweise hätte er keine Zweifel an ihrer Zuverlässigkeit gehabt, aber so wie Ariana sich in letzter Zeit verhalten hatte, war er nicht mehr so sicher. »Können wir jetzt zurück nach Atlantis?«

»Wir sind ganz in der Nähe der Anlegestelle«, erklärte Zia und streckte den Kopf durch die Tür. »Sieht so aus, als wäre das U-Boot schon da.«

»He, erst musst du meinen Zopf fertig flechten«, rief Winter und lief Zia hinterher. Bevor sie an Deck trat, drehte sie sich zu Simon um und warf ihm ein überlegenes Grinsen zu. »Ich hab doch gesagt, dass Rowan auf unserer Seite ist!«

Mit einem Mal waren Leo und Simon unter sich, abgesehen von der Maus in Simons Tasche. Sie starrten einander verlegen an, bis Simon schließlich die Frage stellte, die in seinem Hinterkopf geschmort hatte, seit er auf dem Boot zu sich gekommen war. »Warum weißt du von Felix?«

»Felix?«, fragte Leo überrascht. »Weil ich es war, der ihn zu dir geschickt hat.«

Simon erstarrte. »Du ... hast ihn ... *geschickt*?«

»Deine Mutter meinte, es wäre gut, wenn du jemanden bei dir hättest – außer deinem Onkel, meine ich«, sagte Leo schulterzuckend. »Wir wussten, dass du bald animagieren würdest, und wir brauchten Felix, damit uns jemand auf dem Laufenden halten konnte.«

Simon stammelte. »Die ganze Zeit … Du meinst … er … du und Mom …«

»Jetzt aber mal langsam«, meldete sich Felix zu Wort und krabbelte aus Simons Tasche, um sich auf seine Schulter zu setzen. »Gut, es stimmt, ich bin zu dir gekommen, um auf dich aufzupassen. Aber ich bin geblieben, weil du mein Freund bist. Du bist ein anständiger Junge. Machst nur wenig Blödsinn, und wenn doch, dann stehst du dafür gerade.«

»Aber …« Simon wirbelten Erinnerungen aus den vergangenen zwei Jahren durch den Kopf. Die vielen Male, als er Felix ein Geheimnis anvertraut hatte. Die vielen Male, als er ihm geglaubt hatte. »Du hast mich belogen!«

»Ich habe nie gelogen«, widersprach Felix und prustete empört. »Höchstens einige Details ausgelassen. Aber alles, was ich dir erzählt habe, war wahr.«

Simon nahm die Maus von seiner Schulter und setzte sie auf den Tisch. »Du kommst nicht mit mir.«

Felix quiekte so heftig, dass er beinahe vornüber gekippt wäre. »Aber …«

»Ich meine es ernst«, sagte Simon. Sein Gesicht brannte, und sein Blick wurde trübe. Von allen Enttäuschungen, die er seit Darryls Tod erlebt hatte, fühlte sich dieser Betrug am schlimmsten an. »Du bist nicht mein Freund, wenn du mich ausspionierst. Du bist nicht besser als … eine Ratte!«

Felix sperrte die Schnauze auf und ließ den Schwanz sinken. Leo verzog das Gesicht. »Simon …«

»Du hast mir gar nichts zu sagen«, unterbrach Simon ihn heftig. »Es war deine Idee. Es ist mir egal, dass du es getan hast, um mich zu schützen. Ich bin es leid, dass alle mich anlügen und behandeln wie ein kleines Kind, das sich nicht um sich selbst kümmern kann. Ich bin fertig – mit dir, mit Felix, mit euch allen!«

Simon stürmte aus der Kajüte an Deck, wobei er beinahe mit Ariana zusammengestoßen wäre. Ohne ihr in die Augen zu sehen, legte er den Arm um sie und half ihr auf die Anlegestelle, wo das U-Boot auf sie wartete.

Als sie das Boot verließen, meinte er, ein zorniges Quieken hinter sich zu hören. Doch der Wind trug es davon, und Simon blickte nicht zurück.

ACHTZEHNTES KAPITEL

Begossener Pudel

Auf der Fahrt nach Atlantis ging Simon den anderen aus dem Weg. Winter, Zia und Crocker hatten bestimmt gesehen, wie er aus der Kajüte gestürmt war, und er hatte weder Lust auf ihre Fragen, noch wollte er Winter erklären, warum Felix nicht bei ihm war. Er setzte sich neben Ariana und ließ sich die Hand von ihr zerquetschen. Als sie die Unterwasserstadt erreichten, hatte er das Gefühl, sie hätte ihm jeden einzelnen Fingerknochen gebrochen. Nur mit großer Mühe schaffte er es, sie nicht mit Fragen zu löchern. Er hoffte, sie verstand, dass er für sie da war. *Wirklich* für sie da, nicht nur vorgeblich, so wie Felix es für ihn gewesen war.

Als die Luftschleuse sich geöffnet hatte und sie wieder unter der Kuppel von Atlantis waren, machte Simon sich sofort auf den Weg zum Regierungsgebäude. In den Straßen herrschte aufgeregtes Treiben. Soldaten liefen herum und klopften einander auf die Schultern oder kümmerten sich um Verletzte. Es schien zum Glück niemand schwer verwundet zu sein.

Hatte das Unterwasserreich die Hai-Armee tatsächlich bezwungen? Noch vor wenigen Stunden waren sie in der Unterzahl gewesen – wie um alles in der Welt sollten sie gewonnen haben?

Als sie das Regierungsgebäude erreichten, kontrollierten die Sicherheitsleute sie nur flüchtig. Keiner schien sich daran zu erinnern, dass Simon und Winter eigentlich festgenommen werden sollten. Zia führte sie durch die verspiegelten Gänge zum Konferenzzimmer des Generals, und als die Soldaten die Flügeltür öffneten, eilte Simon an ihnen vorbei in den Raum.

Malcolm, Nolan und Jam standen um den großen Tisch herum. Sie sahen erschöpft aus. Jam trug den Arm in einer Schlinge, und Simon meinte zu erkennen, dass eins seiner Augen geschwollen war, aber er strahlte.

»Simon! Winter! Ariana!« Er rannte auf sie zu und drückte sie nacheinander mit seinem unverletzten Arm an sich. »Es geht euch gut!«

»Wo um alles in der Welt …« Malcolm pflückte Simon mit einer Leichtigkeit aus der Gruppe, als wäre er nicht schwerer als ein Katzenbaby, und umarmte ihn. »Wo bist du nur gewesen?«

»Lange Geschichte«, murmelte Simon schuldbewusst und warf einen Seitenblick auf Nolan. Sein Bruder hob fragend den Daumen, und Simon erwiderte die Geste bestätigend. Nolan schloss kurz erleichtert die Augen.

»Es war meine Schuld«, erklärte Crocker, der auf seinen Stock gestützt in den Raum gehumpelt kam. »Ich dachte, die Lage könnte heikel werden, deshalb haben wir Simon und Winter nach oben gebracht, um sie zu schützen.«

»Ohne mir Bescheid zu geben?«, fragte Malcolm wütend und erleichtert zugleich. Crocker zuckte leicht die Schultern.

»Dazu war keine Zeit. Ich dachte, es wäre dir lieber, wenn er in Sicherheit ist.«

Rhode trat mit verschränkten Armen und zusammengekniffenen Augen auf Crocker zu. »Sie haben meine Soldaten angegriffen.«

»Sie wollten ein kleines Mädchen gefangen nehmen«, entgegnete Crocker unschuldig. »Es war sozusagen meine Pflicht.«

Sie runzelte die Stirn. »Und du …« Sie drehte sich zu Simon um. »Du hast dich der Festnahme entzogen.«

»Ja, weil ich kein Spion bin«, sagte er, zu erschöpft, um diese Diskussion noch einmal zu führen. Doch zu seiner Überraschung schniefte Rhode nur.

»Ja. Das weiß ich jetzt auch. Aber zu dem Zeitpunkt

war die Beweislage erdrückend. Es wäre nachlässig gewesen, keine Vorkehrungen zu treffen.« Sie schwieg kurz. »Ich bin froh, dass ihr wohlauf seid.«

»Danke.« Simon dagegen war einfach nur froh, dass sie nicht wieder versuchte, ihn mit einem Kabelbinder zu fesseln. Er drehte sich zu den anderen. »Geht es euch gut? Habt ihr die Haie wirklich geschlagen?«

»Uns geht's gut, und ja, wir haben sie geschlagen, mit nur einer minimalen Anzahl an Verwundeten«, sagte Malcolm. »Es hat sich herausgestellt, dass Benjamin ein taktisches Genie ist. Er hat die Stadt räumen lassen und die Soldaten versteckt. Als die Haie angreifen wollten, war niemand da, gegen den sie kämpfen konnten. Und da die Kuppel nahezu undurchdringlich ist, konnten sie sich nur die Nasen daran platt drücken. Außerdem«, fügte er hinzu und klopfte Jam auf die Schulter, »hatte er die brillante Idee, eine Riesenladung Fischfutter mehrere Meilen entfernt ins Meer zu kippen. Der Großteil von Orions Soldaten wollte lieber frühstücken als kämpfen, und als sie weg waren, sind unsere Truppen ausgerückt und haben den Rest erledigt.«

Das war es also gewesen, was Simon und Nolan gesehen hatten. Der große Fischschwarm, der den kleineren bedrängt hatte, war nicht Orions Armee gewesen, die die Truppen des Unterwasserreichs angriff, sondern andersherum.

»Das ist ja fantastisch!«, sagte Simon beeindruckt.

»Es war nicht wirklich meine Idee«, sagte Jam bescheiden. »Ich habe es in einem Buch gelesen.«

»Trotzdem warst du es, der den Plan umgesetzt und das Kommando gegeben hat«, sagte Malcolm. »Und die Idee mit dem Fischfutter – damit hast du unzählige Leben gerettet.«

Jam zuckte verlegen die Schultern. »Rhode hat mich darauf gebracht.«

»Ich?«, fragte sie und zog die Augenbrauen hoch, als hätte er sie beleidigt.

»Ja. Weißt du nicht mehr, als ich mich mit sechs oder sieben beim Tauchen an einer Koralle geschnitten habe und du mich vor einem Tigerhai beschützt hast, der zufällig vorbeikam? Du sagtest, es sei nur sein Instinkt, eigentlich wolle er mich gar nicht fressen. Er habe nur auf den Geruch des Bluts im Wasser reagiert.«

»Oh.« Rhode blinzelte. »Das hatte ich ganz vergessen.«

»Ich nicht«, sagte Jam. »Dank dir habe ich mich auch weiterhin im Meer sicher gefühlt.«

Rhode bekam rote Wangen, und sie ordnete schnell ihre Haare, hob den Kopf und wechselte das Thema. »Wir müssen uns immer noch mit der Frage des Spions befassen …«

»Winter hat nichts damit zu tun«, sagte Simon schnell. Rhode sah ihn erstaunt an.

»Natürlich nicht. Dank deines Bruders wissen wir jetzt, wer der wahre Spion ist.«

»Ach ja?«, fragte Simon. Nolan grinste. »Während du gemütlich am Strand abgehangen hast, habe ich die Drecksarbeit übernommen«, sagte er stolz. Er wusste natürlich genau, dass Simon nichts dergleichen getan hatte. Aber diesmal war Simon froh, dass sein Bruder eine kleine Show abzog und die Aufmerksamkeit von ihm ablenkte.

Rhode rief nach den Wachen, und zwei Soldaten kamen herein. Zwischen ihnen lief eine sehr kleinlaute Pearl. Ihre Füße schlurften über den Boden, und in ihren Augen lag Angst. Simon sah die Verbände an ihren Armen – dort, wo Nolan sie gebissen hatte. Er warf seinem Zwillingsbruder einen verstohlenen Blick zu. Wusste Pearl jetzt von Nolans Kräften?

Vielleicht war die angebliche Verbindung zwischen Zwillingen doch kein Mythos, denn Nolan schüttelte kaum merklich den Kopf, als wüsste er genau, was Simon dachte. Trotzdem machte Simon sich in Gedanken eine Notiz, seinen Bruder später danach zu fragen. Wenn Pearl Bescheid wusste, wäre Nolans Geheimnis schon bald keines mehr.

»Pearl Anne Fluke«, sagte Rhode mit einer Stimme, die selbst den Befehlshaber einer feindlichen Armee dazu gebracht hätte, vor ihr strammzustehen. »Man hat dich des Verrats für schuldig befunden, nicht nur gegen dein Reich, sondern auch gegen deine eigene Familie. Deine Handlungen hatten zur Folge, dass unser Vater, der General der sieben Meere, beinahe gestorben wäre, dass unser Reich sein Teil des Greifstabs verloren hat und dass Dutzende Soldaten verletzt wurden.«

Pearls Unterlippe zitterte, und einen Augenblick lang tat sie Simon beinahe leid. Jam schien es ebenso zu gehen, denn er meldete sich zu Wort. »Es war nicht allein ihre Schuld. Ich meine, Orion hätte uns so oder so angegriffen«, fügte er hinzu, als Rhode ihm einen scharfen Blick zuwarf. »Sie hat ihm geholfen, das stimmt – aber ich will wissen, warum.«

Alle Augen richteten sich auf Pearl. Sie ließ den Kopf hängen. »Ich ... ich fand es nicht fair«, flüsterte sie.

»Was fandst du nicht fair?«, fragte Jam. Nicht so streng wie Rhode, eher wie ein Bruder, der mit seiner Schwester redet. Bei dem Anflug von Wärme in seiner Stimme blickte sie auf. Ihr Blick erinnerte Simon nur allzu sehr an Winters, nachdem Orion sie verstoßen hatte.

»Ich fand es nicht fair, dass Rhode die ganze Arbeit macht und unser Reich beschützt und du General wirst, nur weil du ein Delfin bist«, murmelte sie. »Orion ... Orion hat mir versprochen, dafür zu sorgen, dass Rhode die offizielle Erbin wird, wenn ich ihm ein paar Informationen besorge. Also ... habe ich ihm geholfen.«

Die Strenge in Rhodes Gesicht wich dem Erstaunen. »Du hast das für *mich* getan?«

Pearl nickte und starrte wieder zu Boden. »Jam will ja nicht mal General werden. Ich wusste nicht so genau, was Orion wollte. Er hat mir versprochen, dass niemand verletzt werden würde, dass er nur mit dir und dem General reden wolle, und ... Und als ich herausfand, was er wirklich wollte ... hat er gesagt, wenn ich ihm nicht helfe, würde er ... würde er dich umbringen ...«

Sie brach in Tränen aus. Nicht die Art Tränen, die Simon bei anderen gesehen hatte, wenn sie sich aus einer misslichen Lage retten wollten oder wenn es sie ärgerte, dass sie erwischt worden waren, sondern echte, dicke, reumütige Tränen voller Bedauern. Simon trat einen Schritt auf sie zu.

»Orion ist wirklich gut darin, andere für seine Zwecke einzuspannen«, sagte er; und obwohl die anderen nichts dazu sagten, wusste er, dass sie ihm genau zuhörten. »Er sagt dir, was du hören willst, wenn er glaubt, dass er dadurch sein Ziel erreicht. Mein Onkel ist gestorben, weil ich ihm vertraut habe. Ich ... ich weiß, wie sich das anfühlt. Es ist nicht deine Schuld. Zumindest nicht ganz. Ich mache dir keine Vorwürfe, dass du deiner Schwester helfen wolltest.«

Pearl sah ihn verblüfft an. »Aber ... ich habe versucht, dich zu töten!«

Simon zuckte die Schultern. »Du warst verzweifelt. Außerdem glaube ich nicht, dass du wirklich so weit gegangen wärst.« Das war eine Lüge, aber Pearl sah ihn dankbar an.

»Es tut mir leid«, brachte sie hervor. »Alles. Es tut mir wirklich, wirklich leid.«

»Mir auch«, sagte er, und nach kurzem Zögern griff er in die Tasche und zog den Kristall heraus. »Hier«, sagte er und reichte ihn Jam. »Ich glaube, der gehört eurem Reich.«

Jam nahm den Kristall und drehte ihn in der Hand. »Richtig«, sagte er und räusperte sich. Sie brauchten ihn zwar nicht mehr, um Simons und Winters Unschuld zu beweisen. Aber Simon wollte nicht, dass Pearl bestraft wurde, weil der Kristall durch ihre Schuld verloren gegangen war. Er vertraute darauf, dass Jam ihn irgendwie zurückholen würde.

»Ist der auch nicht gefälscht?«, fragte Rhode und sah ihn misstrauisch an. Jam schüttelte den Kopf und zeigte ihr das Teil, ließ sie es jedoch nicht halten. Es war immer noch schmerzhaft heiß, da Simons Taschenuhr in der Nähe war.

»Dad ... ich meine, der General hat ihn mich tragen lassen«, erklärte er. »Ich bin sicher, dass es der echte ist.«

Rhode holte tief Luft und atmete langsam wieder aus. »Ich möchte mich bei euch beiden entschuldigen«, sagte sie zu Simon und Winter. »Ich werde aus meinen Fehlern lernen und in Zukunft bessere Entscheidungen treffen.«

»Mehr können auch wir nicht tun, Admiral«, sagte Malcolm freundlich, doch Simon entdeckte einen Hauch Genugtuung in seinem Gesicht. »Aber bitte denken Sie daran, dass ich ein gutes Gedächtnis habe und einen solchen Zirkus nicht noch einmal mitmachen werde.«

»Verstanden.« Sie nickte. »Soldat«, fügte sie hinzu und sah Jam an. »Dank dir ist Atlantis noch immer unter unserer Herrschaft. Ich denke, es ist nur angemessen, wenn du Pearl für ihre Tat verurteilst.«

Jam blinzelte. »Ich?«, fragte er.

»Ja, du«, erwiderte sie. »Du warst in der Lage, hinter unsere Regeln und Traditionen zu blicken und die Situation in einer Weise zu sehen, die uns anderen unmöglich war. Mit deiner Kreativität, deinem Einfallsreichtum und deinem Mut, hast du uns gerettet.« Rhode schwieg einen Augenblick. »Wir machen alles seit langer Zeit auf die immer gleiche Weise. Vielleicht würde es uns nicht schaden, ein paar Dinge zu ändern.«

Mit muschelgroßen Augen blickte Jam zwischen seinen Schwestern hin und her. »Ich …« Er unterbrach sich und schüttelte den Kopf. »Du hast recht. Ich finde es zum Beispiel total bescheuert, dass wir nach dem ersten Animagieren keine Fehler mehr machen dürfen. Jeder macht mal Fehler. Vielleicht nicht gleich solche, aus denen ein ganzer Krieg entsteht«, fügte er schnell hinzu. »Aber Pearl hat das alles nicht gewollt. Sie wollte nur helfen.«

»Die Soldaten, die in der Schlacht verletzt wurden, werden ihre Narben ein Leben lang tragen«, gab Rhode zu bedenken.

»Ich weiß. Glaub mir, das weiß ich«, sagte er und warf Simon einen Blick zu. »Sie hat einen Riesenfehler gemacht, der sehr böse hätte enden können. Deshalb denke ich, dass sie aus der Armee entlassen werden sollte. Sie sollte ihren Rang aufgeben und Arbeit für die Gemeinschaft leisten, bis sie achtzehn ist.«

»Ist das alles, Soldat?«, fragte Rhode. »Das ist die ganze Strafe, die sie für Hochverrat bekommen soll?«

Jam blinzelte. »Das ist doch schlimm genug, oder nicht? Unsere gesamte Gesellschaft dreht sich um die Armee. Und sie darf nicht dazugehören. Aber ...« Er zögerte. »Vielleicht könnte sie verpflichtet werden, sich um die verletzten Soldaten zu kümmern, damit sie versteht, dass ihre Handlungen Folgen hatten. Ich finde allerdings nicht, dass sie für den Rest ihres Lebens bestraft werden sollte. Wenn sie achtzehn ist, soll sie eine neue Chance bekommen, der Armee beizutreten, wenn sie will. Äh, und wenn der General es für richtig hält, meine ich.«

»Du willst zulassen, dass eine Verräterin wieder in die Armee eintritt?«, fragte Rhode ungläubig.

»Nein. Ich will, dass unsere Schwester eine zweite Chance bekommt, weil sie erst dreizehn ist und weiß, dass sie einen Fehler gemacht hat. Niemand ist gestorben. Wir haben den Kristall. Es war schrecklich, aber das weiß Pearl selbst, und sie hat nur versucht, uns zu beschützen. Ich finde, das alles sollte auch berücksichtigt werden.«

Jam beendete seine Rede und stand, so aufrecht er konnte, mit hoch erhobenem Kopf. Simon war überzeugt, dass Rhode seinen Vorschlag zurückweisen würde, doch sie nickte knapp.

»Also gut. Ich werde den General darüber informieren, sobald er gesund ist. Er wird selbstverständlich die Möglichkeit haben, deinen Beschluss zu ändern, falls er es für nötig hält. Aber«, fügte sie hinzu und musterte ihn aufmerksam, »ich glaube nicht, dass das der Fall sein wird.«

Jam strahlte einen Moment lang, bevor er ein neutraleres Gesicht machte. »Danke, Admiral«, sagte er förmlich. »Ich hoffe, ich werde ihn nicht enttäuschen.«

Malcolm räusperte sich. »So ungern ich unterbreche, ich halte es für das Beste, wenn wir so schnell wie möglich abreisen. Sie haben hier mehr als genug zu tun, und nach allem, was passiert ist, haben die Kinder ein paar Tage Urlaub verdient, finde ich.«

Rhode nickte. »Selbstverständlich, Alpha. Ich werde ein U-Boot für Sie vorbereiten lassen.«

»Lass uns noch ein bisschen bleiben«, platzte Simon heraus. Alle Augen im Raum richteten sich auf ihn, und er schluckte. »Also, nicht hier unten. Aber es wäre doch ganz cool, Avalon zu erkunden.«

»Die Vogelarmee zieht sich bereits zurück«, sagte Rhode und sah Malcolm an. »Ich könnte ein paar Wachen abstellen, um die Sicherheit Ihrer Familie zu gewährleisten, aber ich denke nicht, dass es Probleme geben wird.«

»Du hast uns Weihnachten am Strand versprochen!«, rief Nolan. Malcolm seufzte.

»Wenn es das ist, was ihr wollt – meinetwegen, solange nichts dagegenspricht.«

Nolan stieß einen Freudenschrei aus und klatschte Simon ab – zum allerersten Mal überhaupt. Ariana dagegen schüttelte den Kopf.

»Ich muss nach Hause«, sagte sie. »Meine Mom …« Sie brach ab. »Ich muss nach Hause.«

»Ich kümmere mich um alles«, versprach Malcolm. »Du solltest dich ausruhen. Das solltet ihr alle.«

Simon beobachtete sie, doch sie wich absichtlich seinem Blick aus. Irgendetwas stimmte nicht. Auch wenn Ariana es ihm im Augenblick nicht anvertrauen wollte, hoffte Simon, dass sie es noch tun würde.

Später an diesem Tag, nachdem sie alle ein Nickerchen gemacht hatten, begleitete Jam sie zur Anlegestelle.

Obwohl längst abgemacht war, dass Jam sie in Avalon besuchen würde, umarmte er Simon zum Abschied. Dabei spürte Simon, dass etwas Heißes in seine Tasche glitt, in der sonst immer Felix geschlafen hatte.

»Danke«, sagte Simon und ließ Jam wieder los. »Für alles.«

»Ich bin einfach nur froh, dass wir es lebend überstanden haben«, sagte Jam grinsend. Doch er wurde schnell wieder ernst und fügte hinzu: »Wenn Orion den Greifstab bekommt, sind alle unsere Familien in großer Gefahr, nicht wahr?«

»Das werden wir verhindern«, erwiderte Simon leise. »He, außerdem haben wir schon Haie überlebt. Mit etwas Schlimmerem kann uns Orion nicht mehr kommen!«

Jam brachte ein leichtes Lachen zustande. »Sei dir da mal nicht zu sicher. Als Nächstes kommt bestimmt eine Schlacht gegen Riesentaranteln. Übrigens: Das mit Al und Floyd tut mir echt leid. Mach keinen Blödsinn, während ich hier unten bin, okay?«

»Das kann ich dir nicht versprechen«, erwiderte Simon und rang sich ein Grinsen ab. »Viel Spaß noch beim Sushi-Essen. Ich werd mir jetzt mal was Richtiges besorgen.«

Jam lachte, und mit einem letzten Winken stieg Simon in das U-Boot, wo die anderen bereits auf ihn warteten. Winter und Nolan standen am hinteren Fenster, während Lord Anthony, Arianas Berater, stocksteif in seinem frisch gestärkten Anzug in der Mitte saß. Einige Plätze weiter saß Ariana, noch immer blass um die Nase, doch sichtlich erleichtert, dass sie Atlantis endlich verließen. Simon setzte sich neben sie. Sie sagte nichts, aber das musste sie auch nicht. Was auch immer sie gerade durchmachte, Simon würde dafür sorgen, dass sie nicht allein war.

»Ist es wirklich in Ordnung, wenn ich über Weihnachten bei euch bleibe?«, fragte Zia, die neben Malcolm saß. »Versteh mich nicht falsch – ich würde liebend gern ein paar Tage mit euch am Strand verbringen, aber ... ich will mich nicht aufdrängen.«

»Je mehr Freunde, desto besser. Finde ich zumindest«, sagte Malcolm, der erfreut zu sein schien. »Simon? Nolan? Winter? Irgendwelche Einwände?«

Simon schüttelte den Kopf, während Winter ihre Fingernägel betrachtete. »Von mir aus spricht nichts dagegen«, sagte sie geziert.

Nolan zuckte mit den Schultern. »Ist mir egal«, rief er vom Bullauge her, wo er zusah, wie Atlantis kleiner und kleiner wurde.

»Na, wer könnte nach diesem Begeisterungssturm Nein sagen?«, scherzte Zia. Ihre Blicke begegneten sich, und Simon schaute schnell nach unten. Er war immer noch nicht sicher, ob er ihr ganz vertrauen konnte, aber sie hatte jedenfalls bewiesen, dass sie auf seiner Seite war. Also lächelte er.

Zia zwinkerte ihm zu. Simon schob die Hände in die Taschen, und an der Stelle, an der Felix immer geschlafen hatte, fühlte er den heißen Kristall. Ein Gefühl der Leere breitete sich in ihm aus, und er musterte nacheinander die Leute um ihn herum. Nun hatte er zwar ein weiteres Teil des Greifstabs, aber auf dem Weg dorthin hatte er einen seiner besten Freunde verloren.

Dabei war Felix eigentlich gar nicht mein Freund, dachte er, nicht wirklich.

Was würden ihn diese Reise und die Geheimnisse, die sie dabei enthüllten, noch kosten? Was würde auf ihrer Mission noch ans Tageslicht kommen?

NEUNZEHNTES KAPITEL

Von Mäusen und Menschen

Ein großer Geländewagen wartete schon auf sie, als sie in Avalon ankamen. Während Malcolm und Zia das Gepäck im Kofferraum verstauten, blieb Simon an der Anlegestelle bei Ariana und ihrem Berater. Der Tag war wolkenlos, und um sie herum glitzerten der Sand, das Meer und der blaue Himmel, doch Ariana sah aus, als müsste sie zu einer Beerdigung.

»Kann ich bei ihr bleiben, bis ihr Boot da ist?«, fragte Simon Malcolm.

»Ich kann dich nicht hier allein lassen«, sagte sein Onkel, der gerade Winters schweren Koffer in den Kofferraum hievte.

»Ich bleibe bei ihm«, bot Zia an. »Ihr könnt schon vorfahren und euch im Ferienhaus einrichten.«

»Sicher?«, fragte Malcolm. Sie nickte.

»Also gut. Dann schicke ich den Wagen zu euch zurück.«

»Lasst euch Zeit«, erwiderte Zia. »Wir kommen schon zurecht.«

Als der Geländewagen mit Malcolm, Nolan und Winter davonrollte, stellte Zia sich demonstrativ neben Simon und Ariana, um Malcolm zu beruhigen, doch sobald das Auto außer Sichtweite war, trat sie beiseite. »Das Boot wird frühestens in einer halben Stunde da sein, und ich habe noch ein paar Weihnachtseinkäufe zu erledigen. Lord Anthony, möchten Sie mich vielleicht begleiten?«

Arianas Berater versteifte sich. »Eigentlich würde ich lieber …«

»Ich weiß, es klang wie eine Frage, aber eigentlich war es keine«, sagte Zia und hakte ihn unter.

»Geh ruhig«, sagte Ariana leise. »Ist schon in Ordnung.«

Lord Anthony wollte protestieren, doch Zia übertönte ihn mit fröhlichem Geplapper über das Wetter und zog ihn in den nächsten Laden. In ihren Augen lag ein seltsames Funkeln, das Simon wieder einmal das Gefühl gab, sie wisse mehr, als sie zugab, doch diesmal war er ihr dankbar.

Ariana setzte sich am Rand der Anlegestelle auf ihren Koffer und starrte mit abwesendem Blick aufs Wasser.

Simon wartete beinahe eine ganze Minute darauf, dass sie irgendetwas tat oder sagte. Als klar war, dass sie es nicht tun würde, setzte er sich neben sie auf die Holzbohlen. »Wir müssen reden.«

»Es gibt nichts zu reden.« Trotz ihrer harten Worte lag keine Streitlust in ihrer Stimme.

»Doch, gibt es. Irgendetwas beschäftigt dich. Ich lasse dich nicht gehen, bevor du mir gesagt hast, was los ist.«

Ariana wandte den Blick ab. »Ich will nicht darüber sprechen.«

»Hab ich dir irgendetwas getan?«, fragte er hilflos. »Du weißt, dass ich nicht wirklich sauer bin wegen der Sache mit Orion, oder? Die Idee war gut. Es war nur nicht der richtige Zeitpunkt.«

»Das ist es nicht«, murmelte sie. »Nicht alles hat mit dir zu tun, Simon.«

»Ich …« Er blinzelte und hielt sich zum Schutz vor der Sonne die Hand über die Augen, während er sie ansah. »Was ist es dann?«

Sie schwieg. Doch nach einigen Sekunden traten ihr Tränen in die Augen, und ihr Kinn zitterte. Ohne ein Wort stand Simon auf und nahm sie in die Arme.

Ariana begann zu schluchzen. Minutenlang weinte sie an seiner Schulter, und Simon konnte nichts anderes tun, als sie festzuhalten. Er hatte sie noch nie weinen gesehen. Ariana war der stärkste Mensch, den er kannte, und sie so verzweifelt zu sehen … Simon bekam einen Kloß im Hals. Eigentlich war sie doch die Starke, die nichts aus der Fassung brachte.

Vielleicht hatte sich deshalb so vieles in ihr aufgestaut. Vielleicht hatten alle von ihr erwartet, dass sie stark war, und sie hatte es so lange selbst geglaubt, dass sie jetzt meinte, versagt zu haben, weil sie sich schwach fühlte. Das konnte er verstehen. Bei all dem Druck, den seine Mom und Leute wie Leo auf ihn ausübten, kannte er das Gefühl nur zu gut. Der einzige Unterschied war, dass er wusste, dass er manchmal schwach sein durfte. Genauer gesagt, ziemlich oft. Vielleicht hatte Ariana einfach noch nie jemand gesagt, dass sie auch mal schwach sein durfte.

»Du kannst immer mit mir reden, weißt du«, sagte er, als ihre Tränen weitgehend versiegt waren. Er zog eine Serviette aus der Hosentasche. Es hingen noch ein paar Krümel von Felix' letztem Imbiss daran, und er klopfte sie ab und reichte sie ihr. Sie putzte sich die Nase.

»Meine Mom ist krank«, flüsterte sie. Ihre Augen waren rot und geschwollen, und es quollen immer noch Tränen heraus. »Richtig krank – keine Grippe oder so was. Sie wird wahrscheinlich nie wieder gesund.«

Simons Herz wurde schwer. »Das tut mir leid.« Er wusste selbst, wie leer diese Worte klingen mussten. Ariana schüttelte den Kopf.

»Deshalb musste ich für sie zum Krisentreffen kommen. Sie war nicht stark genug. Sie hat versucht, ihre Krankheit zu verstecken, doch ein paar mächtige Leute aus unserem Reich haben es herausgefunden und wollen sie vom Thron stürzen. Sie können sie nicht mal in Frieden sterben lassen«, sagte sie, und ihre Stimme brach vor Trauer und Zorn. »Dieses Weihnachtsfest ist vielleicht das letzte Mal, das ich sie sehen werde. Ich will nicht zurück in die Schule, aber sie besteht darauf, weil sie meint, dass es dort sicherer ist. Zu Hause haben es alle möglichen Leute auf uns abgesehen, und meine Mom ist zu schwach, um sich gegen die Intrigen zu wehren. Wir können niemandem mehr vertrauen, nicht einmal ihren engsten Beratern. Und wenn ich wieder im L. A. G. E. R. bin ...«, sie verlor kurz die Stimme, »... kann nicht mal mehr ich für sie da sein.«

Ariana vergrub das Gesicht an seiner Schulter. Ihre Tränen flossen wieder, und er sagte nicht, dass alles wieder gut werden würde. Das würde es nicht. Wenn ihre Mutter die Krankheit nicht überstand, würde in ihrem Reich ein Krieg ausbrechen, es gab nichts, was sie dagegen tun konnten. Etwas anderes zu behaupten, hätte sie beide zu Lügnern gemacht.

»Könnte deine Mom sich nicht an irgendeinen sicheren Ort zurückziehen?«, fragte er. »Vielleicht in ein anderes Reich? Malcolm würde sie beschützen. Das weißt du.«

»Sie … sie weigert sich«, schluchzte Ariana. »Ich hab versucht, sie zu überreden. Malcolm weiß Bescheid. Deshalb … deshalb ist er in letzter Zeit so nett zu mir. Aber egal was ich sage oder tue, sie hört einfach nicht auf mich. Das Reich ist ihr wichtiger als ihre eigene Sicherheit. Ich weiß nicht mehr, was ich machen soll.«

Schweigen breitete sich zwischen ihnen aus, nur das Rauschen der Wellen am Strand war zu hören. Simon legte den Arm um sie, und sie lehnte den Kopf an seine Schulter, die jetzt nass von ihren Tränen war. Es störte ihn nicht. Die Zeit schien stillzustehen, und obwohl Simon ein Dutzend verschiedene Gedanken durch den Kopf gingen, hielt er den Mund. Es würde nichts bringen. Im Augenblick brauchte Ariana einfach nur jemanden, der für sie da war und ihr zuhörte.

Schließlich gab Arianas Magen ein lautes Knurren von sich. Simon lehnte sich zurück und sah sie an. »Wann hast du das letzte Mal was gegessen?«

»Keine Ahnung. Gestern Mittag vielleicht?« Sie brachte ein verweintes Lächeln zustande. »Ich hatte keinen Hunger.«

»Hm, ich auch nicht«, murmelte er. »Aber besorg dir am Flughafen was, okay?«

»Mach ich.« Ariana sah ihn von der Seite an. Ihre Augen waren rot gerändert, doch irgendwie sah sie jetzt stärker aus. »Mein Reich ist als Nächstes dran.«

»Ich weiß.« Simon nickte. »Glaubst du, deine Mom würde uns … den Kristall vielleicht einfach geben?«

Ariana schüttelte den Kopf. »Ich habe sie danach gefragt. Sie glaubt, er sei so gut versteckt, dass niemand ihn finden kann.«

»Weißt du irgendwas?«, fragte er.

»Sie hat gesagt … sie hat gesagt, ich würde es erfahren, wenn sie …« Ariana starrte auf ihre Hände. »Es tut mir leid.«

»Es muss dir nicht leidtun. Wir werden ihn irgendwie finden.« Simon zupfte an einer Strähne seiner kurzen Haare. »Du weißt, dass ich immer für dich da bin, wenn du jemanden zum Reden brauchst, ja? Oder … zum Nichtreden. Wir müssen nichts sagen.«

»Danke.« Sie warf ihm ein kleines Lächeln zu, das schnell wieder verschwand. »Ich weiß nicht, wie du es aushältst, dass deine Mom ständig in Gefahr ist. Für mich ist das wie der Weltuntergang.«

»Ja, für mich irgendwie auch«, murmelte Simon. Er konnte nicht lügen und sagen, dass alles in Ordnung kommen würde. Wenn er ihr irgendetwas schuldig war, dann die Wahrheit. »Aber du bist nicht allein, ganz egal was passiert.«

Ariana nahm seine Hand und drückte sie. »Danke«, murmelte sie. »Du auch nicht, klar?«

Simon holte tief Luft und atmete langsam wieder aus.

»Ich glaube, das ist im Augenblick das Einzige, was ich mit Sicherheit weiß. Alles andere …« Er machte eine vage Geste mit der freien Hand.

»Wir werden einen Weg finden«, sagte Ariana. »Wie immer.«

»Bis wir irgendwann keinen mehr finden«, entgegnete er. Sie sagte nichts, aber er erwartete auch keine Antwort. Nichts in ihrer Welt war mehr sicher, und auch wenn sie aufeinander zählen konnten, würden sie einen Weg finden müssen, um zu überleben.

Avalon war der perfekte Ort für eine kleine Auszeit. Die Strände waren wunderschön und zu dieser Jahreszeit auch nicht zu voll. Die meisten Animox, die auf der Insel lebten, waren Familien mit Kindern, die noch nicht animagiert hatten. Das Städtchen war ein sehr viel lebendigerer Ort als Atlantis, an dem man alles Mögliche unternehmen konnte.

Simon verbrachte den Großteil der beiden folgenden Wochen am Strand. Da er nicht ins Wasser durfte, solange seine Verletzungen noch nicht verheilt waren – Malcolm glaubte, er habe sie sich auf der Flucht vor Rhode zugezogen –, las er ein Buch nach dem anderen, während Nolan und Winter an den wärmeren Tagen im Meer planschten und schnorchelten. Wenn die Temperaturen sanken, gingen sie in die Stadt oder erkundeten die Insel. Der General war kurz nach der Schlacht wieder aufgewacht, und es gab keinen Hinweis darauf, dass sich der Schwarm noch in der Nähe der Küste aufhielt, sodass Jam sich vorerst keine Sorgen um das Unterwasserreich machen musste und mehrmals zu Besuch kommen konnte.

Weihnachten verlief fröhlich und feierlich, und es gab viel mehr Geschenke, als Simon erwartet hätte. Sein Onkel Darryl und er hatten immer sehr bescheiden gefeiert. Darryl hatte Lasagne gemacht, und sie hatten beide so getan, als würde Simon nicht angespannt auf das Geräusch der Klingel lauschen und auf seine Mutter warten – wenn sie denn überhaupt kam. Jetzt tat es ihm leid, dass er Darryl nicht mehr Aufmerksamkeit geschenkt und nicht zu schätzen gewusst hatte, was er für ihn getan hatte. Aus diesem Grund verbrachte er klaglos den ganzen Tag mit seinem Onkel Malcom, seinem Bruder, seiner Tante und Winter. Seine Mutter würde nicht kommen, und es gab keine Klingel mehr, auf die er lauschen musste.

Jam und mehrere seiner Schwestern kamen zum Essen, darunter Nixie und Coralia mit einem leicht verschreckt wirkenden jungen Mann, der nur ihr Freund sein konnte. Zu Simons Überraschung hatte Nixie Winter ein Geschenk mitgebracht.

»Das ist keine Entschuldigung«, stellte sie klar, während Winter die kleine Schachtel so argwöhnisch öffnete, als vermute sie eine Bombe darin. »Ich dachte nur, es würde dir gefallen.«

Das Geschenk war, wie sich zeigte, eine Haarspange aus einer glitzernden Opalmuschel. Winter steckte sie sofort in die aufwendige Krone aus Zöpfen, die sie auf dem Kopf trug, und von dem Augenblick an waren sie und Nixie unzertrennlich. Simon konnte ihren Sinneswandel zwar nicht so recht nachvollziehen, aber solange Winter glücklich war, war das wohl auch nicht nötig.

Abends, nachdem sie die letzten Würstchen von Malcolms Grill verdrückt hatten, versammelten sich alle um ein Lagerfeuer am Strand. »Daddy ist noch nicht hundertprozentig überzeugt«, berichtete Coralia, die ihre Finger mit denen ihres Freunds verschlungen hatte, »aber er ist bereit, ihn kennenzulernen. Das ist immerhin ein Schritt in die richtige Richtung.«

»Coralia hat erzählt, dass ihre Familie eine Vorliebe fürs Meer hat«, sagte ihr Freund und strich sich die langen Haare hinters Ohr. »Ich bin praktisch auf einem Surfbrett zur Welt gekommen, also mache ich mir keine Sorgen.«

Während die anderen versuchten, das Kichern zu unterdrücken, nahm Zia Simon am Ellbogen. »Könntest du mir kurz helfen?«, fragte sie leise.

Simon konnte sich nichts vorstellen, wobei Zia seine Hilfe benötigen könnte, aber er war neugierig und nickte.

Die Stimmung zwischen ihnen war nach wie vor etwas angespannt, aber sie war immer sehr nett zu ihm und machte ab und zu Witze, bei denen Malcolm rot wurde und Zia daran erinnerte, dass sie Kinder waren. Simon störte das nicht – er konnte ein bisschen Aufheiterung gebrauchen, und Zia schien dankbar zu sein, das Eis zwischen ihnen brechen zu können.

Er folgte ihr über den Strand zu einer Höhle, die er und Nolan ein paar Tage zuvor erkundet hatten. Als sie außer Sichtweite der anderen waren, blieb Zia stehen, und hinter den Bäumen kam Leo hervor. Er trug ein kleines Päckchen unterm Arm.

Simon blieb wie angewurzelt stehen. Seit der Enthüllung, dass er Felix als Spion zu ihm geschickt hatte, hatte er nichts mehr von Leo gehört, doch irgendwie hatte er etwas in der Art erwartet. Sein neuer Großvater schien nicht der Typ zu sein, der eine Diskussion nicht zu Ende führte.

»Ich lasse euch beide einen Moment allein«, sagte Zia und ging ans Wasser hinunter.

»Du siehst kräftiger aus«, sagte Leo nach mehreren zähen Sekunden des Schweigens. »Erholt.«

»Ähm ... danke«, erwiderte Simon. »Was machst du hier?«

»Ich wollte ... ein paar Dinge erklären«, sagte sein Großvater. »Nun ja, wir beide.«

Felix streckte den Kopf aus Leos Tasche. Simon trat automatisch einen Schritt zurück, und die bemühte Höflichkeit zwischen ihnen schwand. »Ich will nicht mit dir reden.«

»Du sollst auch nicht reden«, sagte Felix. »Du sollst zuhören. Ich bin dein Freund, Simon. Kein Spion. Keine Ratte … dein Freund.«

»Wenn du deine Freunde so behandelst, dann …«

»Ich war noch nicht fertig«, fauchte Felix und sprang auf Leos Schulter. »Es war nie der Plan, dass du mein Freund wirst – ich sollte ein Auge auf dich haben, nach Gefahren Ausschau halten, und das war's. Freundschaft war nicht inbegriffen. Aber ich bin trotzdem dein Freund geworden, weil du viele Dinge anders machst als andere Menschen. Du hast verletzten Tauben geholfen, du hast mich wieder aufgepäppelt, als ich halb verhungert war …«

»Erzähl mir nicht, dass das nicht gespielt war«, sagte Simon verärgert.

»War es nicht! Die Ratten hatten sich alles unter den Nagel gerissen, und ich bin nicht der Typ fürs Mülltonnentauchen«, sagte Felix würdevoll. »Du hast keinen von uns wie einen Feind behandelt, ganz egal zu welchem Reich er gehörte.«

»Damals wusste ich ja auch noch nichts von den Königreichen«, erinnerte Simon ihn.

»Egal. Du tust es immer noch. Du triffst jemanden und interessierst dich dafür, *wer* er ist, und nicht, *was* er ist. Weißt du eigentlich, wie selten das ist, Kleiner?«

Simon hob überrascht die Schultern. »Ich …«

»Ich bin immer noch nicht fertig.« Felix sah ihn mit seinen schwarzen Knopfaugen düster an, und Simon hielt wieder den Mund. »Ich habe es verstanden. Ich habe dich verletzt. Es tut mir leid. Hand aufs Herz und großes Indianerehrenwort und so weiter … Es war nie meine Absicht, dich zu verletzen. Niemand von uns wollte das. Wir wollten dich nur in Sicherheit wissen. Manchmal hatte das zur Folge, dass wir dumme Entscheidungen getroffen oder dir nicht alles gesagt haben, aber damit ist jetzt Schluss. Es muss keine Geheimnisse und Lügen mehr geben, wenn es nach mir geht. Ich will dein Freund sein. Das ist alles. Ich werde mich nicht dafür entschuldigen, dass ich dich beschützt habe. Aber ich entschuldige mich dafür, dass ich dich verletzt habe, denn du hast recht – ich habe mich nicht besser verhalten als eine Ratte. Freunde hintergehen einander nicht, und ich werde es auch nicht wieder tun, wenn ich es irgendwie verhindern kann.«

Simon starrte ihn an. Felix zupfte nervös an seinem Schwanz.

»Das war alles. Du darfst jetzt sprechen.«

In Simons Kopf rangen Wut und Einsamkeit miteinander. Einerseits hatte Felix ihn über ein Jahr lang belogen und vorgegeben, jemand zu sein, der er nicht war. Davon hatte Simon schon mehr als genug gehabt. Aber andererseits vermisste er seinen Freund – er vermisste seine bissigen Kommentare und seine schlechten Witze, und sogar sein nie enden wollendes Gejammer.

Er hatte es über sich gebracht, Pearl zu vergeben, dass sie ihn hatte umbringen wollen. Warum war es so schwer, Felix zu vergeben, dass er ihn belogen hatte?

Weil die Verletzung größer war. Sie war persönlich. Er hatte Felix vertraut, und deshalb fühlte sich dessen Verrat schlimmer an als alles, was Pearl ihm hätte antun können. Doch Simon wollte nicht an dieser Bitterkeit festhalten, er wollte nicht mehr sauer sein. Es war zu anstrengend, und außerdem hatte er Wichtigeres zu tun.

Als er sich entschieden hatte, trat er vor und nahm Felix von Leos Schulter. »Ich gebe dir noch eine Chance, eine einzige. Keine Lügen mehr«, sagte er streng. »Du sagst mir die Wahrheit und verheimlichst mir nichts, oder du bist auf dich gestellt und musst die Ratten aus der U-Bahn um Futter anbetteln. Abgemacht?«

Felix schnitt eine Grimasse. »Eher würde ich meinen Schwanz fressen, als diese Mistviecher um ein Almosen zu bitten!«

»Abgemacht oder nicht, Felix?«

Die kleine Maus nickte, und Simon ließ sie über seinen Ärmel zurück in seine Tasche krabbeln, wo sie herumwurschtelte, als würde sie sich zum ersten Mal dort einrichten. »Hast du irgendeine Vorstellung, wie viele Flusen du gesammelt hast, während ich weg war?«

Simon hätte beinahe gelächelt, doch als er Leos starren Blick sah, runzelte er die Stirn. »Ich weiß nicht, ob ich dir trauen kann oder nicht«, gab er zu.

»Gut. Das solltest du auch nicht, bevor ich mir dein Vertrauen verdient habe.« Leo tippte mit der Fußspitze auf den Sand, als könnte er es kaum aushalten, still zu sein. »Frag mich, warum ich die Teile nicht haben will.«

Simon runzelte die Stirn. »Wie bitte?«

»Du bist in deinem Leben lange genug von Erwachsenen herumgezerrt worden. Ich schulde dir eine Erklärung, und ich werde versuchen, sie dir zu geben«, sagte Leo. »Frag.«

Simon atmete langsam aus. »Also gut. Warum willst du die Teile nicht?«

»Weil ich mir selbst nicht traue.«

Diese Antwort machte Simon neugierig. »Warum nicht? Du hast doch schon die Kräfte des Bestienkönigs.«

»Ich würde nicht mit dem Greifstab töten müssen. Aber wenn ich die Gelegenheit hätte, fürchte ich, dass ich ihn einsetzen würde, um die Herrscher der fünf Reiche zu bedrohen und ein gemeinsames Friedensabkommen zu erzwingen.«

»Aber … wäre das nicht gut?«

»In einer perfekten Welt schon. Aber leider leben wir nicht in einer perfekten Welt, und alles, was der Greifstab je gebracht hat, ist Leid. Wenn ich ihn benutzen würde – und sei es auch nur, um unserer Welt den Frieden zu bringen –, hätten die fünf Reiche keine andere Wahl, als sich gegen mich zu erheben und den schlimmsten Krieg zu beginnen, den unsere Welt in den letzten fünfhundert Jahren erlebt hat. Niemand sollte so viel Macht haben, ganz egal wie gut seine Absichten sind.«

»Und du glaubst, ich würde ihn nicht benutzen?«, fragte Simon, obwohl ihm der Gedanke tatsächlich noch nie gekommen war.

»Nein«, sagte Leo. »Das glaube ich nicht.«

Simon nickte, unsicher, was er sagen sollte. Zwischen ihnen stand eine ganze Geschichte, von der er bis vor wenigen Tagen nichts geahnt hatte, und er wusste nicht, wie er damit umgehen sollte. Sie waren Fremde, die zu viel gemeinsam hatten, um es in Worte zu fassen. Gleichzeitig wollte Simon ihm nahe sein. Er wollte seinen Großvater kennenlernen. Aber nach allem, was sie beide erlebt hatten, wusste er nicht, wo er beginnen sollte. »Es tut mir leid«, sagte er schließlich. »Das mit Dad. Und Darryl.«

»Es muss dir nicht leidtun«, erwiderte Leo. »Es war nicht deine Schuld.«

»Das mit Darryl schon«, widersprach Simon niedergeschlagen. »Er war nur meinetwegen auf dem Dach.«

»Nein.« Leo kniete sich vor ihn und suchte in dem rutschenden Sand sein Gleichgewicht. »Orion hat Darryl getötet, nicht du. Du bist der Einzige, der ihn davon abhält, andere zu töten. Verstehst du?«

Er verstand es nicht, aber er nickte trotzdem. Leo lächelte ihn traurig an, bevor er ihm das Päckchen reichte, das er mitgebracht hatte. »Hier. Ich dachte, du würdest es gerne haben.«

Vorsichtig öffnete Simon das Packpapier. Darin war das Buch, das Leo ihm auf dem Boot gezeigt hatte, und zwischen den Seiten steckte das Foto von seinem Vater und Darryl. Simon presste es an sich, damit der Wind es nicht wegwehte. »Das kann ich nicht annehmen«, sagte er leise. »Es gehört dir.«

»Für mich ist es eine Erinnerung«, sagte Leo. »Für dich ist es ein Blick auf das Leben, das du hättest haben sollen. Und das ich dir mit meiner Dummheit genommen habe.«

Simon wollte protestieren, doch Leo schüttelte den Kopf.

»Ich bereue meine Fehler seit über zehn Jahren, und das wird sich für den Rest meines Lebens nicht ändern. Ich kann nicht so tun, als ob es anders wäre. Ich habe dir etwas genommen, was ich dir nie zurückgeben kann. Dir ein Stück deiner Geschichte zu geben, ist das Mindeste, was ich tun kann.«

Simon beugte sich im Mondschein über das Foto und betrachtete das Gesicht seines Vaters. Auf diesem Bild wirkte er glücklicher als auf dem Porträt im L. A. G. E. R. Er konnte sich beinahe vorstellen, wie sein Vater wirklich gewesen war, konnte beinahe sein Lachen hören und seine Bewegungen vor sich sehen. Es war nicht real, aber mehr als alles, was er bisher gehabt hatte.

»Danke«, sagte er schließlich. »Und übrigens mache ich dir keine Vorwürfe.«

Leo lächelte traurig. »Das liegt nur an deiner Loyalität, die ich gar nicht verdient habe.« Er erhob sich und klopfte Simon auf die Schulter. »Und jetzt sei mutiger als wir alle. Wenn du je irgendetwas brauchst, musst du mich nur darum bitten. Vergiss das nie, Simon – du bist nicht allein.«

Simon entging nicht, dass das ein Versprechen und eine Warnung zugleich war. Nach einer kurzen Verabschiedung verschwand Leo wieder im Schatten der Bäume, und Simon lief zu Zia ans Wasser hinunter, Felix sicher in der Tasche seines Sweatshirts verstaut. »Weiß Malcom, wer du bist?«, fragte Simon sie ohne Umschweife.

»Er weiß, dass wir einen gemeinsamen Bruder haben«, sagte Zia, unbeeindruckt von seiner Direktheit. »Als wir aufgewachsen sind, haben wir uns nicht richtig kennengelernt. Ich war mehrere Jahre jünger als er, Luke war in New York bei der Familie der Alpha, und ich war in Stonehaven. Ich habe Darryl über meinen Vater und deine Mutter kennengelernt«, fügte sie hinzu. »Aber als Luke starb, war Malcolm erst neunzehn oder zwanzig, und Darryl wollte ihn nicht in die Angelegenheit hineinziehen. In letzter Zeit sind wir uns aber nähergekommen.«

Bei den letzten Worten klang ihre Stimme seltsam beschwingt, und Simon musterte sie scharf. »Nähergekommen inwiefern?«

Sie zerzauste ihm grinsend die Haare und schlug den Rückweg zum Lagerfeuer ein. »Insofern, dass du dir darüber keine Gedanken machen musst. Dein Onkel ist ein guter Kerl. Er hat ein bisschen Glück verdient.«

»Klar, aber ... welche *Art* von Glück?«

Sie sah ihn von der Seite an und musste so laut lachen, dass es über das dunkle Wasser hallte. Simon schnaubte.

»Glaubst du, die sind verknallt?«, fragte Nolan später am Abend, als die Feier zu Ende war und sie sich in ihrem gemütlichen, maritim dekorierten Zimmer in ihre Betten gekuschelt hatten. Anscheinend war Simon nicht der Einzige, der bemerkt hatte, dass Zia sich den Rest des Abends angeregt mit Malcolm unterhalten hatte, dem das sichtlich gefallen hatte.

»Sie wohnt in Colorado, schon vergessen?«, sagte Simon gähnend. Felix schlief bereits tief und fest auf seinem Kissen. Glücklicherweise hatte Nolan seine vage Ausrede geschluckt, warum die Maus so plötzlich wieder aufgetaucht war. »Das geht doch nicht, wenn sie so weit entfernt wohnen.«

»Man kann nie wissen.« Nolan schwieg einen Moment. »Ich frage mich, was Mom gerade macht.«

»Vielleicht wünscht sie sich, sie wäre bei uns.« Seit Nolan wusste, dass ihre Mutter freiwillig bei Orion geblieben war, achtete Simon noch genauer darauf, was er sagte. Er wusste, dass ein einziges Wort bei seinem Bruder dasselbe Gefühl der Zurückweisung auslösen konnte, mit dem er lebte, seit ihre Mutter sich in Arizona geweigert hatte, mit ihm zu kommen. Er wollte nicht, dass Nolan sich auch so fühlte. Er drehte sich auf die Seite, sodass er die Umrisse seines Bruders im Dunkeln sehen konnte. »Tut mir leid, dass ich dich nicht schon früher in unseren Plan eingeweiht habe.«

Nolan zuckte die Schultern. »Schon okay. Ich glaube, ich verstehe es. Du und Malcom, ihr versucht, mich zu beschützen, aber ich kann mich selbst schützen, weißt du?«

»Ich weiß.« Simon drehte einen Zipfel seiner Bettdecke ein. »Und ich brauche deine Hilfe. Ich schaffe es nicht allein.«

»Gut, denn ich hätte sowieso geholfen, ob es dir gepasst hätte oder nicht. Wann fangen wir an?«

Simon zögerte. »Du musst mir was versprechen.«

»Was?« Das Misstrauen in Nolans Stimme machte Simon noch nervöser, und er zupfte an einem losen Faden. Er konnte noch immer die Angst in Leos Gesicht vor sich sehen, als er vor dem Kristall des Unterwasserreichs zurückgewichen war, konnte noch immer seine Stimme hören, als er erklärt hatte, warum er ihn nicht haben wollte. Sosehr Simon seinem Bruder vertrauen wollte, wusste er doch ohne Zweifel, dass auch Nolan glaubte, er könne den Greifstab verwenden, um die Welt besser zu machen.

»Lass mich das mit dem Kristall übernehmen«, sagte Simon. »Es wäre zu gefährlich, wenn du ihn nimmst. Wenn Orion dich fängt, hätte er dich *und* ein Teil des Greifstabs, es wäre also gleich doppelt schlimm.«

Mehrere Sekunden lang sagte Nolan nichts. Simon bereitete sich auf Protest vor, doch zu seiner Überraschung zuckte Nolan nur wieder mit den Schultern. »Leuchtet ein.«

Simon atmete aus. »Wirklich?«

»Klar. Dir wird Orion nichts tun – du bist ein Goldadler wie er. Du bist quasi der einzige Animox auf der Welt, gegen den er den Greifstab nicht verwenden würde. Ich verstehe das. Ich bin eben etwas Besonderes, und das bedeutet, dass ich manchmal Opfer bringen muss.«

Er sagte es so, als zitiere er jemanden, und obwohl

Simon nicht sicher sein konnte, glaubte er, aus diesen Worten ihre Mutter herauszuhören. »Genau. Du kannst die coolen Abenteuer übernehmen, und ich erledige die Drecksarbeit.«

»Aber nur, weil du so nett gefragt hast.«

Simon grinste in sein Kissen hinein, und die beiden wurden still. Es verging so viel Zeit, dass Simon dachte, Nolan sei eingeschlafen, doch dann hörte er seinen Bruder flüstern: »Was ist, wenn wir es nicht schaffen? Werden wir sie für immer verlieren?«

Es schmerzte Simon, seinen übermütigen, zuversichtlichen Bruder dieselben Sorgen aussprechen zu hören, die ihn selbst seit September quälten, und ein Stechen in seinem Magen erinnerte ihn an alles, was passieren konnte.

»Darüber hab ich mir auch Sorgen gemacht. Aber jetzt weiß ich ja, dass wir beide zusammenhalten, und mach mir keine mehr«, sagte er, obwohl das nicht ganz stimmte.

»Echt?«, fragte Nolan. Simon konnte sein Lächeln förmlich hören.

»Echt. Und jetzt lass uns schlafen. Wenn wir morgen zu müde zum Denken sind, können wir Zia und Malcolm nicht vom Knutschen abhalten.«

Nolan gähnte, und Simon schloss die Augen und entspannte sich. Es war nicht gerade einfacher, seit sein

Bruder eingeweiht war – eher noch komplizierter. Doch die Last war leichter geworden, seit Nolan ihm half. Er musste sie nicht mehr alleine tragen, und das war schließlich auch nicht schlecht.

ZWANZIGSTES KAPITEL

Ein toller Hecht

Einmal kehrten sie noch nach Atlantis zurück, bevor ihr Urlaub zu Ende ging, zu einer *Zusammenkunft*, wie Malcolm es nannte. Er zwang sie, sich ordentlich anzuziehen, und kaufte Simon und Nolan sogar Krawatten, was Simon gleichermaßen nervte und argwöhnen ließ, dass es noch um etwas anderes ging.

Simon musste seinen ganzen Mut aufbringen, um noch einmal in die Unterwasserstadt zu reisen. Als sie ankamen, schnappte er beim Anblick von Admiral Rhode nach Luft – sie stand mit einem ganzen Trupp Soldaten zur Begrüßung bereit.

»Keine Sorge, das ist nur eine Zeremonie«, sagte Rhode trocken. Statt zum Regierungsgebäude marschierten sie ins Zentrum von Atlantis.

Simon war noch nie so weit in die Stadt vorgedrungen, und mit jedem Schritt wurde er nervöser. Hatte der General gemerkt, dass Jam ihm den Kristall des Unterwasserreichs zugesteckt hatte? Hatte er neue Beweise gesammelt und beschlossen, dass Simon nun doch verhaftet werden sollte? Aber wenn das der Fall war, warum musste Simon dann eine Krawatte tragen? Er versuchte, sich zu entspannen. Es würde schon alles gut gehen. Malcolm würde nie zulassen, dass ihm etwas geschah.

Es sei denn, es war eine Falle.

Rhode geleitete sie durch ein Tor in einer hohen Steinmauer, und mit angehaltenem Atem schritt Simon hindurch. Statt einer wütenden Armee gegenüberzustehen, womit er zumindest halb gerechnet hatte, fand er sich in dem eigenartigsten Park wieder, den er je betreten hatte. Ein gläserner Pfad verzweigte sich über einer weitläufigen Wasserfläche, und unter ihren Füßen befanden sich Korallen in allen Farben des Regenbogens.

»Dies sind die Korallengärten«, erklärte Rhode, als sie die Plattform in der Mitte erreichten, wo sie der General, auf einen Stock gestützt, erwartete. Jam und der Rest der Familie Fluke umringten ihn. Sie waren alle in Militäruniformen gekleidet.

Nein, nicht alle. Pearl stand an der Seite in einem schlichten blauen Kleid, blass und verschlossen. Ihr Blick war zu Boden gerichtet. Sie tat Simon unheimlich leid.

»Alpha. Wie schön, dass Sie gekommen sind«, sagte der General. Obwohl seine Verletzungen ihn geschwächt zu haben schienen, dröhnte seine Stimme so laut wie eh und je.

»Dieses Ereignis konnten wir uns doch nicht entgehen lassen, General«, erwiderte Malcolm. Als Rhode zu ihrer Familie stieß, winkte der General sie alle nach oben auf die Plattform.

»Was ist los?«, fragte Simon verwirrt.

Malcolm schüttelte den Kopf. »Schau es dir an.«

Der General hinkte in die Mitte und nahm eine kleine Schachtel aus der Tasche. »Ich habe euch alle gebeten, heute herzukommen, weil dieser Moment gewürdigt werden und in Erinnerung bleiben soll, nicht nur von meinem Reich, sondern von der gesamten Welt der Animox.« Er betrachtete die Schachtel einen Moment und wog sie in seiner Hand, als wüsste er nicht genau, was darin war. »Mein Sohn Benjamin war immer ein Außenseiter in unserer Familie. Nicht nur, weil er mein einziger Sohn ist und der Einzige, der meine Animox-Gestalt geerbt hat, sondern auch, weil er die Welt immer anders gesehen hat als wir. Wo wir die Notwendigkeit von Ordnung sehen, sieht Benjamin Schönheit im Chaos. Wo wir Schwarz und Weiß sehen, sieht Benjamin Farbe. Das sind nicht die typischen Qualitäten, die wir in unserem Reich schätzen, und ich muss leider sagen, dass wir es ihm oft schwer gemacht haben, wenn er seine Fähigkeiten zeigte.«

Jam, inmitten seiner Familie, zwischen Rhode und seiner Mutter, wurde rot. Simon versuchte, seinen Blick aufzufangen, doch Jam starrte entschlossen den General an, den Rücken kerzengerade und die Schultern gestrafft.

»Unser Königreich ist groß, aber wir haben, wie alle, auch unsere Grenzen«, fuhr der General fort. »Wir glauben an Traditionen und daran, dass es gut ist, die Dinge so zu tun, wie sie immer getan wurden. Doch hätten wir während der Schlacht um unsere Stadt an diesem Glauben festgehalten, hätten wir verloren. Benjamin war der Einzige, der nicht nur in der Lage war, Möglichkeiten zu sehen, für die wir blind waren, sondern auch den Mut hatte, sie zu benennen und unsere Strategie in eine andere Richtung zu lenken. Damit hat er Tausenden das Leben gerettet und die Unabhängigkeit unseres Reichs bewahrt.«

Der General öffnete die Schachtel und nahm einen seesternförmigen Orden heraus. Jams Augen wurden groß, als sein Vater zu ihm hinkte und ihm den Orden in die zitternden Hände legte. »Es ist mir eine Ehre, dich, Benjamin Fluke, in den Rang des Majors zu erheben. Ich bin stolz auf dich, mein Sohn – stolzer, als ich sagen kann. Wir alle verdanken dir unser Leben. Das Reich kann sich glücklich schätzen, dich zum nächsten General zu haben, und ich kann mich glücklich schätzen, dich zum Sohn zu haben.«

Der General griff nach Jams Kragen, doch bevor er ihm mit seinen zitternden Fingern den Seestern anstecken konnte, trat Jam einen kleinen Schritt zurück. »Sir, wenn Sie erlauben«, sagte er, und seine Stimme zitterte beinahe ebenso sehr wie die Hände seines Vaters. »*Mir* ist es eine Ehre, zu dieser Familie zu gehören – zu euch allen«, fügte er hinzu und sah seine Mutter und seine Schwestern an. »Und es wäre mir eine Ehre, in Zukunft das Reich zu führen. Aber es steht mir nicht zu.«

Der General musterte ihn fragend. »Natürlich steht es dir zu, Major. Du bist mein Sohn.«

»Und Rhode ist Ihre Tochter, Sir. Sie war es, die das Unterwasserreich zusammengehalten hat. Ich werde nie an ihre Disziplin und Hingabe herankommen, und es sollte keine Rolle spielen, dass sie ein Hai ist und kein Delfin.« Jams Blick wanderte zu Pearl, die ihn hoffnungsvoll ansah. »Diese Art der Ausgrenzung ist nicht gut für unser Volk. Die Mitglieder unseres Reiches verdienen Rhode als nächsten General, Sir.«

Unter Jams Schwestern setzte ein Geflüster ein, und der General runzelte sichtlich verwirrt die Stirn. Bevor irgendjemand etwas sagen konnte, trat Rhode neben ihren Vater und nahm sanft den Orden aus seinen zitternden Händen.

»Ich danke dir für die freundlichen Worte, Major«, sagte sie und befestigte den Orden an Jams Kragen. »Ich habe mein Leben dem Dienst an unserem Reich gewidmet, und das werde ich auch weiterhin tun. Aber ich bin stolz, dich meinen Bruder zu nennen, und wenn der Tag gekommen ist, werde ich dich mit Stolz meinen General nennen. Unser Reich muss in die Zukunft gehen, und auch wenn ich immer an deiner Seite bleiben werde, habe ich keinen Zweifel, dass du der Richtige bist, die Veränderungen einzuführen, die uns helfen werden, unser volles Potenzial auszuschöpfen – nicht nur als Soldaten, sondern auch als mitfühlende menschliche Wesen.« Sie trat zurück, und der Stern blitzte an Jams Uniform. »Wie unser Vater so treffend bemerkt hat, siehst du in Farbe, und davon können wir alle im Moment etwas mehr gebrauchen.«

Sie hob die Hand zum militärischen Gruß. Jams Kinn zitterte, und zu Simons Überraschung schlang er die Arme um seine Schwester. Rhode stand ganz still, doch nach einer Weile entspannte sie sich und erwiderte die Umarmung.

Der General räusperte sich, und Jam stellte sich aufrecht hin und wurde rot. »Verzeihung, Sir. Es wird nicht wieder vorkommen, Sir«, sagte er und presste die Arme wieder an den Körper. Der General lächelte kaum merklich. »Ich hoffe, es wird noch häufig vorkommen, Major.«

Und auch wenn er Jam nicht umarmte, so klopfte er ihm doch wenigstens auf die Schulter. Es sah nicht nach viel aus, doch so, wie Jam strahlte, war es der glücklichste Moment seines Lebens.

»Los, komm«, drängte Winter, als die Zeremonie vorbei war, und zog Simon am Arm. »Nixie hat gesagt, dass es im Regierungsgebäude eine Party gibt. Sie hat sogar ihre Mutter überredet, Kuchen zu besorgen, der nicht nach Sushi schmeckt.«

»Ich wette, dann sieht er zumindest nach Sushi aus«, sagte Simon und lachte über Winters Gesicht. Ganz egal wie viele kleine Schritte das Unterwasserreich machen würde, manche Dinge – wie die Liebe zu Sushi – würden sich wohl niemals ändern.

Als das Ende der Ferien gekommen war, tat es Simon richtig leid, Avalon zu verlassen. Dank Zias Angewohnheit, alle mit Sonnencreme einzukleistern, war er zwar nicht sehr braun geworden, aber er hatte, wenigstens im Moment, nicht mehr das Gefühl, die Last der ganzen Welt auf seinen Schultern zu tragen.

Am Flughafen von Los Angeles verabschiedeten sie sich von Zia. Simons Abschied fiel kurz aus – ein Wort und eine zum Gruß erhobene Hand von Simon, ein Zwinkern von Zia –, doch als Winter an die Reihe kam, beugte Zia sich zu ihr, und sie redeten leise eine ganze

Minute miteinander. Während Malcolm Zia zu ihrem Gate brachte, verschwand Winter beinahe eine Viertelstunde lang auf der Toilette, und als sie wieder herauskam, waren ihre Augen gerötet. Es war Simon nicht entgangen, dass Winters Haare in den letzten zwei Wochen jeden Tag auf eine andere kunstvolle Weise geflochten gewesen waren, doch er hatte sich jeglichen Kommentar dazu verkniffen.

Bei Sonnenuntergang landeten sie in New York. Da sie einen Tag vor den anderen Schülern ins L. A. G. E. R. zurückkehrten, lag die Schule ganz verlassen da, als sie den Graben überquerten und sich in das fünfeckige unterirdische Gebäude begaben. Die Stille war beklemmend, und Simon war froh, die Wendeltreppe in den Alpha-Bereich hinaufgehen und sich in sein Zimmer zurückziehen zu können. Doch noch bevor er seinen Koffer hineingezogen hatte, stieß Nolan im Raum nebenan einen wütenden Schrei aus.

Simon stürzte zu der geöffneten Tür. »Was …?« Er blieb wie angewurzelt stehen. Nolans Zimmer war ein einziges Chaos. Die Laken waren vom Bett gerissen worden, die Matratze war aufgeschlitzt. Alle Schubladen waren herausgezogen worden, der gesamte Inhalt lag auf dem Boden, und seine Bücher waren überall im Raum verteilt, viele Einbände und Seiten zerrissen.

Simon bekam Panik. Er rannte zu seinem Zimmer und

riss die Tür auf. Auch sein Zimmer war völlig auf den Kopf gestellt worden. Er starrte das Durcheinander mit hämmerndem Herzen an. Er konnte nicht atmen, nicht denken – automatisch stürzte er zu der Sockenschublade, die herausgezogen worden war, und ließ die Hände über den glatten falschen Boden gleiten. Er schob die Fingernägel unter die Kante und hob sie mit einem tonlosen Schluchzer der Erleichterung an.

Das Teil des Greifstabs aus dem Reptilienreich lag wohlbehalten in seiner Ecke, genau da, wo Simon es zurückgelassen hatte.

Tief ausatmend ließ er die Schultern sinken, und sein Puls begann sich zu normalisieren, als er aus dem Augenwinkel die Wand über seinem Schreibtisch wahrnahm. Sein Blickfeld verengte sich zu einem Tunnel, und sein Körper wurde taub.

Nein. *Nein.*

»Was ist denn ...?«, setzte Malcolm an, doch die Frage erstarb ihm auf den Lippen, als er in Simons Tür erschien. »Was zur ...«

»Mein Zimmer sieht genauso aus«, sagte Nolan mit düsterem Gesicht. »Sie haben alle meine Bücher zerrissen.«

»Ich besorge dir neue.« Dann bemerkte Malcolm Simons bestürztes Gesicht, und er näherte sich ihm vorsichtig wie einem verletzten Tier. »Simon? Fehlt etwas?«

Simon starrte die leere Wand an, und in seinem Kopf drehte sich alles. »Meine … meine Postkarten. Von Mom …« Seine Stimme verhakte sich in seinem Hals, und einen Augenblick lang glaubte er, er müsste weinen. »Sie sind weg.«

EINUNDZWANZIGSTES KAPITEL

Aufgescheucht

Simon und Nolan brauchten Stunden, um das Chaos zu beseitigen. Malcolm, Winter und Jam halfen ihnen. Winter murmelte ihr Beileid wegen des Verlusts der Postkarten, doch niemand versuchte, Simon aufzumuntern. Sie wussten, dass es nichts gebracht hätte. Anders als Nolans Bücher würden sich die Karten seiner Mutter nie ersetzen lassen.

Kein anderer Teil der Schule war angerührt worden. Malcolm war verwirrt. Warum machte jemand sich die Mühe, hundertvierundzwanzig Postkarten zu stehlen, ließ aber teure Elektrogeräte stehen? Simon kannte die Antwort. Irgendjemand hatte erkannt, dass die Postkarten eine Art Fahrplan der Aufenthaltsorte seiner Mutter in den letzten Jahren waren und Hinweise darauf gaben, wo die Teile des Greifstabs versteckt waren.

Nach einer späten Pizza, von der Simon kaum einen Bissen hinunterbrachte, schrieb er den Wortlaut jeder Karte auf, an die er sich erinnern konnte. Einige konnte er sich so mühelos ins Gedächtnis rufen, als lägen sie vor ihm auf den Tisch, an andere jedoch konnte er sich beim besten Willen nicht erinnern. Seit den Wochen nach Darryls Tod hatte er dieses Gefühl nicht mehr gehabt – als hätte er einen Teil von sich verloren, den er nie zurückbekommen würde. Es waren nur Postkarten, aber sie waren das Einzige, was noch von seinem früheren Leben übrig war, und immer wenn sein Blick auf die leere Wand über seinem Schreibtisch fiel, zog sich sein Magen zusammen.

»Ich glaube, es war Orion«, sagte Simon leise, während Winter, Jam und Nolan ihm halfen, seine Kleidung zusammenzulegen und zu sortieren. »Er ist schon einmal in die Schule eingebrochen und … und als er gedroht hat, Mom zu töten, hat er gesagt, er würde sie nicht mehr brauchen. Er hätte andere Wege, um die Kristalle zu finden. Vielleicht hat er die Karten gemeint.«

»Vielleicht«, sagte Winter zweifelnd. »Aber … noch hat Orion deine Mom. Selbst wenn er die Teile ohne sie finden könnte, wäre er dumm, es zu versuchen.«

»Genau wie wenn er noch einmal versuchen würde, ihr etwas anzutun«, murmelte Nolan und warf eine Hose auf seinen Stapel. »Ich glaube, die gehört mir.«

Winter warf ihm einen genervten Blick zu. »Weiß Orion von den Karten?«, fragte sie und konzentrierte sich wieder auf Simon.

Er zögerte. »Keine Ahnung. Vielleicht.«

»Es sind über hundert, richtig?«

»Hundertvierundzwanzig. Hundertsechsundzwanzig, wenn man die beiden mitzählt, die sie mir geschickt hat, nachdem ich entführt wurde.«

»Auf wie vielen waren Insekten?«

»Vierundzwanzig oder fünfundzwanzig. Ich bin nicht ganz sicher.«

»Das sind immer noch zu viele, um allein mithilfe der Postkarten das Versteck zu finden«, sagte sie. »Er müsste wirklich verzweifelt sein, um sich auf die Karten und nicht auf eure Mom zu verlassen. Vor allem da es ja so aussieht, als würde sie ihm tatsächlich ein bisschen helfen.«

»Sie hat recht«, sagte Jam, der Simons Hemden mit militärischer Genauigkeit faltete. »Er ist nicht dumm, und er ist auch nicht verzweifelt, jedenfalls noch nicht.«

»Es könnte ein Notfallplan sein, falls sie aufhört, mit ihm zusammenzuarbeiten«, sagte Simon unsicher.

»Ich glaube, es ging überhaupt nicht um die Karten«, warf Winter ein. »Dein Zimmer ist verwüstet worden. Nolans auch. Wenn sie nur die Karten gewollt hätten – die waren ja deutlich sichtbar aufgehängt. Ich glaube, sie wollten die Kristalle.«

Simon, der gerade dabei war, seine Unterwäsche aufzusammeln, erstarrte in der Bewegung. Sie hatte natürlich recht. Die Postkarten waren quasi ein Trostpreis. »Ich weiß nicht, was ich als Nächstes machen soll«, sagte er kläglich. »Ich weiß nicht, wo wir suchen sollen. Ich weiß nicht, wie ich die Kristalle in Sicherheit bringen soll …«

»Wir helfen dir«, sagte Jam mitfühlend. »Du bist nicht allein.«

»Manchmal fühlt es sich aber so an«, murmelte er.

»Tja, so ist es aber nicht«, sagte Winter eher schnippisch als mitfühlend. »Wir lassen uns etwas einfallen, Simon. So wie immer. Ariana wird uns helfen. Wir werden die restlichen Teile finden.«

»Aber die Karten …«, begann Simon.

»Die Karten haben nicht gegen Schlangen und Haie gekämpft. Sondern du«, entgegnete sie. »Also Schluss damit. Heute Abend darfst du noch jammern, aber morgen, wenn Ariana zurück ist und alle mit dem Abschlussturnier beschäftigt sind, überlegen wir gemeinsam den nächsten Schritt.«

Jam stöhnte. »Die Meisterschaft hatte ich ja ganz vergessen.«

Simon ging es genauso. Doch das Vogelreich im Finale zu vertreten, kam ihm nach allem, was in Atlantis passiert war, völlig belanglos vor.

»Sollen doch die anderen bei dem blöden Turnier

kämpfen«, sagte Nolan. »Wir retten die Welt der Animox!«

Als Simon von einem zum anderen blickte und die Entschlossenheit in ihren Gesichtern sah, wagte er zu hoffen, dass sie es vielleicht, ganz vielleicht, wirklich schaffen würden.

In dieser Nacht schlich Simon, lange nachdem Felix zu schnarchen begonnen hatte, in Nolans Zimmer. Sein Bruder schlief fest, und Simon kroch in den Geheimgang, der nach draußen in den Central Park Zoo führte.

Es war Wochen her, seit er zum letzten Mal nach einer Postkarte gesucht hatte, und er war ziemlich sicher, dass, wer auch immer sein Zimmer verwüstet hatte, auch das Versteck kontrolliert hatte. Trotzdem musste er nachsehen. In der Dunkelheit lief er über die Pflastersteine im Zoo zu dem kleinen Platz, wo die beiden Wolfsstatuen standen.

Im Vorbeigehen strich er mit den Fingerspitzen über den Wolf, der sein Vater gewesen war. Er hatte das Foto, das Leo ihm geschenkt hatte, in der Geheimschublade versteckt. Dabei war ihm wieder schmerzlich bewusst geworden, dass er dringend einen sichereren Platz brauchte. Diesmal hatte er Glück gehabt. Doch sein Glück würde nicht ewig währen.

Vor Darryls Statue blieb er stehen und legte ihr die

Hand auf die steinerne Schnauze. Er hatte seinen Onkel nur wenige Male in Wolfsgestalt gesehen, aber es war ein wichtiger Teil seines Lebens gewesen. Je mehr Zeit seit Darryls Tod verging, desto mehr begann Simon, in ihm mehr zu sehen als nur seinen Onkel.

»Ich habe Leo kennengelernt«, sagte er so leise, dass die Dunkelheit um ihn herum seine Worte zu verschlucken schien. »Er vermisst dich. Wie wir alle.«

Er hielt inne und sah seinen Atem vor sich in der kalten Nachtluft. Er wusste nie so recht, was er zu seinem Onkel sagen sollte. Manchmal kam er sich lächerlich vor, mit dessen Grabstein zu reden, doch auch wenn es kindisch war, es ging nicht anders. Er brauchte es. Er brauchte die Erinnerung.

»Ich wünschte, ich hätte früher gewusst, dass ich so eine große Familie habe«, murmelte er. »Ich will damit nicht sagen, dass du nicht genug für mich warst. Du und Mom, wenn sie kommen konnte – ihr wart toll. Ich vermisse das. Ich vermisse, wie wir zusammen gefrühstückt haben. Ich vermisse unsere Samstage in der Bücherei. Ich vermisse, dass ich, egal wie fies die anderen in der Schule waren, immer wusste, zu Hause würde alles gut sein.« Er schluckte mühsam. »Ich vermisse dich.«

»Wie *rührend*!«

Simon hob ruckartig den Kopf. Aus dem Schatten glitt ein grauer Wolf. Er war kleiner, als sein Onkel gewesen war, doch in seinen Augen lag ein Funke Wildheit, der ihn gefährlicher wirken ließ als das gesamte Rudel.

»Celeste?«, stammelte er.

»Hallo, Simon.«

Er hatte die Alpha nicht mehr gesehen, seit Malcolm sie aus Paradise Valley verjagt hatte, und er hatte gehofft, sie wäre ein für alle Mal verschwunden. Aber das war natürlich nicht der Fall. Simon wich einen Schritt zurück. »Du hast meine Postkarten gestohlen.«

Es war keine Frage, doch ihr Lachen gab ihm die letzte Gewissheit. »Ich hatte ja keine Ahnung, dass deine Mutter so umsichtig war, in all den Jahren ihre Aufenthaltsorte zu dokumentieren. Vielen Dank, dass du auf sie aufgepasst hast, Simon. Ich verspreche dir, dass ich sie sinnvoll einsetzen werde.«

Er wich noch einen Schritt zurück, wobei er beinahe über einen hervorstehenden Pflasterstein gestolpert wäre. »Was willst du?«

»Die Kristalle, Simon«, sagte sie und kam näher. »Bring sie mir, dann lasse ich euch alle in Ruhe.«

»Du weißt, dass ich sie dir niemals geben werde.«

»Nicht einmal, um deinen Bruder und deinen Onkel zu schützen?«

»Malcolm hat doch schon bewiesen, dass er dir überlegen ist, und wir wissen beide, dass du gegen Nolan keine Chance hast«, sagte er und gab sich Mühe, mutiger zu klingen, als er sich fühlte. »Also, was willst du wirklich?«

Er glaubte, den Ansatz eines wölfischen Lächelns zu erkennen. »Du warst schon immer der Schlauere von euch beiden, nicht wahr? Deine Mutter hat weise gewählt.« Sie begann, ihn zu umkreisen. Ihre Bewegungen waren flüssig, trotz der Spannung ihrer Muskeln. »Wir sollten zusammenarbeiten, Simon.«

Er schnaubte. »So wie du mit meiner Mom zusammengearbeitet hast?«

»Ich kenne Geheimnisse, die nicht einmal deine Mutter kennt, Geheimnisse über den Greifstab und Orion, die den Lauf der Geschichte ändern könnten.« Sie blieb wenige Zentimeter vor ihm stehen, so nahe, dass er die Spitzen ihrer scharfen Reißzähne sehen konnte, während sie sprach. »Es ist nur eine Frage der Zeit, bis du einsehen wirst, dass du mich brauchst, und dann bin ich womöglich nicht mehr so entgegenkommend.«

Etwas an der Art, wie sie es sagte, gab Simon den Eindruck, dass sie nicht nur bluffte, doch für ihn war es keine Frage. »Ich versuche mein Glück allein, vielen Dank.«

Sie knurrte. Das tiefe Geräusch ließ Simon in der Dunkelheit die Haare zu Berge stehen. »Ich werde es kein zweites Mal anbieten, Simon.«

»Wirst du doch«, sagte er. »Du brauchst mich mehr,

als ich dich brauche, und das weißt du auch. Sonst wärst du gar nicht hier.«

Celeste bleckte die Zähne und schnappte nach ihm, und er konnte ihr nur knapp ausweichen. Das Bild eines Goldadlers war schon halb in seinem Kopf, als aus den Bäumen ein tiefer Eulenschrei ertönte und die Wölfin in der Bewegung erstarrte.

In den Zweigen über ihnen saß eine weißgesichtige Eule, die Simon noch nie gesehen hatte. Ihr Körper war mit weißen und gelben Federn gesprenkelt, und sie starrte den Wolf wortlos an. Celeste wich langsam zurück, den Körper tief und die Ohren flach.

»Wenn du mich brauchst, warte ich auf dich«, sagte sie zu Simon, bevor sie in der Dunkelheit verschwand.

Simon senkte den Kopf und atmete zitternd ein. Das war knapp gewesen – zu knapp. Er hätte zurück ins L. A. G. E. R. fliehen sollen, doch der Einbruch hatte gezeigt, dass auch die Schule nicht vor ihr sicher war. Kein Ort war vor ihr sicher. Welche Geheimnisse auch immer sie zu kennen behauptete, welchen Handel auch immer sie vorschlagen wollte, sie würde bis zum bitteren Ende kämpfen, genau wie Orion. Und wie Simon.

Als er sich wieder gefasst hatte, fiel sein Blick auf den losen Stein unter Darryls Statue. Er wagte es nicht zu hoffen, nachdem Celeste durch den Zoo geschlichen war, doch aus Gewohnheit schob er mit der Schuhspitze den

Stein beiseite – und zu seiner Überraschung befand sich darunter eine bunte Postkarte.

Seine Brust zog sich zusammen. Er spähte besorgt in die Dunkelheit, wo Celeste verschwunden war, dann kniete er sich auf den Boden und zog die Karte vorsichtig aus dem Versteck. Auf der Vorderseite befand sich das Bild eines feinen Spinnennetzes in einem Garten voll blühender Blumen. Tautropfen hingen in dem komplizierten Muster, und als Simon die Augen zusammenkniff, sah er am Rand eine Seidenspinne sitzen und auf ihre Beute lauern.

Er drehte die Karte um. Auf der Rückseite stand, in der geschwungenen Schrift seiner Mutter, eine einzige Zeile.

Taten zählen mehr als Worte. Traue niemandem.

Er las ihre Worte dreimal und schauderte in der kalten Winterluft. Es gab keinen Absender, keine Stadt und keinen Hinweis, wohin sie und Orion gereist sein mochten. Seine Hoffnung löste sich in Luft auf. Diesmal waren seine Freunde und er auf sich gestellt.

Das Heulen eines Wolfs aus dem Rudel durchbrach die Stille, und er hörte ganz in der Nähe das leise Knistern von Laub. Er umklammerte die Postkarte und schaute sich mit rasendem Puls um. Es war niemand da.

Du bist nie allein.

Die Worte seines Großvaters hallten in seinen Ohren, als stünde Leo direkt hinter ihm. Simon schauderte wieder, diesmal nicht wegen der Kälte. Ein Versprechen oder eine Warnung – er konnte sich nicht mehr sicher sein.

Er eilte zurück zur Mitte des Zoos. Um ihn herum schien in der Nachtluft eine ganze Symphonie von Tieren zu erwachen. Der Ruf eines Vogels in einer herabhängenden Ranke, das Summen eines Insekts trotz der Kälte, das Miauen einer streunenden Katze, die sich in den Zoo geschlichen hatte – sie waren immer da. Mit wachsamen Augen und gespitzten Ohren.

Als Simon die Adlerstatue erreichte, die den geheimen Eingang zur Schule markierte, landete die seltsame Eule mit leisen Flügeln auf einem nahen Baum, und nur das Rascheln der Zweige verriet Simon, dass sie da war. Für den Bruchteil einer Sekunde begegneten sich ihre Blicke. Keiner von ihnen sagte ein Wort.

Traue niemandem.

Er sog noch einmal die kühle Luft ein, dann senkte er den Kopf, kroch in den Tunnel und ließ die mit düsteren Vorahnungen gefüllte Winternacht hinter sich zurück.